渋谷秀樹 編著

憲法判例集

〔第12版〕

有斐閣新書

JN186391

本書のコピー，スキャン，デジタル化等の無断複製は著作権法上での例外を除き禁じられています。本書を代行業者等の第三者に依頼してスキャンやデジタル化することは，たとえ個人や家庭内での利用でも著作権法違反です。

第12版　はしがき

「憲法学習者にとって、より手にとりやすく、より利用しやすい判例集」をという考えのもとに、野中俊彦先生と江橋崇先生によって編集されて1978年8月に刊行された本書は、数年ごとに改訂を重ねて2008年には第10版に至った。その後、改訂が滞ったので筆者が補訂にあたり、2016年に第11版が刊行された。

このたび、原編著者お二人の意図を継承しつつ、体系に微修正を施し、収録判例に検討を加えて、本書を第12版として刊行することになった。

本書の特色は、①基本判例は審級を問わず収録する、②【事件】は当該事案の内容を簡潔に要約し、裁判の帰結を簡潔に示す、③【争点】を①②…と示し、【判旨】の冒頭にそれに対応する多数意見（法廷意見）の理由の要約を❶❷…と示し、理由のうちの重要な部分を可能な限り「　」で引用するが、少数意見（補足意見・意見・反対意見）は引用しない、④【コメント】で少数意見の存在を裁判官名と共にほぼ網羅的に記載し、必要に応じて立法や判例の動向を記す、以上4点にある。

収録判例は、総頁数の限界を視野に入れつつ、旧版から11件を削除し、8件を新たに収録した結果、総数は158件となった。継続して収録した判例の各項目の記述内容の見直しも行った。

今回の改訂にあたり、有斐閣書籍編集部の笹倉武宏さんと北口暖さんには、原典との照合や、裁判の帰結、立法的対応等を詳細に検証していただいた。改訂作業の過程で衝撃的だったのは、2021年10月、最高裁事務総局編集の公式判例集に誤記載があるとの公表であった。今回、この点も編集部に確認いただいた。

本書がこれまでの版と同様に多くの憲法学習者に広く活用いただければ、これにまさる喜びはない。

2022年1月1日（日本国憲法施行75年を迎える年が始まる日に）

渋谷秀樹

初版　はしがき

　日本国憲法の下に違憲審査制度が採用されて、すでに30余年を経過した。この間、多彩な憲法問題が裁判の場において争われ、憲法判例の集積もかなりのものになっている。ところで、わが国の違憲審査制はいわゆる付随的違憲審査制として理解され、実際にも運用されてきているが、このような制度の下では憲法判例というとき、その意味を狭く憲法条項に関する判断を含む判例だけに限定しないで、もっと広く、およそ訴訟の前提をなす事実の中になんらかの憲法問題を含む事件に関する判例というようにとらえるのが適切であろう。付随的違憲審査制は、抽象的違憲審査制とは異なり、裁判所が具体的事件における紛争の解決に必要なかぎりでのみ違憲審査権を行使する制度なので、憲法問題が裁判で争われる場合にも、憲法訴訟法ともいうべき独自の訴訟法があるわけではなく、また憲法問題の提起に対して裁判所が必ず正面から答えるしくみにもなっていない。憲法問題も通常の刑事・民事・行政の各訴訟手続のいずれかの中で争われ、これら手続の中で憲法問題が提起されても、手続上の理由により憲法判断が回避されたり、あるいは単なる法律解釈上の問題として処理されたりする場合も多いのである。しかしそのような判例も直接の憲法判断を含む判例に劣らない重要性を憲法学上は持っているのである。

　このような意味での憲法判例が、憲法を学ぶ上での生きた教材であることにはいまさら多言を要しまい。簡潔で抽象的な憲法の文言が憲法判例を通してその具体的意味内容を明らかにされ、あるいは判断を留保されればそれはそれなりの意味で、生きた憲法を形成していくのである。もちろん憲法判例は憲法の全領域に万遍なく存在するわけではないし、また個々の判例における憲法解釈や法律解釈が普遍的なものであるわけでもない。厳しい批判が必ずありえようし、判例の変更もありえよう。しかしそれをどのように各自の立場でうけとめるにせよ、現実に形成されている憲

初版はしがき iii

法判例を無視した憲法学は今日では成り立ちえないし，憲法判例の学習を抜きにした憲法学習も成り立たないといってよい。そこで学習の教材として憲法判例を集成したものが必要になってくる。

このたび，私たちは，有斐閣のすすめによって，本憲法判例集を編集した。すでに定評のある類書がいくつかある中で私たちが新たな編集にあえて着手したのは，大学での永年の憲法講義担当の経験から，憲法学習者にとって，より手にとりやすく，より利用しやすい判例集がぜひとも必要ではないかと考えたからにほかならない。そして私たちは，そのような編集意図の下に，本書に次のような特色をもたせることができたと考える。第1に，憲法学習にとって最小限必要と思われる基本的判例は，最高裁判例のみならず下級裁判例も含めて，ごく最近のものに至るまで，ほぼすべて収録したこと。第2に，【争点】の項を各判例ごとに設け，判旨を読みやすく，わかりやすくするように務めたこと。これは類書にない特色とひそかに自負している。なお憲法訴訟の実際においては訴訟技術問題の未開拓ということもあって，このような争点があらかじめはっきりさせられた上で訴えの提起や立証が行なわれているわけでは必ずしもない。判旨からいわば逆算してこのような争点を設定したものであることをお断りしておきたい（この点，他日，憲法訴訟手続の観点から全憲法判例を整理しなおしたいという希望を私たちはもっている）。第3に，実際の学習にあたって判例を探しやすいように，判例を頁ごとに区切って収録したこと。第4に，【事件】，【コメント】の項において事件の成行きや立法の動向，さらに反対意見，関連判例等をできるだけ明らかにするように務めたこと。そして最後に，本書を有斐閣新書の中の1冊に加えていただくことにより，比較的廉価で読者に提供できるようになったことである。

コンパクトで利用しやすいものを意図した反面として，本書には次のような限界があることも御承知いただきたい。第1に，収録判例にはおのずと限界があること。基本的なものや著名なもの

はほぼすべて収録したが，そのほかにも収録しきれなかった重要な判例は相当数ある。第2に，判旨はなるべく生のままで収録するよう心がけたが，スペースの都合で適宜省略を余儀なくされたものもかなりあることである。もちろんエッセンスの部分は必ず収録されているが，判旨における前置き的な説示や重複的文章，修辞的な文言や冗語はかなり削除せざるをえなかった。第3に，事件についてもできれば事実関係を詳細に紹介したい意欲をもちながら，簡単な紹介にとどまらざるをえなかったことである。これらの点は本書の編集目的からしてやむをえない限界と考えられるが，すすんでより詳しく学習を進めていく上では，別の編集方針にかかるものや，さらには出典として示した原判決全文収録の判例集を参照していただきたい。

　本書が幸いにして多くの法学学習者によって活用されることになれば，編者としてこれにまさる喜びはない。

1978年5月3日　憲法記念日に

著　　　者

目　　次

第1章　天　　皇　　1

1　天皇と不敬罪《プラカード事件》……………………………………1
2　天皇と民事裁判権《「記帳所」事件》…………………………………3

第2章　戦争の放棄　　4

3　日米安保条約と憲法9条(1)《砂川事件地裁〈伊達〉判決》…………4
4　日米安保条約と憲法9条(2)《砂川事件最高裁判決》…………………6
5　駐留軍用地特措法等の合憲性《沖縄職務執行命令訴訟》……………9
6　自衛隊の合憲性の判断《恵庭事件》……………………………………10
7　自衛隊と憲法9条(1)《長沼事件地裁〈福島〉判決》…………………11
8　自衛隊と憲法9条(2)《長沼事件最高裁判決》…………………………16
9　自衛隊と憲法9条(3)《百里基地訴訟》…………………………………17

第3章　人権総論　　19

10　法人の人権享有主体性《八幡製鉄政治献金事件》……………………19
11　人権規定の私人間効力(1)《三菱樹脂事件高裁判決》…………………21
12　人権規定の私人間効力(2)《三菱樹脂事件最高裁判決》………………22
13　公益団体会員の信条の自由(1)《南九州税理士会事件》………………25
14　公益団体会員の信条の自由(2)《群馬司法書士会事件》………………26
15　公務員の政治活動の禁止(1)《猿払事件地裁〈時国〉判決》…………27
16　公務員の政治活動の禁止(2)《猿払事件最高裁判決》…………………29
17　公務員の政治活動の禁止(3)《堀越事件》………………………………33
18　被拘禁者の人権制限(1)《喫煙禁止違憲訴訟》…………………………35
19　被拘禁者の人権制限(2)《よど号事件新聞記事抹消事件》……………36

20 外国人の人権享有主体性《マクリーン事件》……38
21 外国人指紋押なつ制度の合憲性 ……39
22 定住外国人の地方選挙権 ……40
23 定住外国人の公務就任資格(1)《高裁判決》……41
24 定住外国人の公務就任資格(2)《最高裁判決》……42
25 私人による外国人差別《公衆浴場入浴拒否事件》……43
26 賭博行為禁止の合憲性 ……45

第**4**章 法の下の平等　46

27 尊属殺重罰規定と法の下の平等 ……46
28 非嫡出子法定相続分規定と法の下の平等 ……49
29 生後認知子の国籍取得差別と法の下の平等 ……52
30 女性のみにある再婚禁止期間と法の下の平等 ……54
31 夫婦同氏義務付け制度の合憲性 ……57

第**5**章 精神的自由　61

32 謝罪広告の強制と思想・良心の自由 ……61
33 「君が代」ピアノ伴奏拒否事件 ……62
34 剣道実技受講拒否に基づく退学処分と信教の自由 ……63
35 宗教的理由による輸血拒否と医師の説明責任 ……64
36 政教分離(1)《津地鎮祭訴訟高裁判決》……65
37 政教分離(2)《津地鎮祭訴訟最高裁判決》……66
38 政教分離(3)《愛媛玉串料訴訟》……69
39 政教分離(4)《空知太神社訴訟》……71
40 政教分離(5)《久米至聖廟訴訟》……74
41 殉職自衛官の合祀と信教の自由(1)《地裁判決》……76
42 殉職自衛官の合祀と信教の自由(2)《最高裁判決》……77
43 破壊活動防止法のせん動罪と表現の自由《渋谷暴動事件》……79
44 わいせつ文書取締りの合憲性(1)《チャタレー地裁判決》……80
45 わいせつ文書取締りの合憲性(2)《チャタレー最高裁判決》……81

目　次　vii

- **46** わいせつ文書取締りの合憲性(3)《「四畳半襖の下張」事件》……………83
- **47** 条例による有害図書規制《岐阜県青少年保護育成条例事件》……………84
- **48** 表現の自由と名誉毀損(1)《「夕刊和歌山時事」事件》……………………85
- **49** 表現の自由と名誉毀損(2)《「月刊ペン」事件》……………………………86
- **50** 表現の自由と名誉毀損(3)《「北方ジャーナル」事件》……………………87
- **51** プライバシー保護と表現の自由《「宴のあと」事件》………………………89
- **52** 容貌・姿態の法的保護《京都府学連事件》…………………………………91
- **53** 前科犯罪歴の法的保護《前科照会事件》……………………………………93
- **54** 講演会参加者名簿の提出とプライバシー……………………………………94
- **55** 住基ネットと自己情報コントロール権………………………………………95
- **56** ウェブサイトの検索結果の提供………………………………………………96
- **57** 報道機関の取材源の秘匿《石井記者証言拒否事件》………………………98
- **58** 裁判の傍聴とメモの自由《レペタ訴訟》……………………………………99
- **59** 取材の自由と公正な裁判《博多駅事件》……………………………………100
- **60** ビラ貼り規制と表現の自由……………………………………………………102
- **61** 戸別訪問の禁止と表現の自由…………………………………………………103
- **62** 政見放送の一部削除と表現の自由……………………………………………104
- **63** NHK受信料訴訟 ………………………………………………………………105
- **64** 知る権利と取材の限界《沖縄密約電文漏洩事件》…………………………108
- **65** 意見広告と反論権《サンケイ新聞意見広告事件》…………………………110
- **66** 税関検査と検閲の禁止…………………………………………………………111
- **67** 公園使用禁止と集会の自由《皇居前広場使用禁止事件》…………………113
- **68** 市民会館の使用不許可処分と集会の自由
　　《泉佐野市民会館事件》………………………………………………………115
- **69** デモ行進の規制と表現の自由(1)《新潟県公安条例事件》…………………116
- **70** デモ行進の規制と表現の自由(2)《東京都公安条例事件》…………………117
- **71** 学問の自由と大学の自治(1)《ポポロ事件地裁判決》………………………120
- **72** 学問の自由と大学の自治(2)《ポポロ事件最高裁判決》……………………121

第**6**章　経済的自由　　　　　　　　　　　123

- **73** 公衆浴場設置の適正配置規制と営業の自由…………………………………123
- **74** 小売市場の適正配置規制と営業の自由………………………………………124

viii 目　次

75 薬局の適正配置規制と営業の自由 …………………………………………126
76 酒類販売業の免許制と営業の自由《酒類販売免許制事件》………129
77 共有林の分割請求制限と財産権の保障《森林法事件》……………130
78 財産権規制の合憲性の判断手法《証券取引法事件》………………133
79 条例による財産権の制限と損失補償《奈良県ため池条例事件》…134
80 憲法 29 条 3 項の「正当な補償」《農地改革事件》…………………136
81 事後法による財産権の内容変更の合憲性
　　《国有農地等売払特別措置法訴訟》……………………………………138
82 戦争損害に関する国家の責任《戦争災害補償事件》………………139
83 憲法 29 条 3 項に基づく補償請求《河川附近地制限令事件》………140

第7章　法定手続の保障　　142

84 法定手続と第三者所有物の没収 ………………………………………142
85 デモ行進の規制と適正手続の保障《徳島市公安条例事件》………144
86 「淫行」処罰の明確性《福岡県青少年保護育成条例事件》…………145
87 法定手続の保障と行政手続 (1)《川崎民商事件》……………………147
88 法定手続の保障と行政手続 (2)《成田新法訴訟》……………………149

第8章　人身の自由　　151

89 旅券発給の拒否と海外渡航の自由《帆足計事件》…………………151
90 GPS 捜査の適法性 ………………………………………………………152
91 別件逮捕・取調の違法性《狭山事件》…………………………………155
92 迅速な裁判《高田事件》…………………………………………………156
93 遮蔽措置・ビデオリンク方式の合憲性 ………………………………158
94 自動車事故報告義務と自白強制の禁止 ………………………………159
95 偽計によって得られた自白の採用と証拠排除法則 …………………160
96 違法収集証拠の証拠能力《ポケット所持品検査事件》……………161
97 死刑の合憲性 ……………………………………………………………162

目　次　ix

第9章　国務請求権　164

98　裁判の公開 …………………………………………………………164
99　郵便法の国家賠償免責・制限規定と憲法17条 …………………165
100　ハンセン病患者隔離政策と国家賠償責任 …………………………167

第10章　社　会　権　169

101　生存権の性格(1)《朝日訴訟地裁判決》………………………………169
102　生存権の性格(2)《朝日訴訟最高裁判決》 ………………………172
103　児童扶養手当と年金の併給制限(1)《堀木訴訟高裁判決》………175
104　児童扶養手当と年金の併給制限(2)《堀木訴訟最高裁判決》……176
105　障害基礎年金と受給資格《学生無年金障害者訴訟》………………178
106　老齢加算廃止違憲訴訟 ………………………………………………180
107　環境権訴訟《大阪空港公害訴訟》……………………………………184
108　教育権の所在《旭川学テ事件》………………………………………186
109　教科書検定制度と教育権(1)
　　　《第2次教科書訴訟東京地裁〈杉本〉判決》………………………190
110　教科書検定制度と教育権(2)《第1次教科書訴訟最高裁判決》 …194
111　学習指導要領の法的効力《伝習館高校事件》………………………195
112　校則と校長の裁量権《バイク免許取得規制事件》…………………196
113　生徒の学習権と内申書記載《麹町中学内申書事件》………………197
114　労働組合の統制権と立候補の自由《三井美唄炭鉱労組事件》……198
115　公務員の労働基本権制限(1)《政令201号事件》 …………………200
116　公務員の労働基本権制限(2)《全逓東京中郵事件》 ………………201
117　公務員の労働基本権制限(3)《都教組事件》 ………………………204
118　公務員の労働基本権制限(4)《全農林警職法事件判決》…………205
119　公務員の労働基本権制限(5)《全逓名古屋中郵事件判決》 ………208

第11章 参政権　212

- **120** 衆議院議員選挙における投票価値の平等(1) ……………………… 212
- **121** 衆議院議員選挙における投票価値の平等(2) ……………………… 216
- **122** 衆議院議員選挙における投票価値の平等(3) ……………………… 217
- **123** 衆議院の重複立候補制・比例代表制・小選挙区制の合憲性 …… 218
- **124** 参議院議員選挙における投票価値の平等(1) ……………………… 221
- **125** 参議院議員選挙における投票価値の平等(2) ……………………… 222
- **126** 参議院非拘束名簿式比例代表制の合憲性 ………………………… 223
- **127** 地方議会における投票価値の平等 ………………………………… 224
- **128** 重度身障者の選挙権《在宅投票制廃止事件》……………………… 225
- **129** 在外国民の選挙権《選挙権制限規定違憲判決》…………………… 227
- **130** 政党からの除名と参議院比例代表繰上げ当選《日本新党事件》… 230
- **131** 公職選挙法の連座制 ………………………………………………… 231

第12章 国会・内閣　233

- **132** 衆議院解散権行使の根拠と手続《苫米地事件高裁判決》………… 233
- **133** 国会議員の免責特権《第1次国会乱闘事件》……………………… 235
- **134** 国会議員の発言と国家賠償責任 …………………………………… 237
- **135** 国会議員の不逮捕特権 ……………………………………………… 238
- **136** 国政調査権の範囲《ロッキード・日商岩井事件》………………… 239
- **137** 国政調査権による調査方法の限界《ロッキード事件》…………… 240
- **138** 内閣総理大臣の職務権限《ロッキード事件》……………………… 241

第13章 裁判所　243

- **139** 違憲審査権の性格《警察予備隊違憲訴訟》………………………… 243
- **140** 下級裁判所の違憲審査権 …………………………………………… 244
- **141** 宗教上の教義に関する紛争と司法権《板まんだら事件》………… 244
- **142** 大学の在学関係と司法審査《富山大学単位不認定事件》………… 246

- **143** 地方議会議員の懲罰と司法審査 ……………………………247
- **144** 統治行為《苫米地事件最高裁判決》……………………250
- **145** 司法権と議院の自律権《警察法改正無効事件》………251
- **146** 行政処分の執行停止と司法権《国会周辺デモ事件》…252
- **147** 最高裁判所裁判官の国民審査 ……………………………253
- **148** 裁判官の政治的表現と分限裁判《寺西判事補懲戒事件》…255
- **149** 裁判員制度の合憲性 ………………………………………256

第14章 財　　政　　260

- **150** 給与所得者と課税制度《総評サラリーマン税金訴訟》…260
- **151** 通達課税と租税法律主義《パチンコ球遊器課税事件》…261
- **152** 国民健康保険と租税法律主義《旭川市国民健康保険条例事件》…261
- **153** 幼児教室への補助金交付と「公の支配」………………264

第15章 地 方 自 治　　265

- **154** 憲法上の「地方公共団体」と東京都の特別区 …………265
- **155** 条例によって生じる他の地域との不平等
  《東京都売春等取締条例事件》…………………………267
- **156** 条例における罰則《大阪市売春取締条例事件》………268
- **157** 条例制定権の範囲《徳島市公安条例事件》……………269
- **158** 地方公共団体の自主課税権《神奈川県臨時特例企業税事件》……271

《凡　例》

(ア) 判例は，可能な限り公式判例集を典拠とし，やむを得ない場合に「判例時報」「判例タイムズ」で代用した（ただし，最近の下級裁判例については，探索の便を考慮して，意識的に「判例時報」「判例タイムズ」を出典として示した場合がある）。

(イ) 表題と事件の通称は広く一般に用いられているものを用いた。

(ウ) 【事件】では，具体的記述に努力した。必要に応じて原告をX，被告をYで表記してある。末尾カッコ内は，判決の主文とその帰結を示す。⇨**47**は，**47**に続くことを意味する。

(エ) 【争点】および【判旨】中での小見出しは，判例中で憲法にとくに関係ある部分についての理解を助けるために，編者が付けたものである。したがって，それは判例集中での判示事項の表記とは一致しない。また，漢数字は算用数字に換えた。

(オ) 判決文の引用は，判例集のままにするように務めたが，スペースの関係で一部を省略した場合がある。文中での省略は，…で示してあるが，文末の冗長な言葉の省略は特に明示していない（また判旨本文中，（　）は原判決の用いたかっこ書であるが，〈　〉は編者が省略部分を補足要約した部分である）。

(カ) 判例出典の略語は次の通りである。

　　最　大　判　　最高裁判所大法廷判決
　　最　大　決　　最高裁判所大法廷決定
　　最１小判　　　最高裁判所第１小法廷判決
　　高　　　判　　高等裁判所判決
　　高　　　決　　高等裁判所決定
　　地　　　判　　地方裁判所判決
　　簡　　　判　　簡易裁判所判決
　　支　　　判　　支部判決
　　刑　　　集　　最高裁判所（刑事）判例集
　　民　　　集　　最高裁判所（民事）判例集
　　高　刑　集　　高等裁判所刑事判例集
　　高　民　集　　高等裁判所民事判例集
　　下　刑　集　　下級裁判所刑事裁判例集
　　下　民　集　　下級裁判所民事裁判例集
　　労　民　集　　労働関係民事裁判例集
　　行裁例集　　　行政事件裁判例集

第 *1* 章 天　　皇

1 天皇と不敬罪《プラカード事件》
高判
〔東京高判昭和 22 年 6 月 28 日刑集 2 巻 6 号 607 頁〕

【事件】　昭和 21 年 5 月 19 日の「食糧メーデー」デモに参加した Y らは，「ヒロヒト　詔書　日ク　国体はゴジされたぞ　朕はタラフク　食ってるぞ　ナンジ人民　飢えて死ね　ギョメイギョジ」と記載したプラカードを掲げ，刑法 74 条の不敬罪（当時）に問われた。1 審は，刑法 230 条 1 項の名誉毀損罪に当たるとして有罪（懲役 8 月）。被告人控訴。（免訴，Y ら側上告）

【争点】　①敗戦にともない天皇の地位はどう変化したか。②不敬罪はどう変化したか。③公訴係属中の大赦の効果。

【判旨】　〔❶敗戦にともなう天皇制の変貌は顕著〕「もともと不敬罪は皇室にたいする罪の一つとして，天皇が神聖不可侵であって日本国の元首として統治権の総攬者たる地位に在はすことを主たる要素として設けられたもので，天皇等の尊厳を維持することが国家の存立を確保する所以であるとの当時の国民的確信に基いて制定せられ，実施せられ来ったものである。…ところがポツダム宣言受諾後…順次此の天皇の地位内容に変更が加えられ，所謂明治憲法の形式的規定の存在にも拘らず，その実体においては天皇の地位に相当の変貌が加へられたものとの国民的確信を生みつつあったところ，その内容が今や新憲法の施行とともに国民の自由に表明せられた意思として明確に確認せらるるに至った」。

〔❷不敬罪は天皇に対する名誉毀損罪〕「本件に関係ある天皇の地位に関しては新憲法は主権は国民に由来し，天皇は国政に関する権能を有することなく，一定範囲の国事に関する行為を行うに際しても常に内閣の助言と承認を必要とし，その責任をも負担せられないことを規定した点に於て，明治憲法とは殆ど其の本質的地位の変貌を承認したものと称して差支なく，この為に前掲の天皇の

地位を前提として制定せられた刑法不敬罪の規定もまた自ら其の存立の基礎を失ふに至ったものではないかとの疑問も生ずるに至り，少くとも天皇の統治権の作用を侵害する法益を保護する範囲においては不敬罪の規定はその内容空疎のものと化し，残るは唯天皇御一身にたいする誹毀誹謗の所為が特に一般人にたいする名誉毀損の所為と異って依然不敬罪の対象範囲とせらるべきか否かに論議の焦点が移るに至った。…新憲法の下に於ても天皇は仍ほ一定範囲の国事に関する行為を行い，特に国の元首として外交上特殊の地位を有せられるのみならず，依然栄典を授与し，国政に関係なき儀式を行う等国家の一員としても一般人民とは全く異った特別の地位と職能とが正当に保持されてこそ始めて日本国がその正常な存立と発展とを保障せられるものであることを表明したものと認むべきである。…かかる条件の下にあっては，天皇個人にたいする誹毀誹謗の所為は依然として日本国ならびに日本国民統合の象徴にひびを入らせる結果となるもので，従ってこの種の行為にたいして刑法不敬罪の規定が所謂名誉毀損の特別罪としてなお存続している」。〔❸**免訴の判決となる**〕「被告人の行為は刑法第74条第1項に該当するが，不敬罪にたいしては昭和21年11月3日…大赦があったので，当裁判所では…被告人にたいしては免訴の判決をなすべきものとする。」

【コメント】　本件については，被告人が上告したが，昭和23年5月26日，最高裁（大法廷）判決（刑集2巻6号529頁）は，公訴係属中の事件に対しては，大赦令施行の時以後，公訴権消滅の効果が生じ，免訴の判決をするのみで，無罪の判決を求めることは許されないとして，原判決を維持した。なお，上告審判決には井上裁判官の補足意見，真野，栗山，斎藤，霜山・澤田，庄野裁判官の各意見がある。

2 天皇と民事裁判権《「記帳所」事件》

最判 〔最2小判平成元年11月20日民集43巻10号1160頁〕

【事件】 昭和63年秋以降，昭和天皇の重病の快癒を願う「記帳所」が多くの自治体において設置され，それに公金が支出された。千葉県住民Xは，千葉県知事の「県民記帳所」設置への公金支出は違法であり千葉県に損害を与えたこと，また，昭和天皇の記帳所設置費用相当額の不当利得返還債務を今上天皇（現上皇）が相続したとして，地方自治法242条の2第1項4号（平14法4による改正前のもの）に基づき千葉県に代位して返還請求を求める住民訴訟を提起した。1審の千葉地裁は，天皇は民事訴訟法224条（現133条2項）の当事者たりえないとして訴状を却下したが，即時抗告を受けた2審は訴状却下は違法との決定を下した（東京高決平成元年4月4日判例時報1307号112頁）。そこで千葉地裁はあらためて，本件は民事裁判権の及ばない相手を被告とする訴えで不適法却下という判決を下し，原審の東京高裁判決もそれを支持した。原告はそれを不服として，訴訟手続の法令違反，裁判を受ける権利の侵害，平等原則違反などを理由に上告した。（上告棄却，原告側敗訴確定）

【争点】 天皇に民事裁判権は及ぶか。

【判旨】 〔天皇に民事裁判権は及ばない〕「天皇は日本国の象徴であり日本国民統合の象徴であることにかんがみ，天皇には民事裁判権が及ばない…。したがって，訴状において天皇を被告とする訴えについては，その訴状を却下すべきものであるが，本件訴えを不適法として却下した第1審判決を維持した原判決は，これを違法として破棄するまでもない。記録によれば，本件訴訟手続に所論の違法はなく，また，所論違憲の主張はその実質において法令違背を主張するものにすぎず，論旨は採用することができない。」

第2章 戦争の放棄

3 地判 日米安保条約と憲法9条 (1) 《砂川(すながわ)事件地裁〈伊達(だて)〉判決》
〔東京地判昭和34年3月30日下刑集1巻3号776頁〕

【事件】　昭和32年7月8日、在日米空軍が当時使用していた立川飛行場を拡張するための測量に反対する抗議行動が同基地周辺で行なわれた際に、デモ隊員の一部によって金網の柵が破られ、そこから基地内に侵入した被告人らは、安保条約刑事特別法2条違反として起訴された。(一部無罪、跳躍上告) ⇒4

【争点】　①憲法9条の解釈。②合衆国軍隊の駐留目的。③合衆国軍隊は憲法9条2項の「戦力」か。④刑事特別法は合憲か。

【判旨】　〔❶憲法9条解釈は憲法の理念を十分考慮してなされるべき〕「この規定は『政府の行為によって再び戦争の惨禍が起ることのないやうに』(憲法前文第1段)しようとするわが国民が、『恒久の平和を念願し、人間相互の関係を支配する崇高な理想(国際連合憲章もその目標としている世界平和のための国際協力の理想)を深く自覚』(憲法前文第2段)した結果、『平和を愛する諸国民の公正と信義に信頼して、われらの安全と生存を維持(ママ)しよう』(憲法前文第2段)とする、即ち戦争を国際平和団体に対する犯罪とし、その団体の国際警察軍による軍事的措置等、現実的にはいかに譲歩しても右のような国際平和団体を目ざしている国際連合の機関である安全保障理事会等の執る軍事的安全措置等を最低線としてこれによってわが国の安全と生存を維持しようとする決意に基くものであり、単に消極的に諸外国に対して、従来のわが国の軍国主義的、侵略主義的政策についての反省の実を示さんとするに止まらず、正義と秩序を基調とする世界永遠の平和を実現するための先駆たらんとする高遠な理想と悲壮な決意を示すものといわなければならない。従って憲法第9条の解釈は、

かような憲法の理念を十分考慮した上で為さるべきであって，単に文言の形式的，概念的把握に止まってはならないばかりでなく，合衆国軍隊のわが国への駐留は，平和条約が発効し連合国の占領軍が撤収した後の軍備なき真空状態からわが国の安全と生存を維持するため必要であり，自衛上やむを得ないとする政策論によって左右されてはならない」。〔❷駐留目的は日本の防衛に限定されない〕「わが国に駐留する合衆国軍隊はただ単にわが国に加えられる武力攻撃に対する防禦若しくは内乱等の鎮圧の援助にのみ使用されるものではなく，合衆国が極東における国際の平和と安全の維持のために事態が武力攻撃に発展する場合であるとして，戦略上必要と判断した際にも当然日本区域外にその軍隊を出動し得るのであって，その際にはわが国が提供した国内の施設，区域は勿論この合衆国軍隊の軍事行動のために使用されるわけであり，わが国が自国と直接関係のない武力紛争の渦中に巻き込まれ，戦争の惨禍がわが国に及ぶ虞は必ずしも絶無ではなく，従って日米安全保障条約によってかかる危険をもたらす可能性を包蔵する合衆国軍隊の駐留を許容したわが国政府の行為は，『政府の行為によって再び戦争の惨禍が起きないようにすることを決意』した日本国憲法の精神に悖るのではないかとする疑念も生ずる」。〔❸合衆国軍隊は「戦力」に該当する〕「このような実質を有する合衆国軍隊がわが国内に駐留するのは，勿論アメリカ合衆国の一方的な意思決定に基くものではなく，前述のようにわが国政府の要請と，合衆国政府の承諾という意思の合致があったからであって，従って合衆国軍隊の駐留は一面わが国政府の行為によるものということを妨げない。蓋し合衆国軍隊の駐留は，わが国の要請とそれに対する施設，区域の提供，費用の分担その他の協力があって始めて可能となるものであるからである。かようなことを実質的に考察するとき，わが国が外部からの武力攻撃に対する自衛に使用する目的で合衆国軍隊の駐留を許容していることは，指揮権の有無，合衆国軍隊の出動義務の有無に拘らず，日本国憲法第9条第2項

前段によって禁止されている陸海空軍その他の戦力の保持に該当するものといわざるを得ず，結局わが国内に駐留する合衆国軍隊は憲法上その存在を許すべからざるものといわざるを得ない」。

〔❹刑事特別法2条は違憲無効〕「合衆国軍隊の駐留が憲法第9条第2項前段に違反し許すべからざるものである以上，合衆国軍隊の施設又は区域内の平穏に関する法益が一般国民の同種法益と同様の刑事上，民事上の保護を受けることは格別，特に後者以上の厚い保護を受ける合理的な理由は何等存在しないところであるから，国民に対して軽犯罪法の規定よりも特に重い刑罰をもって臨む刑事特別法第2条の規定は，…何人も適正な手続によらなければ刑罰を科せられないとする憲法第31条に違反し無効〈である〉」。

| **4**
最大判 | **日米安保条約と憲法9条 (2)《砂川事件最高裁判決》** |

〔最大判昭和34年12月16日刑集13巻13号3225頁〕

【事件】 **3**の判決に対して検察側が最高裁に跳躍上告。（破棄差戻し）

【争点】 ①憲法9条は自衛権を否定しているか。②憲法9条2項が保持を禁止する「戦力」とは何か。③安保条約への違憲審査権の行使のありかた。④合衆国軍隊の日本駐留は憲法9条違反か。

【判旨】 〔❶憲法9条は自衛権を否定していない〕「〈憲法9条は〉戦争を放棄し，…戦力の保持を禁止しているのであるが，しかしもちろんこれによりわが国が主権国として持つ固有の自衛権は何ら否定されたものではなく，わが憲法の平和主義は決して無防備，無抵抗を定めたものではない」。「憲法前文にも明らかなように，われら日本国民は，平和を維持し，専制と隷従，圧迫と偏狭を地上から永遠に除去しようとつとめている国際社会において，名誉ある地位を占めることを願い，全世界の国民と共にひとしく恐怖と欠乏から免れ，平和のうちに生存する権利を有する

ことを確認する…。しからば、わが国が、自国の平和と安全を維持しその存立を全うするために必要な自衛のための措置をとりうることは、国家固有の権能の行使として当然のことといわなければならない。すなわち、われら日本国民は、憲法9条2項により、…戦力は保持しないけれども、これによって生ずるわが国の防衛力の不足は、これを憲法前文に…平和を愛好する諸国民の公正と信義に信頼することによって補ない、もってわれらの安全と生存を保持しようと決意した…。そしてそれは、必ずしも原判決のいうように、国際連合の機関である安全保障理事会等の執る軍事的安全措置等に限定されたものではなく、わが国の平和と安全を維持するための安全保障であれば、その目的を達するにふさわしい方式又は手段である限り、国際情勢の実情に即応して適当と認められるものを選ぶことができることはもとよりであって、憲法9条は、わが国がその平和と安全を維持するために他国に安全保障を求めることを、何ら禁ずるものではない」。〔❷「戦力」とはわが国が主体となって指揮権・管理権を行使しうる戦力〕「右のような憲法9条の趣旨に即して同条2項の法意を考えてみるに、同条項において戦力の不保持を規定したのは、わが国が…戦力を保持し、自らその主体となってこれに指揮権、管理権を行使することにより、同条1項において永久に放棄することを定めた…侵略戦争を引き起こすがごときことのないようにするためである…。従って同条2項が…自衛のための戦力の保持をも禁じたものであるか否かは別として、同条項がその保持を禁止した戦力とは、わが国がその主体となってこれに指揮権、管理権を行使し得る戦力をいうものであり、結局わが国自体の戦力を指し、外国の軍隊は、たとえそれがわが国に駐留するとしても、ここにいう戦力には該当しない」。〔❸一見極めて明白に違憲無効と認められない限り司法審査権の範囲外〕「本件安全保障条約は、…主権国としてのわが国の存立の基礎に極めて重大な関係をもつ高度の政治性を有するものというべきであって、その内容が違憲なりや否やの法的判断は、

その条約を締結した内閣およびこれを承認した国会の高度の政治的ないし自由裁量的判断と表裏をなす点がすくなくない。それ故，右違憲なりや否やの法的判断は，純司法的機能をその使命とする司法裁判所の審査には，原則としてなじまない性質のものであり，従って，一見極めて明白に違憲無効であると認められない限りは，裁判所の司法審査権の範囲外のものであって，それは第一次的には，右条約の締結権を有する内閣およびこれに対して承認権を有する国会の判断に従うべく，終局的には，主権を有する国民の政治的批判に委ねらるべきものである」。「このことは，本件安全保障条約またはこれに基く政府の行為の違憲なりや否やが，本件のように前提問題となっている場合であると否とにかかわらない」。

〔❹合衆国軍隊の日本駐留が違憲無効であることは一見極めて明白とは認められない〕「アメリカ合衆国軍隊の駐留に関する安全保障条約およびその3条に基く行政協定の規定の示すところをみると，右駐留軍隊は外国軍隊であって，わが国自体の戦力でないことはもちろん，これに対する指揮権，管理権は，すべてアメリカ合衆国に存し，わが国がその主体となってあだかも自国の軍隊に対すると同様の指揮権，管理権を有するものでないことが明らかである。またこの軍隊は，…同条約1条の示すように極東における国際の平和と安全の維持に寄与し，ならびに1または2以上の外部の国による教唆または干渉によって引き起されたわが国における大規模の内乱および騒じょうを鎮圧するため，わが国政府の明示の要請に応じて与えられる援助を含めて，外部からの武力攻撃に対する日本国の安全に寄与するために使用することとなっており，その目的は，専らわが国およびわが国を含めた極東の平和と安全を維持し，再び戦争の惨禍が起らないようにすることに存し，わが国がその駐留を許容したのは，わが国の防衛力の不足を，平和を愛好する諸国民の公正と信義に信頼して補なおうとしたものに外ならない」。「かようなアメリカ合衆国軍隊の駐留は，憲法9条，98条2項および前文の趣旨に適合こそすれ，これらの条章に反

して違憲無効であることが一見極めて明白であるとは，到底認められない。そしてこのことは，憲法9条2項が，自衛のための戦力の保持をも許さない趣旨のものであると否とにかかわらない…。（なお，行政協定は特に国会の承認を経ていないが，…既に国会の承認を経た安全保障条約3条の委任の範囲内のものであると認められ，これにつき特に国会の承認を経なかったからといって，違憲無効であるとは認められない）。」

【コメント】　本判決には，田中（耕），島，藤田・入江，垂水，河村（大），石坂裁判官の各補足意見，小谷，奥野・高橋裁判官の各意見がある。差戻し後の1審（東京地判昭和36年3月27日判例時報255号7頁）は有罪判決（罰金2000円）とし，控訴審（東京高判昭和37年2月15日判例タイムズ131号150頁）は控訴棄却とし，上告審（最2小決昭和38年12月25日判例時報359号12頁）は上告を棄却して有罪判決は確定した。

5 最大判　駐留軍用地特措法等の合憲性《沖縄職務執行命令訴訟》
〔最大判平成8年8月28日民集50巻7号1952頁〕

【事件】　沖縄県で，駐留軍用地としてアメリカに提供されてきた用地の使用期限が満了した後，合意による再使用契約が見込めないため，国が駐留軍用地特措法に基づく使用権原取得の手続を進め，内閣総理大臣Xは，物件調書等の署名押印を拒否する土地所有者に代わる沖縄県知事Yの署名等代行を申請したが，Yはこれに応じられない旨の回答をした。そこでXは，地方自治法旧151条の2に基づく勧告，ついで職務執行命令を発したが，Yが従わないので，同条3項に基づく職務執行命令訴訟（現245条の8の「代執行等」に相当）を提起した。1審（福岡高那覇支判平成8年3月25日行裁例集47巻3号192頁）ではXが勝訴したので，Yが上告。（上告棄却，被告側敗訴確定）

【争点】　①職務執行命令訴訟の根拠法令の違憲審査はできるか。
　　　　②駐留軍用地特措法は合憲か。

【判旨】〔❶違憲審査はできる〕「都道府県知事の行うべき事務の根拠法令が仮に憲法に違反するものである場合を想定してみると，都道府県知事が，右法令の合憲性を審査し，これが違憲であることを理由に当該事務の執行を拒否することは，行政組織上は原則として許されないが，他面，都道府県知事に当該事務の執行を命ずる職務執行命令は，法令上の根拠を欠き違法ということができる…。そうであれば…裁判所も都道府県知事に審査権が付与されていない事項を審査することは許されないとした原審の判断は相当でない。」〔❷日米安保条約等の合憲性を前提に審査すると駐留軍用地特措法は合憲〕「日米安全保障条約及び日米地位協定が違憲無効であることが一見極めて明白でない以上，裁判所としては，これが合憲であることを前提として駐留軍用地特措法の憲法適合性についての審査をすべきである」。「そうであれば，駐留軍用地特措法は，憲法前文，9条，13条，29条3項に違反するということはできない。」「〈また〉憲法31条に違反するものではない。」

【コメント】本判決には，園部裁判官と大野・高橋・尾崎・河合・遠藤・藤井裁判官の補足意見がある。

6 自衛隊の合憲性の判断《恵庭(えにわ)事件》
地判
〔札幌地判昭和42年3月29日下刑集9巻3号359頁〕

【事件】北海道千歳郡恵庭町で牧畜業を営む被告人Yは，隣接する島松演習場における陸上自衛隊等の砲・爆撃演習の騒音に悩まされていたが，昭和37年末の演習時に，抗議に行った帰途に，Yらが演習で使用中の通信線をペンチで切断し，自衛隊法121条の防衛用器物損壊罪に問われた。(無罪，確定)

【争点】①演習用通信線の切断行為は自衛隊法121条に該当するか。②自衛隊および自衛隊法の違憲審査は必要か。

【判旨】〔❶罪刑法定主義は厳格解釈を要請し構成要件に該当しない〕「〈Yら〉両名の切断した本件通信線が自衛隊法121

条にいわゆる『その他の防衛の用に供する物』にあたるか否かを検討してみるに、…例示物件に見られる一連の特色とのあいだで類似性が是認せられるかどうかについては、…多くの実質的疑問が存し、かつ、このように、前記例示物件との類似性の有無に関して実質的な疑問をさしはさむ理由があるばあいには、罪刑法定主義の原則にもとづき、これを消極に解し、『その他の防衛の用に供する物』に該当しないものというのが相当である。なお、検察官指摘のごとく、本件通信線が野外電話機、音源標定機等と用法上一体の関係にあったと思料される点を考慮にいれても、右判断に消長をおよぼすとは考えられない。」〔❷**違憲審査権は必要な限度でのみ行使できる**〕「弁護人らは、…自衛隊法121条を含む自衛隊法全般ないし自衛隊等の違法性を強く主張しているが、およそ、裁判所が一定の立法なりその他の国家行為について違憲審査権を行使しうるのは、具体的な法律上の争訟の裁判においてのみであるとともに、具体的争訟の裁判に必要な限度にかぎられる」。「したがって、…自衛隊法121条の構成要件に該当しないとの結論に達した以上、もはや、弁護人らの指摘の憲法問題に関し、なんらの判断をおこなう必要がないのみならず、これをおこなうべきでもない」。

7 地判	自衛隊と憲法9条⑴《**長沼事件地裁〈福島〉判決**》

〔札幌地判昭和48年9月7日判例時報712号24頁〕

【事件】　昭和42年3月に閣議決定された第3次防衛力整備計画に基づき、北海道長沼町に航空自衛隊第3高射群のミサイル基地が設置されることになった。これに反対する原告らは、同基地建設のための国有保安林の指定解除処分を違憲としてその執行停止と取消しを求めて出訴した。（請求認容、国側控訴）

【争点】　①平和的生存権は法的効力をもつか。②憲法判断は必要な場合以外には回避すべきか。③憲法前文の意義。④憲法9条の意味。⑤自衛隊は合憲か。

12　第2章　戦争の放棄

【判旨】〔❶平和的生存権は取消訴訟提起の基礎たる「法律上の利益」〕「森林法を憲法の秩序のなかで位置づけたうえで，その各規定を理解するときには，同法第3章第1節の保安林制度の目的も，たんに同法第25条第1項各号に列挙された個個の目的にだけ限定して解すべきではなく，右各規定は帰するところ，憲法の基本原理である民主主義，基本的人権尊重主義，平和主義の実現のために地域住民の『平和のうちに生存する権利』（憲法前文）すなわち平和的生存権を保護しようとしているものと解するのが正当である。したがって，もし被告のなんらかの森林法上の処分によりその地域住民の右にいう平和的生存権が侵害され，また侵害される危険がある限り，その地域住民にはその処分の瑕疵を争う法律上の利益がある。」「本件保安林指定の解除処分の理由は…第3高射群施設などの設置で，…このような高射群施設やこれに併置されるレーダー等の施設基地は一朝有事の際にはまず相手国の攻撃の第一目標になるものと認められるから，原告らの平和的生存権は侵害される危険がある…。しかも，このような侵害は，いったん事が起きてからではその救済が無意味に帰するか，あるいは著しく困難になる…から，結局この点からも原告らには本件保安林指定の解除処分の瑕疵を争い，その取消しを求める法律上の利益がある。」〔❷一定の要件をみたせば違憲判断義務が生じる〕「裁判所は具体的争訟事件の審理の過程で，国家権力が憲法秩序の枠を越えて行使され，それゆえに，憲法の基本原理に対する黙過することが許されないような重大な違反の状態が発生している疑いが生じ，かつその結果，当該争訟事件の当事者をも含めた国民の権利が侵害され，または侵害される危険があると考えられる場合において，裁判所が憲法問題以外の当事者の主張について判断することによってその訴訟を終局させたのでは，当該事件の紛争を根本的に解決できないと認められる場合には，…憲法判断を回避するといった消極的な立場はとらず，その国家行為の憲法適合性を審理判断する義務がある」。「なぜならば，もしこの

ような場合においても、裁判所がなお訴訟の他の法律問題だけによって事件を処理するならば、かりに当面は当該事件の当事者の権利を救済できるようにみえても、それはただ形式的、表面的な救済にとどまり（同一の紛争がまた形を変えて再燃しうる）、真の紛争の解決ないしは本質的な権利救済にならないばかりか、他面現実に憲法秩序の枠を越えた国家権力の行使があった場合には、裁判所みずからがそれを黙過、放置したことになり、ひいては、そのような違憲状態が時とともに拡大、深化するに至ることをもこれを是認したのと同様の結果を招くことになるからである。そして、このことは、さらに本来裁判所が憲法秩序、法治主義（法の支配）を擁護するために与えられている違憲審査権を行使することさえも次第に困難にしてしまうとともに、結果的には、憲法第99条が、裁判官をも含めた全公務員に課している憲法擁護の義務をも空虚なものに化してしまう」。「そうであるとすれば、裁判手続のなかで、一定範囲で自衛隊の規模、装備、能力等その実体を明らかにすることができる程度で主張、立証が尽くされれば、国際情勢、その他諸々の状況を審理検討するまでもなく、自衛隊の右憲法条規への適合性を容易に検討できるのであって、その間、裁判手続に随伴するなんらの桎梏も存在することなく、結局、被告主張のように、司法審査の対象から除外しなければならない理由は見出すことができない。」〔**❸前文は平和主義が現行憲法の支柱の一つであることを示す**〕「前文のなかからは、万が一にも、世界の国国のうち、平和を愛することのない、その公正と信義を信頼できないような国、または国家群が存在し、わが国が、その侵略の危険にさらされるといった事態が生じたときにも、わが国みずからが軍備を保持して、再度、武力をもって相戦うことを容認するような思想は、まったく見出すことはできない」。「憲法前文での平和主義は、他の二つの基本原理である国民主権主義、および基本的人権尊重主義ともまた密接不可分に結びついている」。「三基本原理は、相互に融和した一体として、現行憲法の支柱をなし

ているものであって、そのいずれか一つを欠いても、憲法体制の崩壊をもたらす」。〔❹憲法9条は一切の軍事力を放棄している〕「『国際紛争を解決する手段としては、永久にこれを放棄する。』ここにおいて、国際紛争を解決する手段として放棄される戦争とは、不法な戦争、つまり侵略戦争を意味する。」「『前項の目的を達するため』の『前項の目的』とは、第1項を規定するに至った基本精神、つまり同項を定めるに至った目的である『日本国民は、正義と秩序を基調とする国際平和を誠実に希求（する）』という目的を指す。」「『陸海空軍その他の戦力は、これを保持しない。』『陸海空軍』は、通常の観念で考えられる軍隊の形態であり、…それは『外敵に対する実力的な戦闘行動を目的とする人的、物的手段としての組織体』であるということができる。このゆえに、それは、国内治安を目的とする警察と区別される。『その他の戦力』は、陸海空軍以外の軍隊か、または、軍という名称をもたなくとも、これに準じ、または、これに匹敵する実力をもち、必要ある場合には、戦争目的に転化できる人的、物的手段としての組織体をいう。このなかにはもっぱら戦争遂行のための軍需生産設備なども含まれる。」「自衛権の行使方法が数多くあり、そして、国家がその基本方針としてなにを選択するかは、まったく主権者の決定に委ねられているものであって、このなかにあって日本国民は…、憲法において全世界に先駆けていっさいの軍事力を放棄して、永久平和主義を国の基本方針として定立した」。〔❺自衛隊は違憲〕「自衛隊の編成、規模、装備、能力からすると、自衛隊は明らかに『外敵に対する実力的な戦闘行動を目的とする人的、物的手段としての組織体』と認められるので、軍隊であり、それゆえに陸、海、空各自衛隊は、憲法第9条第2項によってその保持を禁ぜられている『陸海空軍』という『戦力』に該当するものといわなければならない。そしてこのような各自衛隊の組織、編成、装備、行動などを規定している防衛庁設置法（昭和29年6月9日法律第164号）、自衛隊法（同年同月同日法律第165号）

その他これに関連する法規は、いずれも同様に、憲法の右条項に違反し、憲法第98条によりその効力を有しえない」。

【コメント】 控訴審（札幌高判昭和51年8月5日行裁例集27巻8号1175頁）は、周辺地区に「居住する個々的住民の洪水からの生命、身体の安全」（①）は個別的・具体的利益であり原告適格を基礎付ける「法律上の利益」であるが、憲法前文の「平和のうちに生存する権利」（②）は「裁判規範として、なんら現実的、個別的内容をもつものとして具体化されているもの」ではなく、また「保安林の指定解除、立木伐採、跡地の利用は、事実上の関係においては、一連の連鎖関係にあることは否定でき」ないが、「伐採に伴う影響として考慮さるべき性質のものではない」から、跡地利用により将来される利益は、「解除処分を争う法律上の利益」ではないとした。また①は、「洪水防止施設により補填、代替されるに至り…本件解除処分を争う具体的な利益を失った」とした。また「わが国が他国の武力侵略に対し如何なる防衛姿勢をとるかは極めて緊要な問題であるのみならず、…その選択は、高度の専門技術的判断とともに、高度の政治判断を要する」とし、その「政策決定を組成する…立法行為及び行政行為は、正に統治事項に関する行為であって、一見極めて明白に違憲、違法と認められるものでない限り、司法審査の対象ではない」とする。そして9条解釈からすると「同条が保持を一義的、明確に禁止するのは侵略戦争のための軍備ないし戦力、すなわち侵略を企図し、その準備行為であると客観的に認められる実体を有する軍備ないし戦力だけ」であり、自衛隊は「その設定された目的の限りではもっぱら自衛のためであることが明らか」である。「自衛隊法で予定された自衛隊の組織、編成、装備」、国の「経済力、地理的条件」など「広く、高度の専門技術的見地から相関的に検討評価しなければならない」が、その「評価は現状において客観的、一義的に確定しているものとはいえないから、一見極めて明白に侵略的なものであるとはいい得」ず、自衛隊の存在等が憲法

9条に違反するか否かの問題は,「統治行為に関する判断であり,国会及び内閣の政治行為として窮極的には国民全体の政治的批判に委ねられるべきものであり,これを裁判所が判断すべきものではない」として1審判決を取消し,訴えを却下した。⇒**8**

| **8** 最判 | **自衛隊と憲法9条 (2)《長沼事件最高裁判決》** 〔最1小判昭和57年9月9日民集36巻9号1679頁〕 |

【事件】　**7**の上告審。(上告棄却,原告敗訴確定)

【争点】　①代替施設整備は訴えの利益を失わしめるか。②跡地利用たる基地設置による不利益は原告適格を基礎付けるか。

【判旨】　〔**❶訴えの利益は消滅する**〕「排水機場流域内に居住する…上告人らの原告適格の基礎は,本件保安林指定解除処分に基づく立木竹の伐採に伴う理水機能の低下の影響を直接受ける点において右保安林の存在による洪水や渇水の防止上の利益を侵害されているところにあるのであるから,本件におけるいわゆる代替施設の設置によって右の洪水や渇水の危険が解消され,その防止上からは本件保安林の存続の必要性がなくなったと認められるに至ったときは,もはや…右指定解除処分の取消しを求める訴えの利益は失われるに至った」。〔**❷保安林指定解除処分と跡地利用の間の因果関係は切断され原告適格は基礎付けられない**〕「論旨は,要するに,本件保安林指定解除処分が解除後の跡地利用に対する許可処分の一面をも有することを前提とし,右解除処分の目的である本件ミサイル基地設置に伴い上告人らの平和的生存権が侵害されるおそれがあるので,上告人らは被上告人の公益判断の誤りを理由として右処分を争う法律上の利益を有する,というのである。」「しかしながら,…伐採後のいわゆる跡地利用によって生ずべき利益の侵害のごときは,指定解除処分の取消訴訟の原告適格を基礎づけるものには当たらない。」

【コメント】　本判決には,藤崎裁判官の意見と洪水の危険の有無について正確に調べるために下級審裁判所に差し戻

すべきであるとする団藤裁判官の反対意見がある。

9 自衛隊と憲法9条(3)《百里(ひゃくり)基地訴訟》
最判
〔最3小判平成元年6月20日民集43巻6号385頁〕

【事件】茨城県小川町にある航空自衛隊百里基地の予定地内の土地を所有していた原告は、基地反対派の住民たる被告との間で土地売買契約を結んだが、代金の支払いをめぐるトラブルが発生し、その間に、防衛庁にこの土地を売り、以前の被告との間の契約の解除を主張し、所有権移転仮登記の抹消等を求めた。被告側は、自衛隊の違憲を主張。1審は請求認容、2審は1審判決を支持。(上告棄却、確定)

【争点】①自衛隊基地建設目的の土地売買は憲法98条1項の「国務に関するその他の行為」に該当するか。②憲法9条は私法上の行為に直接適用されるか。③自衛隊との間で私法上の契約を締結することは民法90条に違反するか。

【判旨】〔❶私法上の行為は「国務に関するその他の行為」に該当しない〕「憲法98条1項は、憲法が国の最高法規であること、すなわち、憲法が成文法の国法形式として最も強い形式的効力を有し、憲法に違反するその余の法形式の全部又は一部はその違反する限度において法規範としての本来の効力を有しないことを定めた規定であるから、同条項にいう『国務に関するその他の行為』とは、同条項に列挙された法律、命令、詔勅と同一の性質を有する国の行為、言い換えれば、公権力を行使して法規範を定立する国の行為を意味し、したがって、…国の行為であっても、私人と対等の立場で行う国の行為は、右のような法規範の定立を伴わないから…該当しない。」〔❷私法上の行為に憲法9条は原則として直接適用されない〕「上告人らが平和主義ないし平和的生存権として主張する平和とは、理念ないし目的としての抽象的概念であって、それ自体が独立して、具体的訴訟において私法上の行為の効力の判断基準になるものとはいえず、また、憲法9条は、そ

の憲法規範として有する性格上，私法上の行為の効力を直接規律することを目的とした規定ではなく，人権規定と同様，私法上の行為に対しては直接適用されるものではない…。国が一方当事者として関与した行為であっても，…国が行政の主体としてでなく私人と対等の立場に立って，私人との間で個々的に締結する私法上の契約は，当該契約がその成立の経緯及び内容において実質的にみて公権力の発動たる行為となんら変わりがないといえるような特段の事情のない限り，憲法9条の直接適用を受けず，私人間の利害関係の公平な調整を目的とする私法の適用を受けるにすぎない」。〔❸自衛隊との間で締結する私法上の契約は民法90条に違反しない〕「自衛隊基地の建設を目的ないし動機として締結された本件売買契約を全体的に観察して私法的な価値秩序のもとにおいてその効力を否定すべきほどの反社会性を有するか否かを判断することによって，初めて公序良俗違反として無効となるか否かを決することができる」。「本件売買契約が締結された昭和33年当時，私法的な価値秩序のもとにおいては，自衛隊のために国と私人との間で，売買契約その他の私法上の契約を締結することは，社会的に許容されない反社会的な行為であるとの認識が，社会の一般的な観念として確立していたということはできない。したがって，自衛隊の基地建設を目的ないし動機として締結された本件売買契約が，その私法上の契約としての効力を否定されるような行為であったとはいえない。また，上告人らが平和主義ないし平和的生存権として主張する平和とは理念ないし目的としての抽象的概念であるから，憲法9条をはなれてこれとは別に，民法90条にいう『公ノ秩序』の内容の一部を形成することはなく，したがって私法上の行為の効力の判断基準とはならない」。

【コメント】　本判決には，国の私法上の行為は法規範の定立を伴うものではないので「国務に関するその他の行為」に該当しないとする伊藤裁判官の補足意見がある。

第3章 人権総論

10 法人の人権享有主体性《八幡(やはた)製鉄政治献金事件》
最大判 〔最大判昭和45年6月24日民集24巻6号625頁〕

【事件】　昭和35年当時八幡製鉄(現日本製鉄)株式会社の株主であったXが,同社の自由民主党に対する政治献金350万円につき,取締役Y等の賠償責任を追及する代表訴訟(商法267条〔現会社法847条〕)を提起した。1審は請求を認めたが,控訴審でくつがえされ,Xが上告した。(原告側上告棄却,原告敗訴確定)

【争点】　①会社に定款外の行為は許されるか。②憲法は政党をどう位置付けているか。③会社の政治献金は許されるか。④会社は政治的行為の自由を享有するか。

【判旨】　〔❶社会通念上期待ないし要請される行為は当然なしうる〕
「会社は,一定の営利事業を営むことを本来の目的とするものであるから,会社の活動の重点が,定款所定の目的を遂行するうえに直接必要な行為に存することはいうまでもない」。「しかし,会社は,他面において,自然人とひとしく,国家,地方公共団体,地域社会その他…の構成単位たる社会的実在なのであるから,それとしての社会的作用を負担せざるを得ないのであって,〈会社に社会通念上,期待ないし要請される行為は〉,会社の当然になしうる」。〔❷憲法は政党の存在を当然に予定している〕「憲法の定める議会制民主主義は政党を無視しては到底その円滑な運用を期待することはできないのであるから,憲法は,政党の存在を当然に予定しているものというべきであり,政党は議会制民主主義を支える不可欠の要素なのである。」〔❸会社の政治献金は定款の目的の範囲内の行為である〕「政党は国民の政治意思を形成する最も有力な媒体であるから,政党のあり方いかんは,国民としての重大な関心事でなければならない。したがって,その健全な発

展に協力することは，会社に対しても，社会的実在としての当然の行為として期待されるところであり，協力の一態様として政治資金の寄附についても例外ではない」。「会社による政治資金の寄附は，客観的，抽象的に観察して，会社の社会的役割を果たすためになされたものと認められるかぎりにおいては，会社の定款所定の目的の範囲内の行為である」。〔**❹人権条項は性質上可能な限り内国法人にも適用され，会社も政治的行為をなす自由を有する**〕「会社が，納税の義務を有し自然人たる国民とひとしく国税等の負担に任ずるものである以上，納税者たる立場において，国や地方公共団体の施策に対し，意見の表明その他の行動に出たとしても，これを禁圧すべき理由はない。のみならず，憲法第3章…の各条項は，性質上可能なかぎり，内国の法人にも適用されるものと解すべきであるから，会社は，自然人たる国民と同様，国や政党の特定の政策を支持，推進または反対するなどの政治的行為をなす自由を有する」。「政治資金の寄附もまさにその自由の一環であり，会社によってそれがなされた場合，政治の動向に影響を与えることがあったとしても，これを自然人たる国民による寄附と別異に扱うべき憲法上の要請があるものではない。」「政党への寄附は，事の性質上，国民個々の選挙権その他の参政権の行使そのものに直接影響を及ぼすものではないばかりでなく，政党の資金の一部が選挙人の買収にあてられることがあるにしても，それはたまたま生ずる病理的現象に過ぎず，しかも，かかる非違行為を抑制するための制度は厳として存在するのであって，いずれにしても政治資金の寄附が，選挙権の自由なる行使を直接に侵害するものとはなしがたい。」「所論は大企業による巨額の寄附は金権政治の弊を産むべく，また，もし有力株主が外国人であるときは外国による政治干渉となる危険もあり，さらに豊富潤沢な政治資金は政治の腐敗を醸成するというのであるが，その指摘するような弊害に対処する方途は，さしあたり，立法政策にまつべきことであ〈る〉。」

【コメント】　本判決には、松田裁判官（入江・長部・岩田裁判官が同調）と大隅裁判官の意見がある。

11 人権規定の私人間効力 (1) 《三菱樹脂事件高裁判決》
高判
〔東京高判昭和43年6月12日労民集19巻3号791頁〕

【事件】　東北大学を卒業後三菱樹脂株式会社（Y）に就職したXは、入社試験時に、学生運動歴等を秘して虚偽の報告を行ったとして、3ヵ月の試用期間後の本採用を拒否された。Xは、雇用契約上の地位確認と賃金支払いを求めて出訴。解雇権濫用とする1審判決にY側控訴。（控訴棄却、被告側上告）⇒**12**

【争点】　①思想・信条の自由と信条に基づく差別禁止は民間会社の雇用契約関係にどのような効力をもつか。②思想・信条を理由とする雇用契約の取消しは有効か。

【判旨】　〔❶**その優越的地位に基づき思想・信条をその意に反してみだりに侵してはならない**〕「人の思想、信条は身体と同様本来自由であるべきものであり、その自由は憲法第19条の保障するところでもあるから、企業が労働者を雇傭する場合等、一方が他方より優越した地位にある場合に、その意に反してみだりにこれを侵してはならないことは明白というべく、人が信条によって差別されないことは憲法第14条、労働基準法第3条の定めるところであるが、通常の商事会社においては、新聞社、学校等特殊の政治思想的環境にあるものと異なり、特定の政治的思想、信条を有する者を雇傭することが、その思想、信条のゆえに直ちに、事業の遂行に支障をきたすとは考えられないから、その入社試験の際、応募者にその政治的思想、信条に関係のある事項を申告させることは、公序良俗に反し、許されず、応募者がこれを秘匿しても、不利益を課し得ない」。〔❷**思想・信条を理由とする雇用契約の取消しは無効**〕「Xが秘匿し、虚偽の申告をしたとされる事実はすべてXの思想、信条に関係ある事項に属するものであり、かかる事実を後日の調査によって知り得たとしても雇傭契約を取

消すことはXの抱く（もしくは抱いていた）思想，信条を理由として従業員たる地位を失わしめることとなり（YはXが従業員として暴力的，反社会的活動をしたというのではない）労働基準法第3条に牴触し，その効力を生じない」。

12 最大判 人権規定の私人間効力(2)《三菱樹脂事件最高裁判決》
〔最大判昭和48年12月12日民集27巻11号1536頁〕

【事件】　**11** の上告審。（破棄差戻し，昭和51年3月11日に和解が成立してXはY会社に復帰）

【争点】　①人権規定は私人相互間の関係に適用されるか。②私的支配関係に基本的な自由や平等をどのように及ぼすか。③憲法は雇用の自由を保障しているか。④本採用の拒否は雇入れの拒否と同視できるか。

【判旨】　〔❶人権規定はそのまま私人相互間の関係に適用・類推適用されない〕「〈憲法19条，14条の〉各規定は，同法第3章のその他の自由権的基本権の保障規定と同じく，国または公共団体の統治行動に対して個人の基本的な自由と平等を保障する目的に出たもので，もっぱら国または公共団体と個人との関係を規律するものであり，私人相互の関係を直接規律することを予定するものではない。このことは，基本的人権なる観念の成立および発展の歴史的沿革に徴し，かつ，憲法における基本権規定の形式，内容にかんがみても明らかである。のみならず，これらの規定の定める個人の自由や平等は，国や公共団体の統治行動に対する関係においてこそ，侵されることのない権利として保障されるべき性質のものであるけれども，私人間の関係においては，各人の有する自由と平等の権利自体が具体的場合に相互に矛盾，対立する可能性があり，このような場合におけるその対立の調整は，近代自由社会においては，原則として私的自治に委ねられ，ただ，一方の他方に対する侵害の態様，程度が社会的に許容しうる一定の限界を超える場合にのみ，法がこれに介入しその間の調整をはか

るという建前がとられているのであって，この点において国または公共団体と個人との関係の場合とはおのずから別個の観点からの考慮を必要とし，後者についての憲法上の基本権保障規定をそのまま私人相互間の関係についても適用ないしは類推適用すべきものとすることは，決して当をえた解釈ということはできない」。〔❷立法措置や私的自治に対する一般的制限規定等によってその間の適切な調整を図る方途もある〕「私人間の関係においても，相互の社会的力関係の相違から，一方が他方に優越し，事実上後者が前者の意思に服従せざるをえない場合があり，このような場合に私的自治の名の下に優位者の支配力を無制限に認めるときは，劣位者の自由や平等を著しく侵害または制限することとなるおそれがあることは否み難いが，そのためにこのような場合に限り憲法の基本権保障規定の適用ないし類推適用を認めるべきであるとする見解もまた，採用することはできない。何となれば，右のような事実上の支配関係なるものは，その支配力の態様，程度，規模等においてさまざまであり，どのような場合にこれを国または公共団体の支配と同視すべきかの判定が困難であるばかりでなく，一方が権力の法的独占の上に立って行なわれているものであるのに対し，他方はこのような裏付けないしは基礎を欠く単なる社会的事実としての力の優劣の関係にすぎず，その間に画然たる性質上の区別が存するからである。」「私的支配関係においては，個人の基本的な自由や平等に対する具体的な侵害またはそのおそれがあり，その態様，程度が社会的に許容しうる限度を超えるときは，これに対する立法措置によってその是正を図ることが可能であるし，また，場合によっては，私的自治に対する一般的制限規定である民法1条，90条や不法行為に関する諸規定等の適切な運用によって，一面で私的自治の原則を尊重しながら，他面で社会的許容性の限度を超える侵害に対し基本的な自由や平等の利益を保護し，その間の適切な調整を図る方途も存する」。〔❸22条・29条等が広く経済活動の自由を人権として保障しその一環として契約

締結の自由，つまり雇用の自由を保障している〕「憲法は，思想，信条の自由や法の下の平等を保障すると同時に，他方，22条，29条等において，財産権の行使，営業その他広く経済活動の自由をも基本的人権として保障している。それゆえ，企業者は，かような経済活動の一環としてする契約締結の自由を有し，自己の営業のために労働者を雇傭するにあたり，いかなる者を雇い入れるか，いかなる条件でこれを雇うかについて，法律その他による特別の制限がない限り，原則として自由にこれを決定することができるのであって，企業者が特定の思想，信条を有する者をそのゆえをもって雇い入れることを拒んでも，それを当然に違法とすることはできない」。「企業者が雇傭の自由を有し，思想，信条を理由として雇入れを拒んでもこれを目して違法とすることができない以上，企業者が，労働者の採否決定にあたり，労働者の思想，信条を調査し，そのためその者からこれに関連する事項についての申告を求めることも，これを法律上禁止された違法行為とすべき理由はない。また，企業者において，その雇傭する労働者が当該企業の中でその円滑な運営の妨げとなるような行動，態度に出るおそれのある者でないかどうかに大きな関心を抱き，そのために採否決定に先立ってその者の性向，思想等の調査を行なうことは，企業における雇傭関係が，単なる物理的労働力の提供の関係を超えて，一種の継続的な人間関係として相互信頼を要請するところが少なくなく，わが国におけるようにいわゆる終身雇傭制が行なわれている社会では一層そうであることにかんがみるときは，企業活動としての合理性を欠くものということはできない。」〔**❹ 留保解約権は客観的に相当と認められない場合は行使できない〕**「本件本採用の拒否は，留保解約権の行使，すなわち雇入れ後における解雇にあたり，これを通常の雇入れの拒否の場合と同視することはできない。」「企業者が，採用決定後における調査の結果により，または試用中の勤務状態等により，当初知ることができず，また知ることが期待できないような事実を知るに至った場合にお

いて，そのような事実に照らしその者を引き続き当該企業に雇傭しておくのが適当でないと判断することが，上記解約権留保の趣旨，目的に徴して，客観的に相当であると認められる場合には，さきに留保した解約権を行使することができるが，その程度に至らない場合には，これを行使することはできない。」「留保解約権に基づき〈X〉を解雇しうる客観的に合理的な理由となるかどうかを判断するためには…〈さらに〉事実関係を明らかにし，これらの事実関係に照らして，〈X〉の秘匿等の行為および秘匿等にかかる事実が同人の入社後における行動，態度の予測やその人物評価等に及ぼす影響を検討し，それが企業者の採否決定につき有する意義と重要性を勘案し，これらを総合して上記の合理的理由の有無を判断しなければならない」。

【コメント】　本判決は，裁判官全員一致の判決である。

13 公益団体会員の信条の自由(1)《南九州税理士会事件》
最判
〔最3小判平成8年3月19日民集50巻3号615頁〕

【事件】　Y税理士会が，税理士法改正運動資金として税理士政治連盟に寄付する特別会費の徴収決議を行い，納入を拒否した会員Xの選挙権・被選挙権を停止したまま役員選挙を実施した。そこでXが会の決議や役員選挙の無効を争った。1審請求認容，2審・1審判決取消し請求棄却。（破棄自判，会費納入義務不存在について請求認容〔慰謝料算定について破棄差戻し〕）

【争点】　①税理士会の性質の特殊性。②税理士会の活動の限界。

【判旨】　〔❶税理士会は強制加入団体であり会社とは性格を異にする〕「税理士会は，税理士の使命及び職責にかんがみ，税理士の義務の遵守及び税理士業務の改善進歩に資するため，会員の指導，連絡及び監督に関する事務を行うことを…目的として，法が，あらかじめ，税理士にその設立を義務付け，その結果設立されたもので，その決議や役員の行為が法令や会則に反したりすることがないように，大蔵大臣の…監督に服する法人である。ま

た，税理士会は，強制加入団体であって，その会員には，実質的には，脱退の自由が保障されていない」。「税理士会は，以上のように，会社とはその法的性格を異にする法人であ〈る〉。」「❷会員の政治的思想・信条に反する活動は目的の範囲外の行為である〕「法が税理士会を強制加入の法人としている以上，その構成員である会員には，様々な思想・信条及び主義・主張を有する者が存在することが当然に予定されている。したがって，税理士会〈の〉…活動にも，そのために会員に要請される協力義務にも，おのずから限界がある。」「特に，政党など規正法上の政治団体に対して金員の寄付をするかどうかは，選挙における投票の自由と表裏を成すものとして，会員各人が市民としての個人的な政治的思想，見解，判断等に基づいて自主的に決定すべき事柄である」。「〈それは〉法49条所定の税理士会の目的の範囲外の行為といわざるを得ない。」

14 最判 公益団体会員の信条の自由 (2)《群馬司法書士会事件》

〔最1小判平成14年4月25日判例時報1785号31頁〕

【事件】Y司法書士会は阪神淡路大震災の被害を受けた兵庫県司法書士会への復興支援の寄付として，会員から登記申請1件当たり50円の特別負担金を集める旨，臨時総会で決議した。これに対して会員Xらが，決議はYの目的の範囲外で違法と主張し，出訴した。1審請求認容，2審・1審判決取消し請求棄却。(上告棄却)

【争点】①復興支援の寄付は司法書士会の権利能力の範囲内にあるか。②特別負担金徴収決議は有効か。

【判旨】〔❶本件寄付は司法書士会の目的の範囲内の行為〕「司法書士は，司法書士の品位を保持し，その業務の改善進歩を図るため，会員の指導及び連絡に関する事務を行うことを目的とするものであるが…，その目的を遂行する上で直接又は間接に必要な範囲で，他の司法書士会との間で業務その他について提携，

協力,援助等をすることもその活動範囲に含まれる」。「3000万円という本件拠出金の額については,それがやや多額にすぎるのではないかという見方があり得るとしても,…事情を考慮すると,その金額の大きさをもって直ちに本件拠出金の寄付が被上告人の目的の範囲を逸脱するものとまでいうことはできない。」「兵庫県司法書士会に本件拠出金を寄付することは,被上告人の権利能力の範囲内にある」。〔❷**本件決議は会員の政治的・宗教的立場や思想信条を害するものではなく有効である**〕「被上告人がいわゆる強制加入団体であること…を考慮しても,本件負担金の徴収は,会員の政治的又は宗教的立場や思想信条の自由を害するものではなく,また,本件負担金の額も,…会員に社会通念上過大な負担を課すものではないのであるから,…会員の協力義務を否定すべき特段の事情があるとは認められない。」「本件決議の効力は〈有効〉。」

【コメント】 本判決には,深澤,横尾裁判官の各反対意見がある。

15 地判 公務員の政治活動の禁止(1)《猿払事件地裁〈時国〉判決》

〔旭川地判昭和43年3月25日下刑集10巻3号293頁〕

【事件】 郵政事務官Yが,衆議院議員選挙に際し,所属労働組合の北海道猿払地区協議会の決定に従ってA党候補者の選挙用ポスターを自ら掲示したり,掲示を依頼して配布したとして,国家公務員の政治的行為を禁止する国家公務員法102条1項および人事院規則14-7第6項13号(「政治的目的を有する署名又は無署名の文書,図画,…を発行し,回覧に供し,掲示し若しくは配布…すること」)に違反するとして国家公務員法110条1項19号(平16法108による改正前のもの)「処罰規定」で起訴された。(無罪,検察側控訴)⇒**16**

【争点】 ①公務員の政治活動の制限法令の違憲審査の方法。②権利の制限法令を違憲とせずに被告人を無罪にする手法。

第3章 人権総論

【判旨】 〔❶政治活動の制限法令において禁止行為に対する制裁は立法目的を達成するために必要最小限度でなければならない〕
「当裁判所は,国家公務員につき国民の基本的人権の一つである政治活動をどの程度制約できるかにつき…制約できる程度についての判断権は,一次的には国会および国会の委任を受けて規則を制定した人事院にあると解するけれども,この公務員の政治活動の自由の制約については,その違反行為に課せられる制裁を含みその制約の程度が,社会一般に存在している観念をとび超えたものである場合には,その制約が合理的でないと判断する権能を有する」。「この観念は,…国民の政治活動の自由が基本的人権として認められている近代民主主義社会で先進国といわれている諸国における公務員に対する政治活動の制限についての基本的考え方をも基礎として思考すべきものと思料する。」「表現の自由も絶対無制限のものでないばかりでなく,全体の奉仕者であって一部の奉仕者でない国家公務員の身分を取得することにより,ある程度の制約を受けざるを得ないことは論をまたないところであるが,政治活動を行う国民の権利の民主主義社会における重要性を考えれば国家公務員の政治活動の制約の程度は,必要最小限度のものでなければならない。」「米合衆国においては勿論その余の近代民主主義国家において公務員の政治活動禁止違反の行為に対し刑事罰を科している国はない。法がある行為を禁じその禁止によって国民の憲法上の権利にある程度の制約が加えられる場合,その禁止行為に違反した場合に加えられるべき制裁は,法目的を達成するに必要最小限度のものでなければならない…。法の定めている制裁方法よりも,より狭い範囲の制裁方法があり,これによってもひとしく法目的を達成することができる場合には,法の定めている広い制裁方法は法目的達成の必要最小限度を超えたものとして,違憲となる場合がある。」〔❷**行為に対する制裁規定として相当性を欠き合理的にして必要最小限の域を超える場合にその規定を適用すれば違憲**〕「非管理者である現業公務員でその職務内容が機

械的労務の提供に止まるものが勤務時間外に国の施設を利用することなく、かつ職務を利用し、若しくはその公正を害する意図なしで人事院規則 14-7、6 項 13 号の行為を行う場合、その弊害は著しく小さい」。「このような行為自身が規制できるかどうか、或いはその規制違反に対し懲戒処分の制裁を課し得るかどうかはともかくとして、国公法 82 条の懲戒処分ができる旨の規定に加え、3 年以下の懲役又は 10 万円以下の罰金という刑事罰を加えることができる旨を法定することは、行為に対する制裁としては相当性を欠き、合理的にして必要最小限の域を超えている」。「当裁判所としては、本件被告人の所為に、国公法 110 条 1 項 19 号が適用される限度において、同号が憲法 21 条および 31 条に違反するもので、これを被告人に適用することができない」。

16 公務員の政治活動の禁止 (2)《猿払事件最高裁判決》
最大判

〔最大判昭和 49 年 11 月 6 日刑集 28 巻 9 号 393 頁〕

【事件】 **15** の上告審。地裁判決の論理は控訴審(札幌高判昭和 44 年 6 月 24 日判例時報 560 号 30 頁)でも支持されたが、検察側から上告がなされた。(破棄自判、有罪〔罰金 5000 円〕)

【争点】 ①国家公務員法による公務員の政治活動の禁止は憲法 21 条違反か。②政治活動の制限・禁止規定を公務員の職種にかかわらず、一律に適用することは許されるか。③国家公務員法の罰則規定は憲法 31 条違反か。④「より制限的でない他の選びうる手段」があることを理由に違憲といいうるか。⑤人事院規則への委任は合憲か。

【判旨】 〔**❶行政の中立的運営と国民の信頼確保という目的のために合理的で必要やむをえない限度を超えておらず憲法 21 条に違反しない**〕「公務員の政治的中立性を損うおそれのある公務員の政治的行為を禁止することは、それが合理的で必要やむをえない限度にとどまるものである限り、憲法の許容するところである」。「公務員に対する政治的行為の禁止が右の合理的で必要やむ

をえない限度にとどまるものか否かを判断するにあたっては，禁止の目的，この目的と禁止される政治的行為との関連性，政治的行為を禁止することにより得られる利益と禁止することにより失われる利益との均衡の3点から検討することが必要である。」「もし公務員の政治的行為のすべてが自由に放任されるときは，おのずから公務員の政治的中立性が損われ，ためにその職務の遂行ひいてはその属する行政機関の公務の運営に党派的偏向を招くおそれがあり，行政の中立的運営に対する国民の信頼が損われることを免れない。また，公務員の右のような党派的偏向は，逆に政治的党派の行政への不当な介入を容易にし，行政の中立的運営が歪められる可能性が一層増大するばかりでなく，そのような傾向が拡大すれば，本来政治的中立を保ちつつ一体となって国民全体に奉仕すべき責務を負う行政組織の内部に深刻な政治的対立を醸成し，そのため行政の能率的で安定した運営は阻害され，ひいては議会制民主主義の政治過程を経て決定された国の政策の忠実な遂行にも重大な支障をきたすおそれがあり，…したがってこのような弊害の発生を防止し，行政の中立的運営とこれに対する国民の信頼を確保するため，公務員の政治的中立性を損うおそれのある政治的行為を禁止することは，まさしく憲法の要請に応え，公務員を含む国民全体の共同利益を擁護するための措置にほかならないのであって，その目的は正当なものというべきである。また右のような弊害の発生を防止するため，公務員の…政治的行為を禁止することは，禁止目的との間に合理的な関連性があるものと認められるのであって，たとえその禁止が，公務員の職種，職務権限，勤務時間の内外，国の施設の利用の有無等を区別することなく，あるいは行政の中立的運営を直接，具体的に損う行為のみに限定されていないとしても，右の合理的な関連性が失われるものではない。」「公務員の政治的中立性を損うおそれのある行動類型に属する政治的行為を，これに内包される意見表明そのものの制約をねらいとしてではなく，その行動のもたらす弊害の防止をね

らいとして禁止するときは、同時にそれにより意見表明の自由が制約されることにはなるが、それは、単に行動の禁止に伴う限度での間接的、付随的な制約に過ぎず、かつ、国公法102条1項及び規則の定める行動類型以外の行為により意見を表明する自由までをも制約するものではなく、他面、禁止により得られる利益は、公務員の政治的中立性を維持し、行政の中立的運営とこれに対する国民の信頼を確保するという国民全体の共同利益なのであるから、得られる利益は、失われる利益に比してさらに重要なものというべきであり、その禁止は利益の均衡を失するものではない。」

「本件…行為は、特定の政党を支持する政治的目的を有する文書を掲示し又は配布する行為であって、政治的偏向の強い行動類型に属するものにほかならず、政治的行為の中でも、公務員の政治的中立性の維持を損うおそれが強いと認められるものであり、政治的行為の禁止目的との間に合理的な関連性をもつものであることは明白である。また、その行為の禁止は、もとよりそれに内包される意見表明そのものの制約をねらいとしたものではなく、行動のもたらす弊害の防止をねらいとしたものであって、国民全体の共同利益を擁護するためのものであるから、その禁止により得られる利益とこれにより失われる利益との間に均衡を失するところがあるものとは、認められない。したがって、国公法102条1項及び規則5項3号、6項13号は、合理的で必要やむをえない限度を超えるものとは認められず、憲法21条に違反するものということはできない。」〔❷目的を阻害する点に差異はないので一律に適用することは許される〕「本件行為のような政治的行為が公務員によってされる場合には、当該公務員の管理職・非管理職の別、現業・非現業の別、裁量権の範囲の広狭などは、公務員の政治的中立性を維持することにより行政の中立的運営とこれに対する国民の信頼を確保しようとする法の目的を阻害する点に、差異をもたらすものではない。」〔❸立法裁量の範囲を著しく逸脱しているものではない〕「国公法の右の罰則を設けたことについて、政策的

見地からする批判のあることはさておき，その保護法益の重要性にかんがみるときは，罰則制定の要否及び法定刑についての立法機関の決定がその裁量の範囲を著しく逸脱しているものであるとは認められない。特に，本件において問題とされる規則5項3号，6項13号の政治的行為は，特定の政党を支持する政治的目的を有する文書の掲示又は配布であって，…政治的行為の中でも党派的偏向の強い行動類型に属するものであり，公務員の政治的中立性を損うおそれが大きく，このような違法性の強い行為に対して国公法の定める程度の刑罰を法定したとしても，決して不合理とはいえず，したがって，右の罰則が憲法31条に違反するものということはできない。」「また，公務員の政治的行為の禁止が国民全体の共同利益を擁護する見地からされたものであって，その違反行為が刑罰の対象となる違法性を帯びることが認められ，かつ，その禁止が，前述のとおり，憲法21条に違反するものではないと判断される以上，その違反行為を構成要件として罰則を法定しても，そのことが憲法21条に違反することとなる道理は，ありえない。」〔**❹懲戒処分がより制限的でない他の選びうる手段と断定できない**〕「懲戒処分と刑罰とは，その目的，性質，効果を異にする別個の制裁なのであるから，前者と後者を同列に置いて比較し，司法判断によって前者をもってより制限的でない他の選びうる手段であると軽々に断定することは，相当ではない」。〔**❺憲法の許容する委任の限度を超えていない**〕「政治的行為の定めを人事院規則に委任する国公法102条1項が，公務員の政治的中立性を損うおそれのある行動類型に属する政治的行為を具体的に定めることを委任するものであることは，同条項の合理的な解釈により理解しうる」。「そのような政治的行為が，公務員組織の内部秩序を維持する見地から課される懲戒処分を根拠づけるに足りるものであるとともに，国民全体の共同利益を擁護する見地から科される刑罰を根拠づける違法性を帯びるものであることは，すでに述べたとおりであるから，右条項は，それが同法82条による懲戒

処及び同法110条1項19号による刑罰の対象となる政治的行為の定めを一様に委任するものであるからといって，そのことの故に，憲法の許容する委任の限度を超えることになるものではない。」

【コメント】　本判決には，争点⑤における人事院規則への委任を違憲とする大隅・関根・小川・坂本裁判官の反対意見がある。

17 公務員の政治活動の禁止 (3)《堀越事件》
最判　〔最2小判平成24年12月7日刑集66巻12号1337頁〕

【事件】　東京都の目黒社会保険事務所に勤務していた厚生労働事務官（年金審査官）Ｙが，衆議院議員総選挙に際し，Ａ政党を支持する目的で，勤務時間外の休日に，東京都中央区で同党の機関誌を投函・配布したとして，国家公務員法102条1項，人事院規則14-7第6項7号，13号（5項3号）に違反するとして，同法110条1項19号（平16法108による改正前のもの）で起訴された。1審は有罪（罰金10万円，執行猶予2年），2審は1審判決を破棄し無罪とした。（上告棄却）

【争点】　①国家公務員法が禁止する「政治的行為」。②「政治的行為」の該当性の判断基準。

【判旨】　〔❶「政治的行為」とは公務員の職務遂行の政治的中立性を損なうおそれが実質的に認められるものをいう〕「〈国家公務員法102条1項〉にいう『政治的行為』とは，公務員の職務の遂行の政治的中立性を損なうおそれが，観念的なものにとどまらず，現実的に起こり得るものとして実質的に認められるものを指し，同項はそのような行為の類型の具体的な定めを人事院規則に委任したものと解するのが相当である。そして，その委任に基づいて定められた〈人事院〉規則も，このような同項の委任の範囲内において，公務員の職務の遂行の政治的中立性を損なうおそれが実質的に認められる行為の類型を規定したものと解すべきであ

る。」〔❷「政治的行為」の該当性は，当該公務員の地位・職務内容・権限，行為の性質・態様・目的等を総合して判断する〕「公務員の職務の遂行の政治的中立性を損なうおそれが実質的に認められるかどうかは，当該公務員の地位，その職務の内容や権限等，当該公務員がした行為の性質，態様，目的，内容等の諸般の事情を総合して判断するのが相当である。具体的には，当該公務員につき，指揮命令や指導監督等を通じて他の職員の職務の遂行に一定の影響を及ぼし得る地位（管理職的地位）の有無，職務の内容や権限における裁量の有無，当該行為につき，勤務時間の内外，国ないし職場の施設の利用の有無，公務員の地位の利用の有無，公務員により組織される団体の活動としての性格の有無，公務員による行為と直接認識され得る態様の有無，行政の中立的運営と直接相反する目的や内容の有無等が考慮の対象となる」。「本件配布行為が本規則6項7号，13号（5項3号）が定める行為類型に文言上該当する行為であることは明らかであるが，…本件配布行為は，管理職的地位になく，その職務の内容や権限に裁量の余地のない公務員によって，職務と全く無関係に，公務員により組織される団体の活動としての性格もなく行われたものであり，公務員による行為と認識し得る態様で行われたものでもないから，公務員の職務の遂行の政治的中立性を損なうおそれが実質的に認められるものとはいえない。そうすると，本件配布行為は本件罰則規定の構成要件に該当しない」。

【コメント】　本判決には，千葉裁判官の補足意見と須藤裁判官の意見がある。なお，厚生労働事務官（総括課長補佐）が，政党機関紙を投函・配布して国家公務員法の同条項違反で起訴された事案（世田谷事件）において，最2小判平成24年12月7日刑集66巻12号1722頁は，「管理職的地位」に着目して，原審の有罪判決を維持した（千葉裁判官の補足意見と須藤裁判官の反対意見がある）。

18 被拘禁者の人権制限 (1) 《喫煙禁止違憲訴訟》

最大判〔最大判昭和 45 年 9 月 16 日民集 24 巻 10 号 1410 頁〕

【事件】 公選法違反容疑で逮捕され,監獄法施行規則に基づき監獄内で勾留中の 8 日間喫煙を禁止された X が,多大の精神的肉体的苦痛を受けたとして,国を相手取り損害賠償を求めた。1 審・2 審請求棄却。(上告棄却,原告敗訴確定)

【争点】 ①被拘禁者の人権制限はどこまで許されるか。②被拘禁施設内の喫煙禁止措置は合憲か。

【判旨】〔**❶目的に照らし必要かつ合理的な制限はやむをえない**〕
「監獄内においては,多数の被拘禁者を収容し,これを集団として管理するにあたり,その秩序を維持し,正常な状態を保持するよう配慮する必要がある。このためには,被拘禁者の身体の自由を拘束するだけでなく,右の目的に照らし,必要な限度において,被拘禁者のその他の自由に対し,合理的制限を加えることもやむをえない」。「そして,右の制限が必要かつ合理的なものであるかどうかは,制限の必要性の程度と制限される基本的人権の内容,これに加えられる具体的制限の態様との較量のうえに立って決せられる」。〔**❷喫煙禁止措置は合憲**〕「喫煙を許すことにより,罪証隠滅のおそれがあり,また,火災発生の場合には被拘禁者の逃走が予想され,かくては,直接拘禁の本質的目的を達することができないことは明らかである。のみならず,被拘禁者の集団内における火災が人道上重大な結果を発生せしめることはいうまでもない。他面,煙草は生活必需品とまでは断じがたく,ある程度普及率の高い嗜好品にすぎず,喫煙の禁止は,煙草の愛好者に対しては相当の精神的苦痛を感ぜしめるとしても,それが人体に直接障害を与えるものではないのであり,かかる観点よりすれば,喫煙の自由は,憲法 13 条の保障する基本的人権の一に含まれるとしても,あらゆる時,所において保障されなければならないものではない。」

19 被拘禁者の人権制限 (2)《よど号事件新聞記事抹消事件》
最大判 〔最大判昭和 58 年 6 月 22 日民集 37 巻 5 号 793 頁〕

【事件】よど号ハイジャック事件に際して，東京拘置所長は，未決勾留中の X らが私費で購入していた新聞紙の事件関連記事を墨で塗りつぶして配布した。X らは「知る権利」を侵害されたとして，国を相手取り損害賠償を求めたが，1 審・2 審で敗訴したので上告した。(上告棄却，原告敗訴確定)

【争点】①新聞紙等の閲読の自由を憲法は保障しているか。②被拘禁者の新聞紙等の閲読の自由はいかなる目的でどのような場合に制限できるか。③本件措置は憲法に違反しないか。

【判旨】〔❶新聞紙等の閲読の自由を憲法 19 条・21 条・13 条が保障している〕「およそ各人が，自由に，さまざまな意見，知識，情報に接し，これを摂取する機会をもつことは，その者が個人として自己の思想及び人格を形成・発展させ，社会生活の中にこれを反映させていくうえにおいて欠くことのできないものであり，また，民主主義社会における思想及び情報の自由な伝達，交流の確保という基本的原理を真に実効あるものたらしめるためにも，必要なところである。それゆえ，これらの意見，知識，情報の伝達の媒体である新聞紙，図書等の閲読の自由が憲法上保障されるべきことは，思想及び良心の自由の不可侵を定めた憲法 19 条の規定や，表現の自由を保障した憲法 21 条の規定の趣旨，目的から，いわばその派生原理として当然に導かれるところであり，また，すべて国民は個人として尊重される旨を定めた憲法 13 条の規定の趣旨に沿うゆえんでもある」。〔❷被拘禁者の新聞紙等の閲読の自由は拘禁目的によって制限できるが，その目的達成に真に必要と認められる限度にとどめられるべき〕「未決勾留により監獄に拘禁されている者の新聞紙，図書等の閲読の自由についても，逃亡及び罪証隠滅の防止という勾留の目的のためのほか，…監獄内の規律及び秩序の維持のために必要とされる場合にも，一定の制限を加えられることはやむをえない」。「しかしながら，…

それは，右の目的を達するために真に必要と認められる限度にとどめられるべきものである。」「制限が許されるためには，当該閲読を許すことにより…規律及び秩序が害される一般的，抽象的なおそれがあるというだけでは足りず，被拘禁者の性向，行状，監獄内の管理，保安の状況，当該新聞紙，図書等の内容その他の具体的事情のもとにおいて，その閲読を許すことにより監獄内の規律及び秩序の維持上放置することのできない程度の障害が生ずる相当の蓋然性があると認められることが必要であり，かつ，その場合においても，右の制限の程度は，右の障害発生の防止のために必要かつ合理的な範囲にとどまるべき…である。」「〈関連法令等は〉上に述べた要件及び範囲内でのみ閲読の制限を許す旨を定めたものと解するのが相当であり，かつ，そう解することも可能であるから，…憲法に違反するものではない」。〔**❸東京拘置所長の判断には合理的根拠があり，裁量権の逸脱・濫用の違法はない**〕「具体的場合における前記法令等の適用にあた〈っては〉…監獄内の実情に通暁し，直接その衝にあたる監獄の長による個個の場合の具体的状況のもとにおける裁量的判断にまつべき点が少なくないから，障害発生の相当の蓋然性があるとした長の認定に合理的な根拠があり，その防止のために当該制限措置が必要であるとした判断に合理性が認められる限り，長の右措置は適法として是認すべき…である。」「これを本件についてみると…東京拘置所長において，公安事件関係の被告人として拘禁されていた上告人らに対し本件各新聞記事の閲読を許した場合には，拘置所内の静穏が攪乱され，所内の規律及び秩序の維持に放置することのできない程度の障害が生ずる相当の蓋然性があるものとしたことには合理的な根拠があり，また，…当時の状況のもとにおいては，必要とされる制限の内容及び程度についての同所長の判断に裁量権の逸脱又は濫用の違法があったとすることはできない」。

【コメント】　監獄法は，数次の部分改正を経て，平成18年に「刑事収容施設及び被収容者等の処遇に関する法律」

となって全面改正され，被拘禁者の処遇の詳細を定める。

20 最大判 外国人の人権享有主体性《マクリーン事件》
〔最大判昭和53年10月4日民集32巻7号1223頁〕

【事件】　1年間の在留期間中に政治活動をしたとして在留期間延長を拒否されたXがこれを争った。1審は違法な拒否と判断したが，2審は裁量の範囲とした。（上告棄却，確定）

【争点】　①外国人に日本に在留する権利はあるか。②在留外国人に政治活動の自由は保障されるか。

【判旨】　〔**❶入国の自由がない以上在留する権利はない**〕「憲法上，外国人は，わが国に入国する自由を保障されているものでないことはもちろん，…在留の権利ないし引き続き在留することを要求しうる権利を保障されているものでもない。…〈在留期間更新〉の申請に対しては法務大臣が『在留期間の更新を適当と認めるに足りる相当の理由があるときに限り』これを許可することができるものと定めている…のであるから，出入国管理令上も在留外国人の在留期間の更新が権利として保障されているものでないことは，明らかである。」〔**❷権利の保障はその性質上日本国民のみを対象とするものを除いて日本に在留する外国人にも等しく及び，政治活動の自由についても原則としてその保障は及ぶ**〕「憲法第3章の諸規定による基本的人権の保障は，権利の性質上日本国民のみをその対象としていると解されるものを除き，わが国に在留する外国人に対しても等しく及ぶものと解すべきであり，政治活動の自由についても，わが国の政治的意思決定又はその実施に影響を及ぼす活動等外国人の地位にかんがみこれを認めることが相当でないと解されるものを除き，その保障が及ぶ」。「外国人に対する憲法の基本的人権の保障は，右のような外国人在留制度のわく内で与えられているにすぎないものと解するのが相当であって，在留の許否を決する国の裁量を拘束するまでの保障，すなわち，在留期間中の憲法の基本的人権の保障を受ける行為を在留期間の

更新の際に消極的な事情としてしんしゃくされないことまでの保障が与えられているものと解することはできない。」

【コメント】　本判決に先立ち、最2小判昭和25年12月28日民集4巻12号683頁は、「いやしくも人たることにより当然享有する人権は不法入国者と雖もこれを有するものと認むべきである」としていた。

21 外国人指紋押なつ制度の合憲性
最判〔最3小判平成7年12月15日刑集49巻10号842頁〕

【事件】　日系米国人宣教師が、新規の外国人登録の際、指紋押なつをせず、起訴された。1審・2審有罪（罰金1万円）。（上告棄却）

【争点】　①指紋押なつを強制されない自由。②外国人指紋押なつ制度は合憲か。③日本人との取扱いの差異に合理的根拠はあるか。

【判旨】　〔❶憲法13条は外国人にもみだりに指紋押なつを強制されない自由を保障している〕「指紋は、…性質上万人不同性、終生不変性をもつもので、採取された指紋の利用方法次第では個人の私生活あるいはプライバシーが侵害される危険性がある。」「憲法13条は、国民の私生活上の自由が国家権力の行使に対して保護されるべきことを規定していると解されるので、個人の私生活上の自由の一つとして、何人もみだりに指紋の押なつを強制されない自由を有〈し〉、国家機関が正当な理由もなく指紋の押なつを強制することは、同条の趣旨に反して許されず、また、右の自由の保障は我が国に在留する外国人にも等しく及ぶ」。〔❷外国人指紋押なつ制度は合憲〕「在留外国人についての指紋押なつ制度…は…『本邦に在留する外国人の登録を実施することによって外国人の居住関係及び身分関係を明確ならしめ、もって在留外国人の公正な管理に資する』という目的を達成するため、戸籍制度のない外国人の人物特定につき最も確実な制度として制定されたも

ので，その立法目的には十分な合理性があり，かつ，必要性も肯定できる」。「本件当時の制度内容は，押なつ義務が3年に1度で，押なつ対象指紋も一指のみであり，加えて，その強制も罰則による間接強制にとどまるものであって，精神的，肉体的に過度の苦痛を伴うものとまではいえず，方法としても，一般に許容される限度を超えない相当なものであった」。〔❸合理的根拠のある差異〕「外国人については，日本人とは社会的事実関係上の差異があって，その取扱いの差異には合理的根拠がある」。

【コメント】 本件で問題とされた指紋押なつ制度は1999年に全廃されたが，出入国管理及び難民認定法改正（2007年施行）により日本に入国する外国人の指紋を含む個人情報の提供が原則として義務付けられた（同法6条3項）。

22 最判 定住外国人の地方選挙権

〔最3小判平成7年2月28日民集49巻2号639頁〕

【事件】 韓国国籍で永住資格者であるXらが，選挙人名簿への登録申出を却下され，その違憲を争った訴訟。（上告棄却）

【争点】 ①憲法は定住外国人に選挙権を保障しているか。②法律によって定住外国人に地方選挙権を付与できるか。

【判旨】 〔❶権利の性質上定住外国人に選挙権は保障されていない〕

「憲法15条1項…は，国民主権の原理に基づき，公務員の終局的任免権が国民に存することを表明したものにほかならないところ，主権が『日本国民』に存するものとする憲法前文及び1条の規定に照らせば，憲法の国民主権の原理における国民とは，日本国民すなわち我が国の国籍を有する者を意味することは明らかである。そうとすれば，…憲法15条1項の規定は，権利の性質上日本国民のみをその対象とし，右規定による権利の保障は，我が国に在留する外国人には及ばない」。「憲法93条2項にいう『住民』とは，地方公共団体の区域内に住所を有する日本国民を意味するものと解するのが相当であり，…我が国に在留する外国

人に対して，地方公共団体の長，その議会の議員等の選挙の権利を保障したものということはできない。」〔**❷外国人への法律による地方選挙権の付与は憲法上禁止されていない**〕「憲法第 8 章の地方自治に関する規定は，民主主義社会における地方自治の重要性に鑑み，住民の日常生活に密接な関連を有する公共的事務は，その地方の住民の意思に基づきその区域の地方公共団体が処理するという政治形態を憲法上の制度として保障しようとする趣旨に出たものと解されるから，我が国に在留する外国人のうちでも永住者等であってその居住する区域の地方公共団体と特段に緊密な関係を持つに至ったと認められるものについて，その意思を日常生活に密接な関連を有する地方公共団体の公共的事務の処理に反映させるべく，法律をもって，地方…選挙権を付与する措置を講ずることは，憲法上禁止されているものではない」。

23 定住外国人の公務就任資格 ⑴ 《高裁判決》
高判

〔東京高判平成 9 年 11 月 26 日判例時報 1639 号 30 頁〕

【事件】 特別永住者である東京都の保健婦が，都の管理職選考試験の受験を拒否され，受験資格の確認等を求めて出訴したが，1 審では請求を棄却され控訴した。(請求一部認容，上告)

【争点】 ①定住外国人が就任できない公務員の種類。②その他の公務員の種類。③地方公務員の管理職に就任できるか。
⇨**24**

【判旨】 〔**❶立法・行政・司法の権限を直接行使する公務員には就任できない**〕「国民主権の原理〈は〉，…統治作用の根本に関わる職務に従事する公務員は，日本国民をもって充てるべきことを要請している」。「国の公務員をその職務内容に即してみてみると，国の統治作用である立法，行政，司法の権限を直接に行使する公務員…と，公権力を行使し，又は公の意思の形成に参画することによって間接的に国の統治作用に関わる公務員と，それ以外の上司の命を受けて行う補佐的・補助的な事務又はもっぱら学

術的・技術的な専門分野の事務に従事する公務員とに大別…できる。」「第一の種類の公務員は，…法律をもってしても，外国人がこれに就任することを認めることは，国民主権の原理に反するものとして，憲法上許されない」。〔❷**その他の公務員には職務の内容等に照らし就任できるものもある**〕「第二の種類の公務員については，その職務の内容，権限との係わり方及びその程度を個々具体的に検討することによって，国民主権の原理に照らし，外国人に就任を認めることが許されないものと外国人に就任を認めて差支えないものと区別する必要がある。」「第三の種類の公務員は，その職務内容に照らし，国の統治作用に関わる蓋然性及びその程度は極めて低く，外国人がこれに就任しても，国民主権の原理に反するおそれはほとんどない」。〔❸**管理職についても分別して考えればよい**〕「外国人を任用することが許されない管理職とそれが許される管理職とを分別して考える必要がある。〈後者には，外国人にも職業選択の自由や平等原則の要請が及ぶ。〉」

24 定住外国人の公務就任資格 (2)《最高裁判決》
最大判
〔最大判平成 17 年 1 月 26 日民集 59 巻 1 号 128 頁〕

【事件】 **23** の上告審。東京都側が控訴審判決に不服で，上告した。（破棄自判，請求棄却，原告・被上告人側敗訴確定）

【争点】 ①普通地方公共団体は在留外国人を職員に採用できるか。
②管理職昇任を国民に限定することは許されるか。

【判旨】 〔❶**在留外国人は公権力行使等地方公務員には採用できない**〕「地方公務員法は，…普通地方公共団体が，法による制限の下で，条例，人事委員会規則等の定めるところにより職員に在留外国人を任命することを禁止するものではない。」「しかし…普通地方公共団体が職員に採用した在留外国人の処遇につき合理的な理由に基づいて日本国民と異なる取扱いをすることまで許されないとするものではない。」「地方公務員のうち，住民の権利義務を直接形成し，その範囲を確定するなどの公権力の行使

当たる行為を行い，若しくは普通地方公共団体の重要な施策に関する決定を行い，又はこれらに参画することを職務とするもの（以下「公権力行使等地方公務員」という。）…の職務の遂行は，住民の権利義務や法的地位の内容を定め，あるいはこれらに事実上大きな影響を及ぼすなど，住民の生活に直接間接に重大なかかわりを有する」。「それゆえ，国民主権の原理に基づき，国及び普通地方公共団体による統治の在り方については日本国の統治者としての国民が最終的な責任を負うべきものであること（憲法1条，15条1項参照）に照らし，原則として日本の国籍を有する者が公権力行使等地方公務員に就任することが想定されているとみるべきであり，我が国以外の国家に帰属し，その国家との間でその国民としての権利義務を有する外国人が公権力行使等地方公務員に就任することは，本来我が国の法体系の想定するところではない」。〔❷管理職任用を国民に限定しても平等原則に違反しない〕「普通地方公共団体が，公務員制度を構築するに当たって，公権力行使等地方公務員の職とこれに昇任するのに必要な職務経験を積むために経るべき職とを包含する一体的な管理職の任用制度を構築…した上で，日本国民である職員に限って管理職に昇任することができることとする措置を執ることは，合理的な理由に基づいて日本国民である職員と在留外国人である職員とを区別するものであり…労働基準法3条にも，憲法14条1項にも違反するものではない」。

【コメント】　本判決には，泉，滝井裁判官の各反対意見，藤田裁判官の補足意見，金谷，上田裁判官の各意見がある。

25 地判 私人による外国人差別《公衆浴場入浴拒否事件》

〔札幌地判平成14年11月11日判例時報1806号84頁〕

【事件】　小樽市で公衆浴場を営業していたYは，ロシア人船員らの入浴マナーの悪さからJAPANESE ONLYなどと書いた看板を掲げ，一律に外国人の利用を拒否していた。Xら

は外国人であるために入浴を拒否されたので、Yに不法行為に基づく損害賠償を請求するとともに、市に適切な措置を講じていないとして国家賠償を請求した。(一部認容、一部棄却、控訴)

【争点】 ①憲法や条約の規定は私法関係にどう機能するか。②人種差別撤廃条約は地方公共団体に条例制定を義務付けるか。

【判旨】〔❶憲法・条約は私法解釈の基準の一つとして機能する〕
「憲法14条1項、国際人権B規約及び人種差別撤廃条約は、…私法の諸規定の解釈にあたっての基準の一つとなりうる。」「本件入浴拒否は、…実質的には、日本国籍の有無という国籍による区別ではなく、外見が外国人にみえるという、人種、皮膚の色、世系又は民族的若しくは種族的出身に基づく区別、制限であると認められ、憲法14条1項、国際人権B規約26条、人種差別撤廃条約の趣旨に照らし、私人間においても撤廃されるべき人種差別にあたる」。「公衆浴場の公共性に照らすと…外国人一律入浴拒否の方法によってなされた本件入浴拒否は、不合理な差別であって、社会的に許容しうる限度を超えているものといえるから、違法であって不法行為にあたる。」〔❷当該条約は条例制定を義務付けない〕「小樽市は、…憲法、条約及び法律によって一定内容の条例を制定すべきことが一義的に明確に義務づけられているような例外的な場合を除いて、国会による立法と同様に、市民全体に対する関係で政治的責務を負うにとどまり、個別の市民の権利に対応した関係での法的義務を負うものではない。」「小樽市に対し…差別撤廃条例の制定を一義的に明確に義務づけるような憲法、条約及び法律の規定は見出し難いから、…〈当該〉不作為を違法ということはできない。」

【コメント】 2審は1審判決を支持し、最高裁は2審判決を支持して上告不受理の決定をした。

26 賭博行為禁止の合憲性
最大判〔最大判昭和 25 年 11 月 22 日刑集 4 巻 11 号 2380 頁〕

【事件】 Y は A と共謀して B の家で賭場を開帳し，C 他数名に金銭を賭けた花札賭博をさせ，寺銭名義の金員を受け取り利を図り，刑法 186 条 2 項（賭場開帳図利罪）を犯したとして起訴された。1 審・2 審有罪。（上告棄却）

【争点】 賭博行為はなぜ禁圧されるのか。

【判旨】 〔賭博行為は勤労の美風を害するばかりでなく，副次的犯罪を誘発しまたは国民経済の機能に重大な障害を与える恐れすらある〕「賭博行為は，一面互に自己の財物を自己の好むところに投ずるだけであって，他人の財産権をその意に反して侵害するものではなく，従って，一見各人に任かされた自由行為に属し罪悪と称するに足りないようにも見えるが，…他面勤労その他正当な原因に因るのでなく，単なる偶然の事情に因り財物の獲得を僥倖せんと相争うがごときは，国民をして怠惰浪費の弊風を生ぜしめ，健康で文化的な社会の基礎を成す勤労の美風（憲法第 27 条 1 項参照）を害するばかりでなく，甚だしきは暴行，脅迫，殺傷，強窃盗その他の副次的犯罪を誘発し又は国民経済の機能に重大な障害を与える恐れすらある」。「これわが国においては一時の娯楽に供する物を賭した場合の外単なる賭博でもこれを犯罪としその他常習賭博，賭場開張等又は富籤に関する行為を罰する所以であって，これ等の行為は畢竟公益に関する犯罪中の風俗を害する罪であり…，新憲法にいわゆる公共の福祉に反する」。「ことに賭場開張図利罪は自ら財物を喪失する危険を負担することなく，専ら他人の行う賭博を開催して利を図るものであるから，単純賭博を罰しない外国の立法例においてもこれを禁止するを普通とする。されば，賭博等に関する行為の本質を反倫理性反社会性を有するものでないとする所論は，偏に私益に関する個人的な財産上の法益のみを観察する見解であって採ることができない」。

【コメント】 本判決には，栗山裁判官の意見がある。

第4章 法の下の平等

27 尊属殺重罰規定と法の下の平等
最大判 〔最大判昭和48年4月4日刑集27巻3号265頁〕

【事件】 14歳のときに実父から姦淫され、以後10年余り不倫の関係を強いられ、数人の子さえもうけたYが、知りあった青年との正常な婚姻を望んだところ実父から虐待されたので思い余って実父の首をしめて窒息死させ、刑法旧200条(「自己又ハ配偶者ノ直系尊属ヲ殺シタル者ハ死刑又ハ無期懲役ニ処ス」)の尊属殺人として起訴された。1審は刑法旧200条を違憲とし、過剰防衛を理由に刑を免除したが、2審は刑法旧200条を適用、過剰防衛も否定して有罪とした。(破棄自判、有罪〔懲役2年6月執行猶予3年〕)

【争点】 ①殺人に尊属殺という類型を設けて刑を加重するという立法目的の合理性。②立法目的達成手段が立法目的との均衡を失している場合、当該規定は違憲か。③尊属殺重罰規定は合憲か。

【判旨】 〔❶立法目的が直ちに合理的根拠を欠くとはいえない〕「刑法200条の立法目的は、尊属を卑属またはその配偶者が殺害することをもって一般に高度の社会的道義的非難に値するものとし、かかる所為を通常の殺人の場合より厳重に処罰し、もって特に強くこれを禁圧しようとするにある」。「尊属に対する尊重報恩は、社会生活上の基本的道義というべく、このような自然的情愛ないし普遍的倫理の維持は、刑法上の保護に値する」。「しかるに、自己または配偶者の直系尊属を殺害するがごとき行為はかかる結合の破壊であって、それ自体人倫の大本に反し、かかる行為をあえてした者の背倫理性は特に重い非難に値する」。「尊属の殺害は通常の殺人に比して一般に高度の社会的道義的非難を受けて然るべきであるとして、このことをその処罰に反映させても、

あながち不合理であるとはいえない。そこで，被害者が尊属であることを犯情のひとつとして具体的事件の量刑上重視することは許される…のみならず，さらに進んでこのことを類型化し，法律上，刑の加重要件とする規定を設けても，かかる差別的取扱いをもってただちに合理的な根拠を欠くものと断ずることはできず，したがってまた，憲法14条1項に違反するということもできない」。〔**❷甚だしく均衡を失している場合は違憲**〕「しかしながら，刑罰加重の程度いかんによっては，かかる差別の合理性を否定すべき場合がないとはいえない。すなわち，加重の程度が極端であって，前示のごとき立法目的達成の手段として甚だしく均衡を失し，これを正当化しうべき根拠を見出しえないときは，その差別は著しく不合理なものといわなければならず，かかる規定は憲法14条1項に違反して無効である」。〔**❸尊属殺重罰規定の法定刑は立法目的達成の手段を遥かに超えて普通殺の法定刑に比して著しく不合理な差別的取扱いをするから憲法14条1項に反する**〕「刑法200条…の法定刑は死刑および無期懲役刑のみであり，普通殺人罪に関する同法199条の法定刑が，死刑，無期懲役刑のほか3年以上の有期懲役刑となっているのと比較して，刑種選択の範囲が極めて重い刑に限られていることは明らかである。もっとも，現行刑法にはいくつかの減軽規定が存し，これによって法定刑を修正しうるのであるが，現行法上許される2回の減軽を加えても，尊属殺につき有罪とされた卑属に対して刑を言い渡すべきときには，処断刑の下限は懲役3年6月を下ることがなく，その結果として，いかに酌量すべき情状があろうとも法律上刑の執行を猶予することができないのであり，普通殺の場合とは著しい対照をなす」。「もとより，卑属が，責むべきところのない尊属を故なく殺害するがごときは厳重に処罰すべく，いささかも仮借すべきではないが，かかる場合でも普通殺人罪の規定の適用によってその目的を達することは不可能ではない。その反面，尊属でありながら卑属に対して非道の行為に出で，ついには卑属をして尊属を殺害する

事態に立ち至らしめる事例も見られ，かかる場合，卑属の行為は必ずしも現行法の定める尊属殺の重刑をもって臨むほどの峻厳な非難には値しない」。「量刑の実情をみても，尊属殺の罪のみにより法定刑を科せられる事例はほとんどなく，その大部分が減軽を加えられており，なかでも現行法上許される2回の減軽を加えられる例が少なくないのみか，その処断刑の下限である懲役3年6月の刑の宣告される場合も決して稀ではない。このことは，卑属の背倫理性が必ずしも常に大であるとはいえないことを示すとともに，尊属殺の法定刑が極端に重きに失していることをも窺わせる」。「尊属殺の法定刑は，それが死刑または無期懲役刑に限られている点…においてあまりにも厳しいものというべく，上記のごとき立法目的，すなわち，尊属に対する敬愛や報恩という自然的情愛ないし普遍的倫理の維持尊重の観点のみをもってしては，これにつき十分納得すべき説明がつきかねるところであり，合理的根拠に基づく差別的取扱いとして正当化することはとうていできない。」「刑法200条は，尊属殺の法定刑を死刑または無期懲役刑のみに限っている点において，その立法目的達成のため必要な限度を遥かに超え，普通殺に関する刑法199条の法定刑に比し著しく不合理な差別的取扱いをするものと認められ，憲法14条1項に違反して無効であるとしなければならず，したがって，尊属殺にも刑法199条を適用するのほかはない。この見解に反する当審従来の判例はこれを変更する。」

【コメント】 本判決には岡原裁判官の補足意見のほか，田中(二)，下村，色川，大隅，小川，坂本各裁判官の尊属殺重罰規定を設けること自体が違憲であるとの意見，下田裁判官の反対意見が付されている。なお平成7年の刑法改正により（法91），尊属を類型化し加重する4つの規定（尊属殺・尊属傷害致死・尊属遺棄・尊属逮捕監禁）はすべて削除された。

28 非嫡出子法定相続分規定と法の下の平等

最大決〔最大決平成 25 年 9 月 4 日民集 67 巻 6 号 1320 頁〕

【事件】　平成 13 年 7 月に死亡した被相続人 A の遺産について、A の嫡出子らが A の非嫡出子 Y らに対して、当時の民法 900 条 4 号ただし書（「但し、嫡出でない子の相続分は、嫡出である子の相続分の二分の一…とする。」）の規定にしたがった遺産分割審判を申し立て、1 審・2 審ともにその主張を認めたので、Y は特別抗告をした。（原決定破棄、差戻し）

【争点】　①非嫡出子の法定相続分を嫡出子の 2 分の 1 とする規定は合憲か。②法律の違憲判断の拘束力。

【決定要旨】　〔❶非嫡出子の法定相続分を嫡出子の 2 分の 1 とする規定は憲法 14 条 1 項に違反し違憲である〕「相続制度を定めるに当たっては、それぞれの国の伝統、社会事情、国民感情なども考慮されなければならない。」「相続制度をどのように定めるかは、立法府の合理的な裁量判断に委ねられている」。「〈最大決平成 7 年 7 月 5 日民集 49 巻 7 号 1789 頁（以下平成 7 年大法廷決定）〉は、…憲法 14 条 1 項に反するものとはいえないと判断した。」「しかし、…その定めの合理性については、個人の尊厳と法の下の平等を定める憲法に照らして不断に検討され、吟味されなければならない。」「昭和 22 年民法改正以降、我が国においては、社会、経済状況の変動に伴い、婚姻や家族の実態が変化し、その在り方に対する国民の意識の変化も指摘されている。」「本件規定の立法に影響を与えた諸外国の状況も、大きく変化してきている。」「『市民的及び政治的権利に関する国際規約』…『児童の権利に関する条約』…には、児童が出生によっていかなる差別も受けない旨の規定が設けられている。」「平成 6 年に、住民基本台帳事務処理要領の一部改正…が行われ、世帯主の子は、嫡出子であるか嫡出でない子であるかを区別することなく、一律に『子』と記載することとされた。また、戸籍における嫡出でない子の父母との続柄欄の記載をめぐっても、…平成 16 年に、戸籍法施行規

則の一部改正…が行われ，嫡出子と同様に『長男（長女）』等と記載することとされ，既に戸籍に記載されている嫡出でない子の父母との続柄欄の記載も，通達…により申出により上記のとおり更正することとされた。」「〈最大判平成 20 年 6 月 4 日民集 62 巻 6 号 1367 頁〉は，嫡出でない子の日本国籍の取得につき嫡出子と異なる取扱いを定めた国籍法 3 条 1 項の規定が…憲法 14 条 1 項に違反していた旨を判示し〈た。〉」「昭和 54 年に法務省民事局参事官室により法制審議会民法部会身分法小委員会の審議に基づくものとして公表された『相続に関する民法改正要綱試案』において，嫡出子と嫡出でない子の法定相続分を平等とする旨の案が示された。」「嫡出でない子の法定相続分を嫡出子のそれの 2 分の 1 とする本件規定の合理性は，…法律婚を尊重する意識が幅広く浸透しているということや，嫡出でない子の出生数の多寡，諸外国と比較した出生割合の大小は，上記法的問題の結論に直ちに結び付くものとはいえない。」「当裁判所は，平成 7 年大法廷決定…において既に，嫡出でない子の立場を重視すべきであるとして 5 名の裁判官が反対意見を述べたほかに，婚姻，親子ないし家族形態とこれに対する国民の意識の変化，更には国際的環境の変化を指摘して，昭和 22 年民法改正当時の合理性が失われつつあるとの補足意見が述べられ，その後の小法廷判決及び小法廷決定においても，同旨の個別意見が繰り返し述べられてきた。」「〈以上〉を総合的に考察すれば，家族という共同体の中における個人の尊重がより明確に認識されてきたことは明らかである…。そして，法律婚という制度自体は我が国に定着しているとしても，上記のような認識の変化に伴い，上記制度の下で父母が婚姻関係になかったという，子にとっては自ら選択ないし修正する余地のない事柄を理由としてその子に不利益を及ぼすことは許されず，子を個人として尊重し，その権利を保障すべきであるという考えが確立されてきている」。「以上を総合すれば，遅くとも A の相続が開始した平成 13 年 7 月当時においては，立法府の裁量権を考慮し

ても，嫡出子と嫡出でない子の法定相続分を区別する合理的な根拠は失われていた」。〔**❷本決定の違憲判断の先例としての事実上の拘束力はすでに解決済みの相続には及ばない**〕「憲法に違反する法律は原則として無効であり，その法律に基づいてされた行為の効力も否定されるべきものであることからすると，本件規定は，本決定により遅くとも平成 13 年 7 月当時において憲法 14 条 1 項に違反していたと判断される以上，本決定の先例としての事実上の拘束性により，上記当時以降は無効であることとなり，また，本件規定に基づいてされた裁判や合意の効力等も否定されることになろう。しかしながら，本件規定は，国民生活や身分関係の基本法である民法の一部を構成し，相続という日常的な現象を規律する規定であって，平成 13 年 7 月から既に約 12 年もの期間が経過していることからすると，その間に，本件規定の合憲性を前提として，多くの遺産の分割が行われ，更にそれを基に新たな権利関係が形成される事態が広く生じてきていることが容易に推察される。取り分け，本決定の違憲判断は，長期にわたる社会状況の変化に照らし，本件規定がその合理性を失ったことを理由として，その違憲性を当裁判所として初めて明らかにするものである。それにもかかわらず，本決定の違憲判断が，先例としての事実上の拘束性という形で既に行われた遺産の分割等の効力にも影響し，いわば解決済みの事案にも効果が及ぶとすることは，著しく法的安定性を害することになる。法的安定性は法に内在する普遍的な要請であり，当裁判所の違憲判断も，その先例としての事実上の拘束性を限定し，法的安定性の確保との調和を図ることが求められているといわなければならず，このことは，裁判において本件規定を違憲と判断することの適否という点からも問題となり得る」。「以上の観点からすると，既に関係者間において裁判，合意等により確定的なものとなったといえる法律関係までをも現時点で覆すことは相当ではないが，関係者間の法律関係がそのような段階に至っていない事案であれば，本決定により違憲無効とされ

た本件規定の適用を排除した上で法律関係を確定的なものとするのが相当である」。

【コメント】　本決定には，金築，千葉，岡部裁判官の各補足意見がある。なお，平成25年の民法改正（法94）により法定相続分は同等となった。

29 生後認知子の国籍取得差別と法の下の平等
最大判　〔最大判平成20年6月4日民集62巻6号1367頁〕

【事件】　Xは日本国籍の父とフィリピン国籍の母との間に日本で出生したのち父から認知された。しかし，父母の婚姻により嫡出子たる身分を取得した場合（＝準正）には法務大臣への届出で日本国籍を取得できるとする国籍法3条1項（当時）は適用されず，同法8条1号の同大臣による帰化の許可を必要としていた。Xは同法3条1項が違憲であり届出によって日本国籍を取得したと主張してその確認を求めて出訴した。1審は請求を認容したが，2審は立法者の意思に反して解釈の名の下に国籍取得要件を創設することは立法作用を行うことになり許されないとして請求を棄却したので，Xが上告。（破棄自判，請求認容）

【争点】　①届出による国籍取得に「準正」を要件とすることは憲法14条1項に違反するか。②「準正」要件を除くその他の国籍取得要件をみたすXは国籍を取得するのか。

【判旨】　〔❶「準正」要件は，憲法14条1項違反〕「国籍法3条1項〈の〉規定が設けられた主な理由は，日本国民である父が出生後に認知した子については，父母の婚姻により嫡出子たる身分を取得することによって，日本国民である父との生活の一体化が生じ，家族生活を通じた我が国社会との密接な結び付きが生ずることから，日本国籍の取得を認めることが相当であるという点にある」。「規定が設けられた当時〈そのような要件は〉…上記の立法目的との間に一定の合理的関連性があった」。「しかし…我が国を取り巻く国内的，国際的な環境等の変化に照らしてみる

と，準正を出生後における届出による日本国籍取得の要件にしておくことについて，前記の立法目的との間に合理的関連性を見いだすことがもはや難しくなっている」。「このような区別の結果，日本国民である父から出生後に認知されたにとどまる非嫡出子のみが，日本国籍の取得について著しい差別的取扱いを受けている」。「今日においては，立法府に与えられた裁量権を考慮しても，…不合理な差別を生じさせている」。「遅くとも上告人が法務大臣あてに国籍取得届を提出した…時点において，本件区別は合理的な理由のない差別となっていたといわざるを得ず，国籍法3条1項の規定が本件区別を生じさせていることは，憲法14条1項に違反するものであった」。〔❷**国籍法3条1項を全部無効とせずに違憲の状態を是正する必要があり，X は国籍を取得する**〕「〈国籍法3条1項〉の規定自体を全部無効として，…すべて否定することは，血統主義を補完するために出生後の国籍取得の制度を設けた同法の趣旨を没却するものであり，立法者の合理的意思として想定し難いものであって，採り得ない解釈である」。「そうすると，準正子について届出による日本国籍の取得を認める同項の存在を前提として，…救済を図り，本件区別による違憲の状態を是正する必要がある」。「このような見地に立って是正の方法を検討すると，…父から出生後に認知されたにとどまる子についても，…同法3条1項の規定の趣旨・内容を等しく及ぼすほかはない。」「この解釈は，本件区別による不合理な差別的取扱いを受けている者に対して直接的な救済のみちを開くという観点からも，相当性を有する」。「この解釈をもって，裁判所が法律にない新たな国籍取得の要件を創設するものであって国会の本来的な機能である立法作用を行うものとして許されないと評価することは，国籍取得の要件に関する他の立法上の合理的な選択肢の存在の可能性を考慮したとしても，当を得ない」。「したがって，〈X〉は，父母の婚姻により嫡出子たる身分を取得したという部分を除いた国籍法3条1項所定の要件が満たされるときは，同項に基づいて日本国籍を取

得することが認められる」。

【コメント】本判決には，泉，今井（那須・涌井同調），田原，近藤裁判官の各補足意見，藤田裁判官の意見，横尾・津野・古田，甲斐中・堀籠裁判官の各反対意見がある。なお，本判決後の国籍法改正（平20法88）により準正要件は廃止された。

30 女性のみにある再婚禁止期間と法の下の平等
最大判 〔最大判平成27年12月16日民集69巻8号2427頁〕

【事件】Xは，国会議員が民法733条1項（「女は，前婚の解消又は取消しの日から六箇月を経過した後でなければ，再婚をすることができない。」）（当時）について嫡出推定の重複を回避するのに最低限必要な100日に再婚禁止期間を短縮する等の改正の立法をしなかったために婚姻が遅れ，これによって精神的苦痛を被ったと主張して，国に対して，国家賠償法1条1項に基づき慰謝料等の損害賠償を求めた。1審・2審請求棄却。（上告棄却，再婚禁止期間の一部は違憲）

【争点】①民法733条1項が定める女性の再婚禁止期間は合憲か。
②民法733条1項を改正しなかった立法不作為は国家賠償法1条1項の違法に当たるか。

【判旨】〔❶再婚禁止期間を設ける立法目的に合理性はあるが，100日を超える部分は合理性を欠く〕「婚姻及び家族に関する事項は，国の伝統や国民感情を含めた社会状況における種々の要因を踏まえつつ，それぞれの時代における夫婦や親子関係についての全体の規律を見据えた総合的な判断を行うことによって定められるべきものである。したがって，その内容の詳細については，憲法が一義的に定めるのではなく，法律によってこれを具体化することがふさわしい」。「憲法24条2項は，このような観点から，婚姻及び家族に関する事項について，具体的な制度の構築を第一次的には国会の合理的な立法裁量に委ねるとともに，その立法に

当たっては，個人の尊厳と両性の本質的平等に立脚すべきであるとする要請，指針を示すことによって，その裁量の限界を画した」。「また，同条1項は，…婚姻をするかどうか，いつ誰と婚姻をするかについては，当事者間の自由かつ平等な意思決定に委ねられるべきであるという趣旨を明らかにした…。婚姻は，…重要な法律上の効果が与えられるものとされているほか，…国民の中にはなお法律婚を尊重する意識が幅広く浸透していると考えられることをも併せ考慮すると，上記のような婚姻をするについての自由は，憲法24条1項の規定の趣旨に照らし，十分尊重に値する」。「立法の経緯及び嫡出親子関係等に関する民法の規定中における本件規定の位置付けからすると，本件規定の立法目的は，女性の再婚後に生まれた子につき父性の推定の重複を回避し，もって父子関係をめぐる紛争の発生を未然に防ぐことに…あり…，父子関係が早期に明確となることの重要性に鑑みると，このような立法目的には合理性を認めることができる。」「父子関係の確定を科学的な判定に委ねることとする場合には，父性の推定が重複する期間内に生まれた子は，一定の裁判手続等を経るまで法律上の父が未定の子として取り扱わざるを得ず，その手続を経なければ法律上の父を確定できない状態に置かれることになる。生まれてくる子にとって，法律上の父を確定できない状態が一定期間継続することにより種々の影響が生じ得ることを考慮すれば，子の利益の観点から，上記のような法律上の父を確定するための裁判手続等を経るまでもなく，そもそも父性の推定が重複することを回避するための制度を維持することに合理性が認められる」。「〈民法772条1項・2項の規定から〉すると，女性の再婚後に生まれる子については，計算上100日の再婚禁止期間を設けることによって，父性の推定の重複が回避されることになる。」「嫡出子について出産の時期を起点とする明確で画一的な基準から父性を推定し，父子関係を早期に定めて子の身分関係の法的安定を図る仕組みが設けられた趣旨に鑑みれば，父性の推定の重複を避けるため

…100日について一律に女性の再婚を制約することは，婚姻及び家族に関する事項について国会に認められる合理的な立法裁量の範囲を超えるものではなく，上記立法目的との関連において合理性を有する」。「これに対し，…医療や科学技術が発達した今日においては，…再婚禁止期間を厳密に父性の推定が重複することを回避するための期間に限定せず，一定の期間の幅を設けることを正当化することは困難になった」。「加えて，…社会状況及び経済状況の変化に伴い婚姻及び家族の実態が変化し，特に平成期に入った後においては，晩婚化が進む一方で，離婚件数及び再婚件数が増加するなど，再婚…の制約をできる限り少なくするという要請が高まっている…。また，かつては再婚禁止期間を定めていた諸外国が徐々にこれを廃止する立法をする傾向にあり，…世界的には再婚禁止期間を設けない国が多くなっていることも公知の事実である。」「婚姻をするについての自由が憲法24条1項の規定の趣旨に照らし十分尊重されるべきものであることや妻が婚姻前から懐胎していた子を産むことは再婚の場合に限られないことをも考慮すれば，…厳密に父性の推定が重複することを回避するための期間を超えて婚姻を禁止する期間を設けることを正当化することは困難である。他にこれを正当化し得る根拠を見いだすこともできないことからすれば，本件規定のうち100日超過部分は合理性を欠いた過剰な制約…である。」〔❷**本件立法不作為は国家賠償法の適用上違法ではない**〕「婚姻及び家族に関する事項については，その具体的な制度の構築が第一次的には国会の合理的な立法裁量に委ねられる事柄であることに照らせば，〈最3小判平成7年12月5日判例時報1563号81頁〉がされた後も，本件規定のうち100日超過部分については違憲の問題が生ずるとの司法判断がされてこなかった状況の下において，我が国における医療や科学技術の発達及び社会状況の変化等に伴い，平成20年〈＝Xの離婚・再婚〉当時において，本件規定のうち100日超過部分が憲法14条1項及び24条2項に違反するものとなっていたことが，

国会にとって明白であったということは困難である。」「国家賠償法1条1項の適用の観点からみた場合には，憲法上保障され又は保護されている権利利益を合理的な理由なく制約するものとして憲法の規定に違反することが明白であるにもかかわらず国会が正当な理由なく長期にわたって改廃等の立法措置を怠っていたと評価することはできない。したがって，本件立法不作為は，国家賠償法1条1項の適用上違法の評価を受けるものではない」。

【コメント】　この判決は，民法733条1項を合憲とした最3小判平成7年12月5日判時1563号81頁を変更した。なお，櫻井・千葉・大谷・小貫・山本・大谷，千葉，木内裁判官の各補足意見，鬼丸裁判官の意見，山浦裁判官の反対意見がある。本判決後，再婚禁止期間は100日に短縮された（平28法71）。

31 夫婦同氏義務付け制度の合憲性
最大判〔最大判平成27年12月16日民集69巻8号2586頁〕

【事実】　婚姻届を提出しようとしたXらが，婚姻後夫婦が称する「氏」を選択していないとして不受理となったので，夫婦同氏を義務付ける民法750条（「夫婦は，婚姻の際に定めるところに従い，夫又は妻の氏を称する。」）が憲法13条，14条1項，24条等に違反するとし，この規定を改廃する立法措置をとらない立法不作為の違法を理由に，国に対して国家賠償法1条1項に基づき損害賠償を請求した。1審・2審，請求棄却。（上告棄却）

【争点】　夫婦の同氏義務付け制度は①憲法13条に反しないか。②14条1項に反しないか。③24条に反しないか。

【判旨】　〔❶夫婦同氏の義務付けは憲法13条に反しない〕「氏名は，社会的にみれば，個人を他人から識別し特定する機能を有するものであるが，同時に，その個人からみれば，人が個人として尊重される基礎であり，その個人の人格の象徴であって，人格権の一内容を構成するものというべきである。」「民法における

氏に関する規定…は，氏の性質に関し，氏に，名と同様に個人の呼称としての意義があるものの，名とは切り離された存在として，夫婦及びその間の未婚の子や養親子が同一の氏を称するとすることにより，社会の構成要素である家族の呼称としての意義があるとの理解を示している…。そして，家族は社会の自然かつ基礎的な集団単位であるから，このように個人の呼称の一部である氏をその個人の属する集団を想起させるものとして一つに定めることにも合理性がある」。「本件で問題となっているのは，…自らの意思に関わりなく氏を改めることが強制されるというものではない。」「氏に，名とは切り離された存在として社会の構成要素である家族の呼称としての意義があることからすれば，氏が，親子関係など一定の身分関係を反映し，婚姻を含めた身分関係の変動に伴って改められることがあり得ることは，その性質上予定されている」。「以上のような現行の法制度の下における氏の性質等に鑑みると，婚姻の際に「氏の変更を強制されない自由」が憲法上の権利として保障される人格権の一内容であるとはいえない。本件規定は，憲法 13 条に違反するものではない。」〔❷ **14 条 1 項に反しない**〕「本件規定は，夫婦が夫又は妻の氏を称するものとしており，夫婦がいずれの氏を称するかを夫婦となろうとする者の間の協議に委ねているのであって，その文言上性別に基づく法的な差別的取扱いを定めているわけではなく，本件規定の定める夫婦同氏制それ自体に男女間の形式的な不平等が存在するわけではない。我が国において，夫婦となろうとする者の間の個々の協議の結果として夫の氏を選択する夫婦が圧倒的多数を占めることが認められるとしても，それが，本件規定の在り方自体から生じた結果であるということはできない。したがって，本件規定は，憲法 14 条 1 項に違反するものではない。」〔❸ **24 条に反しない**〕「本件規定は，婚姻の効力の一つとして夫婦が夫又は妻の氏を称することを定めたものであり，婚姻をすることについての直接の制約を定めたものではない。」「婚姻に伴い夫婦が同一の氏を称する夫婦

同氏制は，旧民法…の施行された明治 31 年に我が国の法制度として採用され，我が国の社会に定着してきたものである。…氏は，家族の呼称としての意義があるところ，現行の民法の下においても，家族は社会の自然かつ基礎的な集団単位と捉えられ，その呼称を一つに定めることには合理性が認められる。」「そして，夫婦が同一の氏を称することは，上記の家族という一つの集団を構成する一員であることを，対外的に公示し，識別する機能を有している。」「加えて，…本件規定の定める夫婦同氏制それ自体に男女間の形式的な不平等が存在するわけではなく，夫婦がいずれの氏を称するかは，夫婦となろうとする者の間の協議による自由な選択に委ねられている。」「これに対して，夫婦同氏制の下においては，…婚姻によって氏を改める者にとって，そのことによりいわゆるアイデンティティの喪失感を抱いたり，婚姻前の氏を使用する中で形成してきた個人の社会的な信用，評価，名誉感情等を維持することが困難になったりするなどの不利益を受ける場合があることは否定できない。そして，氏の選択に関し，夫の氏を選択する夫婦が圧倒的多数を占めている現状からすれば，妻となる女性が上記の不利益を受ける場合が多い状況が生じているものと推認できる。さらには，夫婦となろうとする者のいずれかがこれらの不利益を受けることを避けるために，あえて婚姻をしないという選択をする者が存在することもうかがわれる。」「しかし，夫婦同氏制は，婚姻前の氏を通称として使用することまで許さないというものではなく，近時，婚姻前の氏を通称として使用することが社会的に広まっているところ，上記の不利益は，このような氏の通称使用が広まることにより一定程度は緩和され得る」。「以上の点を総合的に考慮すると，本件規定の採用した夫婦同氏制が，夫婦が別の氏を称することを認めないものであるとしても，…直ちに個人の尊厳と両性の本質的平等の要請に照らして合理性を欠く制度であるとは認めることはできない。したがって，本件規定は，憲法 24 条に違反するものではない。」

【コメント】 この判決には，寺田裁判官の補足意見，いずれも同氏強制は違憲とする岡部・櫻井・鬼丸，木内裁判官の各意見，山浦裁判官の反対意見がある。最大決令和3年6月23日判例タイムズ1488号94頁における11名の裁判官の多数意見は「〈本判決の〉判断を変更すべきものとは認められない」。「夫婦の氏についてどのような制度を採るのが立法政策として相当かという問題と，夫婦同氏制を定める現行法の規定が憲法24条に違反して無効であるか否かという憲法適合性の審査の問題とは，次元を異にするものである」とした。この判決には，深山・岡村・長嶺裁判官の補足意見，三浦裁判官の「婚姻の要件について，法が夫婦別氏の選択肢を設けていないことは，憲法24条に違反する」いう意見，宮崎・宇賀裁判官の「単一の氏の記載…があることを婚姻届の受理要件とし，もって夫婦同氏を婚姻成立の要件とすることは，当事者の婚姻をするについての意思決定に対する不当な国家介入に当たるから…憲法24条1項の趣旨に反する」などとする反対意見，草野裁判官の「選択的夫婦別氏制の導入によって向上する福利が…大きいことが明白であり，かつ，減少するいかなる福利も人権又はこれに準ずる利益とはいえないとすれば，当該制度を導入しないことは…個人の尊厳をないがしろにする所為であり…憲法24条に違反する」とする反対意見がある。

第5章 精神的自由

32 謝罪広告の強制と思想・良心の自由
最大判〔最大判昭和31年7月4日民集10巻7号785頁〕

【事件】 Yは衆議院議員総選挙に立候補し，政見放送等において対立候補Xが違法行為をした旨を公言したので名誉回復のための謝罪広告等を求める訴訟を提起された。1審・2審請求認容。（上告棄却）

【争点】 民法723条の名誉回復処分として謝罪広告は憲法19条が保障する思想・良心を侵害するか。

【判旨】〔謝罪広告掲載命令は憲法19条に違反しない〕「民法723条にいわゆる『他人の名誉を毀損した者に対して被害者の名誉を回復するに適当な処分』として謝罪広告を新聞紙等に掲載すべきことを加害者に命ずることは，従来学説判例の肯認するところであり，また謝罪広告を新聞紙等に掲載することは我国民生活の実際においても行われているのである。尤も謝罪広告を命ずる判決にもその内容上，これを新聞紙に掲載することが謝罪者の意思決定に委ねるを相当とし，これを命ずる場合の執行も債務者の意思のみに係る不代替作為として民訴734条〈現民執172条〉に基き間接強制によるを相当とするものもあるべく，時にはこれを強制することが債務者の人格を無視し著しくその名誉を毀損し意思決定の自由乃至良心の自由を不当に制限することとなり，いわゆる強制執行に適さない場合に該当することもありうるであろうけれど，単に事態の真相を告白し陳謝の意を表明するに止まる程度のものにあっては，これが強制執行も代替作為として民訴733条〈現民執171条〉の手続によることを得るものといわなければならない。」

【コメント】 本判決には，田中，栗山，入江裁判官の各補足意見，藤田，垂水裁判官の各反対意見がある。

33 「君が代」ピアノ伴奏拒否事件
最判

〔最3小判平成19年2月27日民集61巻1号291頁〕

【事件】 東京都A市立小学校の音楽専科教諭Xは，入学式の国歌斉唱の際に，「君が代」のピアノ伴奏を命ずる校長の職務命令に，自己の信条に基づき，従わなかったため東京都教育委員会により戒告処分を受けた。そこでXは，本件職務命令が憲法19条に違反するなどとして処分の取消しを求めて出訴したが，1審，2審とも敗訴した（請求棄却）ので，上告した。（上告棄却）

【争点】 本件職務命令は，憲法19条に違反しないか。

【判旨】 〔本件職務命令は，憲法19条に違反しない〕「学校の儀式的行事において『君が代』のピアノ伴奏をすべきでないとして本件入学式の国歌斉唱の際のピアノ伴奏を拒否することは，上告人にとっては，…歴史観ないし世界観に基づく一つの選択ではあろうが，一般的には，これと不可分に結び付くものということはできず…本件職務命令が，直ちに上告人の有する…歴史観ないし世界観それ自体を否定するものと認めることはできない」。「他方において，本件職務命令当時，公立小学校における入学式や卒業式において，国歌斉唱として『君が代』が斉唱されることが広く行われていたことは周知の事実であり，客観的に見て，入学式の国歌斉唱の際に『君が代』のピアノ伴奏をするという行為自体は，音楽専科の教諭等にとって通常想定され期待されるものであって，上記伴奏を行う教諭等が特定の思想を有するということを外部に表明する行為であると評価することは困難なものであり，特に，職務上の命令に従ってこのような行為が行われる場合には，上記のように評価することは一層困難である」。

【コメント】 本判決には，那須裁判官の補足意見，藤田裁判官の反対意見がある。

34 剣道実技受講拒否に基づく退学処分と信教の自由

最判〔最2小判平成8年3月8日民集50巻3号469頁〕

【事件】　K市立工業高専の生徒Xは、信仰上の理由から格闘技である剣道実技の履修を拒否したため、必修である体育科目の習得認定を受けられず、2年連続して原級留置処分を受け、さらにこれを理由に退学処分を受けた。そこでXがこれら処分の取消しを求めて出訴したが、1審で敗訴、2審で逆転勝訴（請求認容）。今度は学校側が上告した。（上告棄却、原告勝訴確定）

【争点】　①信仰に基づく剣道受講拒否に配慮が必要か。②本件処分は裁量権の逸脱・濫用に当たるか。

【判旨】　〔❶信仰の核心部分と関連する真しな理由に配慮すべきである〕「高等専門学校においては、剣道実技の履修が必須のものとまではいい難く、体育科目による教育目的の達成は、他の体育種目の履修などの代替的方法によってこれを行うことも性質上可能…。」「Xが剣道実技への参加を拒否する理由は、Xの信仰の核心部分と密接に関連する真しなものであった。」「上告人は、…裁量権の行使に当たり、当然そのことに相応の考慮を払う必要があった」。〔❷本件処分は裁量権の逸脱・濫用に当たり違法である〕「信仰上の理由による剣道実技の履修拒否を、正当な理由のない履修拒否と区別することなく、…代替措置について何ら検討することもなく、体育科目を不認定とした担当教員らの評価を受けて、原級留置処分をし、さらに、不認定の主たる理由及び全体成績について勘案することなく、2年続けて原級留置となったため進級等規程及び退学内規に従って学則にいう『学力劣等で成業の見込みがないと認められる者』に当たるとし、退学処分をしたという上告人の措置は、考慮すべき事項を考慮しておらず、又は考慮された事実に対する評価が明白に合理性を欠き、その結果、社会観念上著しく妥当を欠く処分をしたものと評するほかはない。」

35 宗教的理由による輸血拒否と医師の説明責任

最判　〔最3小判平成12年2月29日民集54巻2号582頁〕

【事件】　Mは、「エホバの証人」の信者で、いかなる場合にも輸血は一切拒否するという信念を持っており、病気でA国立大学付属病院に入院したとき病院にその旨伝え、輸血をしないことによる損傷については病院に責任を問わない旨確約していた。しかしその後病状が悪化し、輸血以外に救命の可能性は少ないと判断した医師によって輸血がなされた。Mの死亡後、夫と子供が国と医師を相手取って精神的苦痛を慰謝する損害賠償を求め、1審では請求棄却、2審では一部請求認容。そこで被告側が上告し、原告側が付帯上告を行った。（上告・付帯上告棄却）

【争点】　患者の輸血拒否の意思決定は尊重されるべきか。

【判旨】　〔患者の意思決定は人格権の一内容として尊重すべき〕「本件において、U医師らが、…医療水準に従った相当な手術をしようとすることは、人の生命及び健康を管理すべき業務に従事するものとして当然のことである…。しかし、患者が、輸血を受けることは自己の宗教上の信念に反するとして、輸血を伴う医療行為を拒否するとの明確な意思を有している場合、このような意思決定をする権利は、人格権の一内容として尊重されなければならない。そして、Mが、宗教上の信念からいかなる場合にも輸血を受けることは拒否するとの固い意思を有しており、輸血を伴わない手術を受けることができると期待して…入院したことをU医師らが知っていたなど本件の事実関係の下では、U医師らは、手術の際に輸血以外には救命手段がない事態が生ずる可能性を否定し難いと判断した場合には、Mに対し、…そのような事態に至ったときには輸血するとの方針を採っていることを説明して、…本件手術を受けるか否かをM自身の意思決定に委ねるべきであった」。「U医師らは…〈M〉の人格権を侵害したものとして、…精神的苦痛を慰謝すべき責任を負う」。

36 政教分離(1) 《津地鎮祭訴訟高裁判決》
〔名古屋高判昭和46年5月14日行政例集22巻5号680頁〕

【事件】 津市は、市体育館の起工に当たり、神社神道の儀式にのっとった地鎮祭を挙行し、市の公金7663円をその費用として支出した。これに対して当時津市議会議員のXが、その憲法20条・89条違反を理由に、市長が市に対して支出金額を賠償することを求めて出訴した住民訴訟(地方自治法242条の2)。1審では原告敗訴。(一部認容、一部棄却、被告側上告) ⇒**37**

【争点】 ①神社神道は憲法でいう宗教か。②宗教的行為と習俗的行為の違い、両者を区別する基準は。③地鎮祭は宗教的行為か。④地鎮祭への公金支出は憲法20条3項違反か。

【判旨】 〔**❶神社神道は宗教である**〕「憲法でいう宗教とは『超自然的、超人間的本質(すなわち絶対者、造物主、至高の存在等、なかんずく神、仏、霊等)の存在を確信し、畏敬崇拝する心情と行為』をいい、個人的宗教たると、集団的宗教たると、はたまた発生的に自然的宗教たると、創唱的宗教たるとを問わず、すべてこれを包含する」。「たとえ神社神道が祭祀中心の宗教であって、自然宗教的、民族宗教的特色があっても、神社の祭神(神霊)が個人の宗教的信仰の対象となる以上、宗教学上はもとよりわが国法上も宗教である」。〔**❷宗教的行為と習俗的行為は3つの観点から判定すべきである**〕「『習俗』とは、縦に世代的伝承性をもち、強い規範性ないし拘束性を帯びた協同体の伝統的意思表現すなわち生活様式ないしそれを支えている思想様式をいい、一般に普遍性を有する民間の日常生活一般をいう。」「本件地鎮祭が宗教的行為か、習俗的行為であるかを区別する客観的な基準として、次の3点を挙げることができる。(イ)当該行為の主宰者が宗教家であるかどうか、(ロ)当該行為の順序作法(式次第)が宗教界で定められたものかどうか、(ハ)当該行為が一般人に違和感なく受け容れられる程度に普遍性を有するものかどうか。」〔**❸地鎮祭は宗教的行為である**〕「これを本件についてみるに、〈(イ)主宰者は衣冠束帯

を身につけた専門の宗教家である神職であって，㈡式次第は，明治40年（1907年）内務省告示により制定された神社神道固有の祭式に大体準拠し，㈢わずか数十年の伝統をもつに過ぎず，すべての国民が各人のもつ宗教的信仰にかかわらず，抵抗なく受け容れられるほど普遍性をもつものとはいえないこと〉，以上の諸点から考えれば，…本件地鎮祭は，宗教的行為というべきであって，未だ習俗的行事とはいえない。」〔❹地鎮祭への公金支出は憲法20条3項に違反する〕「本件地鎮祭が違憲であるか合憲であるかを判断するにあたって，…政教分離原則の原点に立ち帰って…考察しなければならない。」「政教分離原則の侵害の有無は，憲法20条2項の宗教の自由侵害の有無と異なり，個人に対する『強制』の要素の存在を必要としない。すなわち，国又は地方公共団体が行為主体になって特定の宗教的活動を行えば，一般市民に参加を強制しなくても，それだけで政教分離原則の侵害となる」「さらに，国又は地方公共団体のする特定の宗教的活動が大部分の人の宗教的意識に合致し，これに伴う公金の支出が少額であっても，それは許容され…ない。」「〈憲法20条3項〉にいう『宗教的活動』の範囲は極めて広く，特定の宗教の布教，教化，宣伝を目的とする行為のほか，祈禱，礼拝，儀式，祝典，行事等およそ宗教的信仰の表現である一切の行為を包括する概念と解すべきである。」「本件地鎮祭が特定宗教による宗教上の儀式であると同時に，憲法20条3項で禁止する『宗教的活動』に該当する」。

37 政教分離(2)《津地鎮祭訴訟最高裁判決》
最大判
〔最大判昭和52年7月13日民集31巻4号533頁〕

【事件】 **36** の上告審。（破棄自判，原告敗訴確定）

【争点】 ①憲法の定める政教分離規定の位置付けと内容。②政教分離原則違反の判定基準。③地鎮祭は禁止された宗教的活動か。

【判旨】〔❶政教分離規定は制度を保障した規定であり，国家と宗教とのかかわりあいが相当とされる限度を超えた場合は許されない〕「政教分離規定は，いわゆる制度的保障の規定であって，信教の自由そのものを直接保障するものではなく，国家と宗教との分離を制度として保障することにより，間接的に信教の自由の保障を確保しようとするものである。ところが，宗教は，信仰という個人の内心的な事象としての側面を有するにとどまらず，同時に極めて多方面にわたる外部的な社会事象としての側面を伴うのが常であって，この側面においては，教育，福祉，文化，民俗風習など広汎な場面で社会生活と接触することになり，そのことからくる当然の帰結として，国家が，社会生活に規制を加え，あるいは教育，福祉，文化などに関する助成，援助等の諸施策を実施するにあたって，宗教とのかかわり合いを生ずることを免れない…。したがって，現実の国家制度として，国家と宗教との完全な分離を実現することは，実際上不可能に近い」。「政教分離規定の保障の対象となる国家と宗教との分離にもおのずから一定の限界があることを免れず，政教分離原則が現実の国家制度として具現される場合には，それぞれの国の社会的・文化的諸条件に照らし，国家は実際上宗教とある程度のかかわり合いをもたざるをえないことを前提としたうえで，そのかかわり合いが，信教の自由の保障の確保という制度の根本目的との関係で，いかなる場合にいかなる限度で許されないこととなるかが，問題とならざるをえない」。「わが憲法の前記政教分離規定の基礎となり，その解釈の指導原理となる政教分離原則は，国家が宗教的に中立であることを要求するものではあるが，国家が宗教とのかかわり合いをもつことを全く許さないとするものではなく，宗教とのかかわり合いをもたらす行為の目的及び効果にかんがみ，そのかかわり合いが右の諸条件に照らし相当とされる限度を超えるものと認められる場合にこれを許さないとするものである」。〔❷目的が宗教的意義をもちその効果が宗教に対する援助，助長，促進又は圧迫，干渉等

になる行為は違憲〕「〈憲法20条3項〉にいう宗教的活動とは、…およそ国及びその機関の活動で宗教とのかかわり合いをもつすべての行為を指すものではなく、そのかかわり合いが右にいう相当とされる限度を超えるものに限られるというべきであって、当該行為の目的が宗教的意義をもち、その効果が宗教に対する援助、助長、促進又は圧迫、干渉等になるような行為をいうものと解すべきである。その典型的なものは、同項に例示される宗教教育のような宗教の布教、教化、宣伝等の活動であるが、そのほか宗教上の祝典、儀式、行事等であっても、その目的、効果が前記のようなものである限り、当然、これに含まれる。そして、この点から、ある行為が右にいう宗教的活動に該当するかどうかを検討するにあたっては、当該行為の主宰者が宗教家であるかどうか、その順序作法（式次第）が宗教の定める方式に則ったものであるかどうかなど、当該行為の外形的側面のみにとらわれることなく、当該行為の行われる場所、当該行為に対する一般人の宗教的評価、当該行為者が当該行為を行うについての意図、目的及び宗教的意識の有無、程度、当該行為の一般人に与える効果、影響等、諸般の事情を考慮し、社会通念に従って、客観的に判断しなければならない。」〔**❸地鎮祭は禁止された宗教的活動に当たらない**〕「わが国においては、多くの国民は、地域社会の一員としては神道を、個人としては仏教を信仰するなどし、冠婚葬祭に際しても異なる宗教を使いわけてさしたる矛盾を感ずることがないというような宗教意識の雑居性が認められ、国民一般の宗教的関心度は必ずしも高いものとはいいがたい。他方、神社神道自体については、祭祀儀礼に専念し、他の宗教にみられる積極的な布教・伝道のような対外活動がほとんど行われることがないという特色がみられる。このような事情と前記のような起工式に対する一般人の意識に徴すれば、建築工事現場において、たとえ専門の宗教家である神職により神社神道固有の祭祀儀礼に則って、起工式が行われたとしても、それが参列者及び一般人の宗教的関心を特に高めることと

なるものとは考えられず，これにより神道を援助，助長，促進するような効果をもたらすことになるものとも認められない。そして，このことは，国家が主催して，私人と同様の立場で，本件のような儀式による起工式を行った場合においても，異なるものではな〈い〉。」「本件起工式は，宗教とかかわり合いをもつものであることを否定しえないが，その目的は建築着工に際し土地の平安堅固，工事の無事安全を願い，社会の一般的慣習に従った儀礼を行うという専ら世俗的なものと認められ，その効果は神道を援助，助長，促進し又は他の宗教に圧迫，干渉を加えるものとは認められないのであるから，憲法20条3項により禁止される宗教的活動にはあたらない」。

【コメント】本判決には藤林・吉田・団藤・服部・環裁判官の反対意見，藤林裁判官の追加反対意見があり，地鎮祭は宗教的活動に該当し違憲であるとする。

38 最大判 政教分離(3) 《愛媛玉串料訴訟》
〔最大判平成9年4月2日民集51巻4号1673頁〕

【事件】愛媛県が靖国神社と愛媛護国神社に玉串料，供物料等の名目でそれぞれ計7万6000円と計9万円の公金を支出した行為（以下，「本件支出」）は，憲法20条3項・89条に違反するとして，県知事らを相手取って住民訴訟を提起した。1審は請求一部認容，2審は請求棄却。（一部破棄自判，一部棄却）

【争点】①本件支出は憲法20条3項の「宗教的活動」に当たるか。②本件支出は憲法89条に違反するか。

【判旨】〔❶本件支出は憲法20条3項違反〕「神社神道においては，祭祀を行うことがその中心的な宗教上の活動であるとされていること，例大祭及び慰霊大祭は，神道の祭式にのっとって行われる儀式を中心とする祭祀であり，各神社の挙行する恒例の祭祀中でも重要な意義を有するものと位置付けられていること，みたま祭は，同様の儀式を行う祭祀であり，靖国神社の祭祀中最

も盛大な規模で行われるものであることは，いずれも公知の事実である。そして，玉串料及び供物料は，例大祭又は慰霊大祭において右のような宗教上の儀式が執り行われるに際して神前に供えられるものであり，献灯料は，これによりみたま祭において境内に奉納者の名前を記した灯明が掲げられるというものであって，いずれも各神社が宗教的意義を有すると考えていることが明らかなものである。」「これらのことからすれば，県が特定の宗教団体の挙行する重要な宗教上の祭祀にかかわり合いを持ったということが明らかである。そして，一般に，神社自体がその境内において挙行する恒例の重要な祭祀に際して右のような玉串料等を奉納することは，建築主が主催して建築現場において土地の平安堅固，工事の無事安全等を祈願するために行う儀式である起工式の場合とは異なり，時代の推移によって既にその宗教的意義が希薄化し，慣習化した社会的儀礼にすぎないものになっているとまでは到底いうことができず，一般人が本件の玉串料等の奉納を社会的儀礼の一つにすぎないと評価しているとは考え難いところである。そうであれば，玉串料等の奉納者においても，それが宗教的意義を有するものであるという意識を大なり小なり持たざるを得ないのであり，このことは，本件においても同様というべきである。また，本件においては，県が他の宗教団体の挙行する同種の儀式に対して同様の支出をしたという事実がうかがわれないのであって，県が特定の宗教団体との間にのみ意識的に特別のかかわり合いを持ったことを否定することができない。これらのことからすれば，地方公共団体が特定の宗教団体に対してのみ本件のような形で特別のかかわり合いを持つことは，一般人に対して，県が当該特定の宗教団体を特別に支援しており，それらの宗教団体が他の宗教団体とは異なる特別のものであるとの印象を与え，特定の宗教への関心を呼び起こす」。「そうであれば，本件玉串料等の奉納は，たとえそれが戦没者の慰霊及びその遺族の慰謝を直接の目的としてされたものであったとしても，世俗的目的で行われた社会的儀

礼にすぎないものとして憲法に違反しないということはできない。」〔❷本件支出は憲法89条にも違反〕「靖国神社及び護国神社は憲法89条にいう宗教上の組織又は団体に当たることが明らかであるところ，…本件玉串料等を靖国神社又は護国神社に前記のとおり奉納したことによってもたらされる県と靖国神社等とのかかわり合いが我が国の社会的・文化的諸条件に照らし相当とされる限度を超えるものと解されるのであるから，本件支出は，同条の禁止する公金の支出に当たり，違法…である。」

【コメント】　本判決には，大野，福田裁判官の各補足意見，園部，高橋，尾崎裁判官の各意見，三好，可部裁判官の各反対意見がある。

39 最大判 政教分離 ⑷《空知太神社訴訟》
〔最大判平成22年1月20日民集64巻1号1頁〕

【事件】　町内会が，A市から無償で提供された土地にA市からの補助金によって集会場用の建物を新築したが，この敷地内には鳥居と地神宮が，建物内には祠が設置されて，建物の外壁には「神社」の表示がなされている。この土地無償提供行為が政教分離原則に違反し，違法に財産の管理を怠るとして同市市長を相手に違法確認の住民訴訟が提起された。1審・一部請求認容，2審・控訴棄却。（破棄差戻し）

【争点】　①憲法89条違反はどのような判断枠組みを用いて判定するのか。②本件土地の無償提供行為は憲法違反か。

【判旨】　〔❶憲法89条に違反するか否かは諸般の事情を考慮し，社会通念に照らして総合的に判断する〕「憲法89条…の趣旨は，国家が宗教的に中立であることを要求するいわゆる政教分離の原則を，公の財産の利用提供等の財政的な側面において徹底させるところにあり，これによって，憲法20条1項後段の規定する宗教団体に対する特権の付与の禁止を財政的側面からも確保し，信教の自由の保障を一層確実なものにしようとしたものである。

しかし，国家と宗教とのかかわり合いには種々の形態があり，およそ国又は地方公共団体が宗教との一切の関係を持つことが許されないというものではなく，憲法89条も，公の財産の利用提供等における宗教とのかかわり合いが，我が国の社会的，文化的諸条件に照らし，信教の自由の保障の確保という制度の根本目的との関係で相当とされる限度を超えるものと認められる場合に，これを許さないとする」。「国又は地方公共団体が国公有地を無償で宗教的施設の敷地としての用に供する行為は，一般的には，当該宗教的施設を設置する宗教団体等に対する便宜の供与として，憲法89条との抵触が問題となる行為であるといわなければならない。もっとも，国公有地が無償で宗教的施設の敷地としての用に供されているといっても，当該施設の性格や来歴，無償提供に至る経緯，利用の態様等には様々なものがあり得ることが容易に想定されるところである。例えば，一般的には宗教的施設としての性格を有する施設であっても，同時に歴史的，文化財的な建造物として保護の対象となるものであったり，観光資源，国際親善，地域の親睦の場などといった他の意義を有していたりすることも少なくなく，それらの文化的あるいは社会的な価値や意義に着目して当該施設が国公有地に設置されている場合もあり得よう。また，我が国においては，明治初期以来，一定の社寺領を国等に上知（上地）させ，官有地に編入し，又は寄附により受け入れるなどの施策が広く採られたこともあって，国公有地が無償で社寺等の敷地として供される事例が多数生じた。このような事例については，戦後，国有地につき『社寺等に無償で貸し付けてある国有財産の処分に関する法律』（昭和22年法律第53号）が公布され，公有地についても同法と同様に譲与等の処分をすべきものとする内務文部次官通牒が発出された上，これらによる譲与の申請期間が経過した後も，譲与，売払い，貸付け等の措置が講じられてきたが，それにもかかわらず，現在に至っても，なおそのような措置を講ずることができないまま社寺等の敷地となっている国公有

地が相当数残存していることがうかがわれる」。「そうすると，…当該宗教的施設の性格，当該土地が無償で当該施設の敷地としての用に供されるに至った経緯，当該無償提供の態様，これらに対する一般人の評価等，諸般の事情を考慮し，社会通念に照らして総合的に判断すべき…である。」〔❷本件無償提供行為は憲法に違反する〕「本件鳥居，地神宮，『神社』と表示された会館入口から祠に至る本件神社物件は，一体として神道の神社施設に当たるものと見るほかはない。」「また，本件神社において行われている諸行事は，…神道の方式にのっとって行われているその態様にかんがみると，宗教的な意義の希薄な，単なる世俗的行事にすぎないということはできない。」「本件神社物件を管理し，…祭事を行っているのは，…本件氏子集団である。本件氏子集団は，…町内会に包摂される団体ではあるものの，町内会とは別に社会的に実在しているものと認められる。そして，この氏子集団は，宗教的行事等を行うことを主たる目的としている宗教団体であって，寄附を集めて本件神社の祭事を行っており，憲法89条にいう『宗教上の組織若しくは団体』に当たる」。「本件利用提供行為は，その直接の効果として，氏子集団が神社を利用した宗教的活動を行うことを容易にしている」。「本件利用提供行為は，市が，何らの対価を得ることなく本件各土地上に宗教的施設を設置させ，本件氏子集団においてこれを利用して宗教的活動を行うことを容易にさせているものといわざるを得ず，一般人の目から見て，市が特定の宗教に対して特別の便益を提供し，これを援助していると評価されてもやむを得ない」。「本件利用提供行為は，もともとは小学校敷地の拡張に協力した用地提供者に報いるという世俗的，公共的な目的から始まったもので，本件神社を特別に保護，援助するという目的によるものではなかったことが認められるものの，明らかな宗教的施設といわざるを得ない本件神社物件の性格，これに対し長期間にわたり継続的に便益を提供し続けていることなどの本件利用提供行為の具体的態様等にかんがみると，本件におい

て，当初の動機，目的は上記評価を左右するものではない。」「以上のような事情を考慮し，社会通念に照らして総合的に判断すると，本件利用提供行為は，…憲法89条の禁止する公の財産の利用提供に当たり，ひいては憲法20条1項後段の禁止する宗教団体に対する特権の付与にも該当する」。

【コメント】　本判決には，藤田，田原，近藤裁判官の各補足意見，甲斐中・中川・古田・竹内裁判官の意見，今井，堀籠裁判官の各反対意見がある。この判決は，本件寺社物件の撤去と土地明渡請求以外の合理的で現実的な手段が存在するか否かについて適切に審理判断するか，当事者に対して釈明権を行使する必要があったとして，原審に差戻した。差戻再上告審（最1小判平成24年2月16日民集66巻2号673頁）は，本判決後になされた，神社物件を一部除去し祠と鳥居の敷地を氏子総代長に年額3万5000円程度で賃貸するとのA市長との合意の実施は憲法89条・20条1項後段に違反しないとした。また同日に示された最大判平成22年1月20日民集64巻1号128頁（富平神社事件）は，神社敷地の地元町内会への無償譲与行為の合憲性が争われた訴訟であるが，市に寄付される前は同町内会の前身たる部落会が実質的に所有していたので違憲状態を解消させた行為として合憲とした。

40 政教分離 (5)《久米至聖廟訴訟》
最大判　〔最大判令和3年2月24日民集75巻2号29頁〕

【事件】　那覇市はその管理する都市公園内に儒教の祖である孔子等を祀った久米至聖廟を設置することをAに許可した上で，その敷地の使用料の全額を免除した。那覇市住民Xは，那覇市長Yの行為は，政教分離原則に違反し無効であり，YがAに対して平成26年4月1日から同年7月24日までの間の公園使用料181万7063円を請求しないことは違法に財産の管理を怠るものとして，Yを相手に，地方自治法242条の2第1項3

号に基づき上記怠る事実の違法確認を求めて住民訴訟を提起した。
1審請求認容・2審控訴棄却。（上告棄却）

【争点】①国公有地上の宗教施設の敷地使用料免除はどのように判断するか。②本件免除は特定の宗教に対する特別の便益の提供か。

【判旨】〔❶文化的・社会的な価値や意義に着目した免除もありうる〕「国又は地方公共団体が，国公有地上にある施設の敷地の使用料の免除をする場合においては，当該施設の性格や当該免除をすることとした経緯等には様々なものがあり得ることが容易に想定されるところであり，例えば，一般的には宗教的施設としての性格を有する施設であっても，同時に歴史的，文化財的な建造物として保護の対象となるものであったり，観光資源，国際親善，地域の親睦の場などといった他の意義を有していたりすることも少なくなく，それらの文化的あるいは社会的な価値や意義に着目して当該免除がされる場合もあり得る。これらの事情のいかんは，当該免除が，一般人の目から見て特定の宗教に対する援助等と評価されるか否かに影響するものと考えられるから，政教分離原則との関係を考えるに当たっても，重要な考慮要素とされるべきものといえる。」〔❷本件免除は特定の宗教に対する特別の便益の提供に当たる〕「本件施設で行われる釋奠祭禮は，その内容が供物を並べて孔子の霊を迎え，上香，祝文奉読等をした後にこれを送り返すというものであることに鑑みると，思想家である孔子を歴史上の偉大な人物として顕彰するにとどまらず，その霊の存在を前提として，これを崇め奉るという宗教的意義を有する儀式というほかない。また，参加人は釋奠祭禮の観光ショー化等を許容しない姿勢を示しており，釋奠祭禮が主に観光振興等の世俗的な目的に基づいて行われているなどの事情もうかがわれない。」「〈A〉は，久米三十六姓の歴史研究等をもその目的としているものの，宗教性を有する本件施設の公開や宗教的意義を有する釋奠祭禮の挙行を定款上の目的又は事業として掲げており，実際に本

件施設において，多くの参拝者を受け入れ，釋奠祭禮を挙行している。このような参加人の本件施設における活動の内容や位置付け等を考慮すると，本件免除は，〈A〉に上記利益を享受させることにより，〈A〉が本件施設を利用した宗教的活動を行うことを容易にするものであるということができ，その効果が間接的，付随的なものにとどまるとはいえない。」「本件施設の観光資源等としての意義や歴史的価値を考慮しても，本件免除は，一般人の目から見て，市が参加人の上記活動に係る特定の宗教に対して特別の便益を提供し，これを援助していると評価されてもやむを得ない」。

【コメント】　本判決には，林裁判官の反対意見がある。

41 地判 殉職自衛官の合祀と信教の自由(1)《地裁判決》

〔山口地判昭和54年3月22日判例時報921号44頁〕

【事件】　殉職した自衛官の妻Xは熱心なキリスト教徒であり，隊友会山口県支部連合会が自衛隊山口地方連絡部の協力を得て山口県護国神社に合祀したので，精神的損害の賠償，合祀申請手続の取消を請求した。（一部認容，一部棄却，控訴）

【争点】　①遺族の意向に反した合祀はいかなる権利を侵害しているか。②国の合祀申請行為は政教分離原則に違反するか。

【判旨】　〔❶合祀は静謐な宗教的環境の下で信仰生活を送るべき法的利益——人格権——を侵害する〕「信教の自由はその違法な侵害に対して裁判上の救済を求めうべき法的利益を保障されたものとして，私法上の人格権に属する」。「配偶者の死に対しては自己の死に準ずる程の関心を抱くのは通常であり，従って他人に干渉されることなく故人を宗教的に取扱うことの利益も右にいう人格権と考えることが許されると解される。」「〈合祀行為により〉妻としてキリスト教信仰の立場から夫の死の意味を深めようとする原告にとって，静謐な宗教的環境のもとで信仰生活を送るべき法的利益——人格権——を妨げられた面のあることはこれを否定

…できない。」〔❷国の行為は憲法20条3項の宗教的活動に該当する〕「〈隊友会〉と〈自衛隊山口地方連絡部〉職員は,共同行為者として本件合祀行為をなしたものである。…合祀…が宗教行為であることは明らかであるが,更に合祀申請行為も…〈そ〉の前提をなすものとして基本的な宗教的意義を有しており,且つ県護国神社の宗教を助長,促進する行為であるから,これが憲法20条3項によって国およびその機関がなすことを禁止された宗教的活動に該当することも明らかである。」されば,「〈右共同行為は〉私人に対する関係で違法な行為というべきである。」

【コメント】 広島高判昭和57年6月1日判例時報1046号3頁もこの判断を支持した。⇒**42**

42 殉職自衛官の合祀と信教の自由 ⑵ 《最高裁判決》
最大判
〔最大判昭和63年6月1日民集42巻5号277頁〕

【事件】 **41**の上告審。(破棄自判,原告請求棄却)

【争点】 ①宗教上の人格権なるものは法的利益か。②国の合祀申請行為は宗教的活動か。③Xは法的利益を侵害されているか。

【判旨】 〔❶宗教上の人格権は直ちに法的利益と認められない〕「私人相互間において憲法20条1項前段及び同条2項によって保障される信教の自由の侵害があり,その態様,程度が社会的に許容し得る限度を超えるときは,場合によっては,私的自治に対する一般的制限規定である民法1条,90条や不法行為に関する諸規定等の適切な運用によって,法的保護が図られるべきである。しかし人が自己の信仰生活の静謐を他者の宗教上の行為によって害されたとし,そのことに不快の感情を持ち,そのようなことがないよう望むことのあるのは,その心情として当然であるとしても,かかる宗教上の感情を被侵害利益として,直ちに損害賠償を請求し,又は差止めを請求するなどの法的救済を求めることができるとするならば,かえって相手方の信教の自由を妨げる

結果となるに至ることは，見易いところである。信教の自由の保障は，何人も自己の信仰と相容れない信仰をもつ者の信仰に基づく行為に対して，それが強制や不利益の付与を伴うことにより自己の信教の自由を妨害するものでない限り寛容であることを要請している…。このことは死去した配偶者の追慕，慰霊等に関する場合においても同様である。何人かをその信仰の対象とし，あるいは自己の信仰する宗教により何人かを追慕し，その魂の安らぎを求めるなどの宗教的行為をする自由は，誰にでも保障されているからである。原審が宗教上の人格権であるとする静謐な宗教的環境の下で信仰生活を送るべき利益なるものは，これを直ちに法的利益として認めることができない」。〔❷**国の合祀申請行為は宗教的活動とまではいうことはできない**〕「本件合祀申請という行為は，殉職自衛隊員の氏名とその殉職の事実を県護国神社に対し明らかにし，合祀の希望を表明したものであって，宗教とかかわり合いをもつ行為であるが，合祀の前提としての法的意味をもつものではない。そして，本件合祀申請に至る過程において県隊友会に協力してした地連職員の具体的行為は，その宗教とのかかわり合いは間接的であり，その意図，目的も，合祀実現により自衛隊員の社会的地位の向上と士気の高揚を図ることにあったと推認されるから，どちらかといえばその宗教的意識も希薄であった…のみならず，その行為の態様からして，国又はその機関として特定の宗教への関心を呼び起こし，あるいはこれを援助，助長，促進し，又は他の宗教に圧迫，干渉を加えるような効果をもつものと一般人から評価される行為とは認め難い。したがって，地連職員の行為が宗教とかかわり合いをもつものであることは否定できないが，これをもって宗教的活動とまではいうことはできない」。〔❸**Xの法的利益は何ら侵害されていない**〕「県護国神社による〈亡夫〉の合祀は，まさしく信教の自由により保障されているところとして同神社が自由になし得るところであり，それ自体は何人の法的利益をも侵害するものではない。そして，被上告人が県

護国神社の宗教行事への参加を強制されたことのないことは，原審の確定するところであり，またその不参加により不利益を受けた事実，そのキリスト教信仰及びその信仰に基づき〈亡夫〉を記念し追悼することに対し，禁止又は制限はもちろんのこと，圧迫または干渉が加えられた事実については，被上告人において何ら主張するところがない。…してみれば被上告人の法的利益は何ら侵害されていない」。

【コメント】　本件判決には，長島，高島・四ッ谷・奥野裁判官の各補足意見，島谷・佐藤，坂上裁判官の各意見，伊藤裁判官の反対意見がある。

43 破壊活動防止法のせん動罪と表現の自由《渋谷暴動事件》
最判
〔最2小判平成2年9月28日刑集44巻6号463頁〕

【事件】　昭和44年の沖縄デー事件と昭和46年の渋谷暴動事件で事前の集会で行ったせん動演説が，破防法39条，40条のせん動罪に問われた。1審・2審有罪（懲役3年執行猶予5年）被告人上告。（上告棄却，有罪確定）

【争点】　破防法のせん動罪は憲法21条1項に違反するか。

【判旨】　〔せん動罪は表現活動を制限するが，憲法21条1項に違反しない〕「破壊活動防止法39条及び40条のせん動は，政治目的をもって，各条所定の犯罪を実行させる目的をもって，文書若しくは図画又は言動により，人に対し，その犯罪行為を実行する決意を生ぜしめ又は既に生じている決意を助長させるような勢のある刺激を与える行為をすることであるから（同法4条2項参照），表現活動としての性質を有している。しかしながら，表現活動といえども，絶対無制限に許容されるものではなく，公共の福祉に反し，表現の自由の限界を逸脱するときには，制限を受けるのはやむを得ないものであるところ，右のようなせん動は，公共の安全を脅かす現住建造物等放火罪，騒擾罪等の重大犯罪をひき起こす可能性のある社会的に危険な行為であるから，公共の

福祉に反し，表現の自由の保護を受けるに値しないものとして，制限を受けるのはやむを得ないものというべきであり，右のようなせん動を処罰することが憲法21条1項に違反するものでないことは，当裁判所大法廷の判例…の趣旨に徴し明らかであり，所論は理由がない。」

44 わいせつ文書取締りの合憲性(1)《チャタレー地裁判決》
地判
〔東京地判昭和27年1月18日高刑集5巻13号2524頁〕

【事件】　英文学者伊藤整（Y_1）と小山書店社主（Y_2）が，D・H・ローレンスの小説『チャタレイ夫人の恋人』を，その中に露骨な性的描写のあることを知りながら，翻訳，出版し，相当数を売り渡した行為が刑法175条にいうわいせつ文書販売の罪に当たるとして起訴された。（Y_1無罪，Y_2有罪，控訴）⇒**45**

【争点】　①わいせつ文書が排除される理由はなにか。②出版社の責任の所在は。②翻訳者の責任の所在は。

【判旨】　〔❶**人類の滅亡を招来する**〕「猥褻文書は『一般的に性欲を刺激するに足る表現があり，これにより人が性的興奮を惹起し理性による制御を否定又は動揺するに至るもので，自ら羞恥の念を生じ且つそのものに対して嫌悪感を抱く文書』と定義すべきである。」「かかる文書が…排除せられるのは，これによって人の性欲を刺激し，興奮せしめ，理性による性衝動の制御を否定又は動揺せしめ，社会的共同生活を混乱に陥れ，延いては人類の滅亡を招来するに至る危険があるからである。」〔❷**通俗小説的に取り扱った責任あり**〕「小山被告は本書を手軽に買われることをのみ考え，一部の人は…手軽さから通俗小説的に取扱うことになり誤読するであろうことを考慮しなかった。」「本訳書発売…の…広告は，本訳書を愛欲描写の烈しい小説であると評価し，死をひかえて，発表の意思なく，赤裸々に書いたもので，世界中で出版の可否を烈しく論議されたという経歴を持つものであるといふ

のであるから，読者はこれを低俗なる性欲小説と速断する疑は多分にある」。「叙上の如き環境下に販売せられたる本訳書は，…ここに刑法第175条に該当する所謂猥褻文書と認めらるる」。〔❸低俗小説と即断する環境の利用醸成に加功しなかった〕「伊藤被告は本件販売行為が，前叙の如き環境を利用醸成して為されたことについては法律上加功しなかったものと解すべく…無罪。」

45 わいせつ文書取締りの合憲性(2)《チャタレー最高裁判決》
最大判

〔最大判昭和32年3月13日刑集11巻3号997頁〕

【事件】 44の上告審。2審でY_1・Y_2ともに有罪となったので上告。(被告人側上告棄却，有罪確定〔Y_1罰金10万円，Y_2罰金25万円〕)

【争点】 ①わいせつ文書とは。②わいせつ物該当性判断は法解釈か事実認定か。③わいせつか否かの判断基準。④刑法175条は憲法21条違反か。⑤わいせつ性は芸術性と両立しうるか。

【判旨】 〔❶わいせつ物の定義は変わらない〕「刑法175条の猥褻文書（および図画その他の物）とは如何なるものを意味するか。従来の大審院の判例は『性欲を刺戟興奮し又は之を満足せしむべき文書図画その他一切の物品を指称し，従って猥褻物たるには人をして羞恥嫌悪の感念（ママ）を生ぜしむるものたることを要する』ものとしており（例えば大正7年6月10日刑事第2部判決），また最高裁判所の判決は『徒らに性欲を興奮又は刺戟せしめ，且つ普通人の正常な性的羞恥心を害し，善良な性的道義観念に反するものをいう』としている（第1小法廷判決，刑集5巻6号1026頁以下）。…我々もまたこれらの判例を是認する」。〔❷わいせつ物該当性の判断は法解釈の問題〕「著作自体が刑法175条の猥褻文書にあたるかどうかの判断は，当該著作についてなされる事実認定の問題でなく，法解釈の問題である。問題の著作は現存しており，裁判所はただ法の解釈，適用をすればよいのである。…この故に

この著作が一般読者に与える興奮,刺激や読者のいだく羞恥感情の程度といえども,裁判所が判断すべきものである。」〔❸**わいせつの判断基準は良識すなわち社会通念**〕「裁判所が右の判断をなす場合の基準は,一般社会において行われている良識すなわち社会通念である。…かような社会通念が如何なるものであるかの判断は,現制度の下においては裁判官に委ねられているのである。…本著作が猥褻文書にあたるかどうかの判断が一部の国民の見解と一致しないことがあっても止むを得ない」。「相当多数の国民層の倫理的感覚が麻痺しており,真に猥褻なものを猥褻と認めないとしても,裁判所は良識をそなえた健全な人間の観念である社会通念の規範に従って,社会を道徳的頽廃から守らなければならない。けだし法と裁判とは社会的現実を必ずしも常に肯定するものではなく,病弊堕落に対して批判的態度を以て臨み,臨床医的役割を演じなければならぬのである。」〔❹**刑法175条は憲法21条に違反しない**〕「出版その他表現の自由…は極めて重要なものではあるが,しかしやはり公共の福祉によって制限されるものと認めなければならない。そして性的秩序を守り,最少限度の性道徳を維持(ママ)することが公共の福祉の内容をなすことについて疑問の余地がないのであるから,本件訳書を猥褻文書と認めその出版を公共の福祉に違反するものとなした原判決は正当であ〈る〉。」「憲法によって事前の検閲が禁止されることになったからといって,猥褻文書の頒布販売もまた禁止できなくなったと推論することはできない。」〔❺**わいせつ性と芸術性は別次元であり両立し得る**〕「本書の芸術性はその全部についてばかりでなく,検察官が〈わいせつ個所として〉指摘した12箇所に及ぶ性的描写の部分についても認め得られないではない。しかし芸術性と猥褻性とは別異の次元に属する概念であり,両立し得ないものではない。…〈本件訳書〉が春本ではなく芸術的作品であるという理由からその猥褻性を否定することはできない。…我々は作品の芸術性のみを強調して,これに関する道徳的,法的の観点からの批判を拒否するような芸

術至上主義に賛成することができない。」「猥褻性の存否は純客観的に,つまり作品自体からして判断されなければならず,作者の主観的意図によって影響さるべきものではない。」

【コメント】本判決には,真野裁判官の意見と小林裁判官の補足意見がある。前者は,多数意見がわいせつの観念に時代と民族を超えた不変の内容(=性行為非公然性の原則)を認めていること,また,「道徳ないし良風美俗の守護者をもって任ずるような妙に気負った心組み」を感じると批判している。

46 最判 わいせつ文書取締りの合憲性(3)《「四畳半襖の下張」事件》

〔最2小判昭和55年11月28日刑集34巻6号433頁〕

【事件】小説家の野坂昭如(Y_1)は,雑誌『話の特集』誌上に,永井荷風作と伝えられるポルノ文「四畳半襖の下張」を掲載し,出版社社長(Y_2)と刑法175条違反の罪に問われた。1審・2審有罪。(上告棄却,有罪確定〔Y_1罰金10万円,Y_2罰金15万円〕)

【争点】①文書のわいせつ性の判定。②本件文書はわいせつか。

【判旨】〔❶わいせつ判断は総合的に判定する〕「文書のわいせつ性の判断にあたっては,当該文書の性に関する露骨で詳細な描写叙述の程度とその手法,右描写叙述の文書全体に占める比重,文書に表現された思想等と右描写叙述との関連性,文書の構成や展開,さらには芸術性・思想性等による性的刺激の緩和の程度,これらの観点から該文書を全体としてみたときに,主として,読者の好色的興味にうったえるものと認められるか否かなどの諸点を検討することが必要であり,これらの事情を総合し,その時代の健全な社会通念に照らして,それが『徒らに性欲を興奮又は刺激せしめ,かつ,普通人の正常な性的羞恥心を害し,善良な性的道義観念に反するもの』(前掲最高裁昭和32年3月13日大法廷判決参照)といえるか否かを決すべきである。」〔❷本件文書は主として好色的興味にうったえるからわいせつ〕「本件『四畳半襖の下張』

は，男女の性的交渉の情景を扇情的な筆致で露骨，詳細かつ具体的に描写した部分が量的質的に文書の中枢を占めており，その構成や展開，さらには文芸的，思想的価値などを考慮に容れても，主として読者の好色的興味にうったえるものと認められるから，以上の諸点を総合検討したうえ，本件文書が刑法175条にいう『わいせつの文書』にあたると認めた原判断は，正当である。」

47 条例による有害図書規制《岐阜県青少年保護育成条例事件》

最判

〔最3小判平成元年9月19日刑集43巻8号785頁〕

【事件】岐阜県青少年保護育成条例は，「図書の内容が，著しく性的感情を刺激し，又は著しく残忍性を助長するため，青少年の健全な育成を阻害するおそれがある」と認めるとき，知事は当該図書を「有害図書」として指定するものとされ（6条1項＝個別指定），そのときには緊急を要する場合（＝緊急指定）を除き，県青少年保護育成審議会の意見を聴かねばならないとしていた（9条）。ただ，有害図書のうち，「特に卑わいな姿態若しくは性行為を被写体とした写真又はこれらの写真を掲載する紙面が編集紙面の過半を占める」と認められる刊行物については，個別指定に代えて，当該写真の内容を予め規則で定めるところにより指定（＝包括指定）することができるとしていた（6条2項）。A社の代表取締役Y は，A社の業務に関して岐阜県内に設置した自販機に包括指定を受けた「有害図書」を収納したとして起訴された。1審・2審ともに有罪。Yは上告。（上告棄却。有罪確定〔罰金9万円〕）

【争点】青少年に対する有害図書の包括指定方式による販売規制は憲法21条1項に違反しないか。

【判旨】〔有害図書の包括指定方式による販売規制は憲法21条1項に違反しない〕「本条例の定めるような有害図書が一般に思慮分別の未熟な青少年の性に関する価値観に悪い影響を及ぼし，性的な逸脱行為や残虐な行為を容認する風潮の助長につなが

るものであって、青少年の健全な育成に有害であることは、既に社会共通の認識になっているといってよい。さらに、自動販売機による有害図書の販売は、売手と対面しないため心理的に購入が容易であること、昼夜を問わず購入ができること、収納された有害図書が街頭にさらされているため購入意欲を刺激し易いことなどの点において、書店等における販売よりもその弊害が一段と大きいといわざるをえない。しかも、自動販売機業者において、前記審議会の意見聴取を経て有害図書としての指定がされるまでの間に当該図書の販売を済ませることが可能であり、このような脱法的行為に有効に処するためには、本条例 6 条 2 項による指定方式も必要性があり、かつ、合理的である…。そうすると、有害図書の自動販売機への収納の禁止は、青少年に対する関係において、憲法 21 条 1 項に違反しないことはもとより、成人に対する関係においても、有害図書の流通を幾分制約することにはなるものの、青少年の健全な育成を阻害する有害環境を浄化するための規制に伴う必要やむをえない制約であるから、憲法 21 条 1 項に違反するものではない。」

【コメント】 本判決には、伊藤裁判官による青少年の保護の見地からする規制の必要性と違憲審査の基準を詳述する補足意見がある。

48 最大判 表現の自由と名誉毀損 (1)《「夕刊和歌山時事」事件》

〔最大判昭和 44 年 6 月 25 日刑集 23 巻 7 号 975 頁〕

【事件】 被告人は、自分の発行する『夕刊和歌山時事』に「吸血鬼坂口得一郎の罪業」という記事を載せ、『和歌山特だね新聞』社主 A の名誉を毀損したとして刑法 230 条 1 項の罪に問われた。1、2 審有罪（罰金 3000 円）。(破棄差戻し)

【争点】 報道に際して、資料、根拠はどの程度まで必要なのか。

【判旨】 〔誤信に相当の理由があれば犯罪の故意はなく名誉棄損罪は成立しない〕「原審弁護人が『被告人は証明可能な程度

の資料,根拠をもって事実を真実と確信したから,被告人には名誉毀損の故意が阻却され,犯罪は成立しない。』旨を主張したのに対し,原判決は,『被告人の摘示した事実につき真実であることの証明がない以上,被告人において真実であると誤信していたとしても,故意を阻却せず,名誉毀損罪の刑責を免れることができないことは,すでに最高裁判所の判例(昭和34年5月7日第1小法廷判決,刑集13巻5号641頁)の趣旨とするところである』と判示して,右主張を排斥し,被告人が真実であると誤信したことにつき相当の理由があったとしても名誉毀損の罪責を免れえない旨を明らかにしている。」「しかし,刑法230条ノ2の規定は,人格権としての個人の名誉の保護と,憲法21条による正当な言論の保障との調和をはかったものというべきであり,これら両者間の調和と均衡を考慮するならば,たとい刑法230条ノ2第1項にいう事実が真実であることの証明がない場合でも,行為者がその事実を真実であると誤信し,その誤信したことについて,確実な資料,根拠に照らし相当の理由があるときは,犯罪の故意がなく,名誉毀損の罪は成立しないものと解するのが相当である。これと異なり,右のような誤信があったとしても,およそ事実が真実であることの証明がない以上名誉毀損の罪責を免れることがないとした当裁判所の前記判例(昭和34年5月7日第1小法廷判決,刑集13巻5号641頁)は,これを変更すべきものと認める。」

49 表現の自由と名誉毀損(2)《「月刊ペン」事件》
最判

〔最1小判昭和56年4月16日刑集35巻3号84頁〕

【事件】 月刊ペン誌編集長であった被告人が,宗教法人創価学会と池田大作会長らの名誉を毀損する記事を執筆掲載したとして訴追された。1,2審有罪(懲役10月執行猶予1年)。(破棄差戻し)

【争点】 ①私人の私生活上の行状は「公共ノ利害ニ関スル事実」に該当するか。②本件記事はどうか。

【判旨】 〔❶社会に及ぼす影響力いかんによっては該当する場合がある〕「私人の私生活上の行状であっても、そのたずさわる社会的活動の性質及びこれを通じて社会に及ぼす影響力の程度などのいかんによっては、その社会的活動に対する批判ないし評価の一資料として、刑法230条ノ2第1項にいう『公共ノ利害ニ関スル事実』にあたる場合がある」。〔❷本件記事は「公共ノ利害ニ関スル事実」〕「本件の事実関係を前提として検討すると、被告人によって摘示された池田会長らの…行状は、刑法230条ノ2第1項にいう『公共ノ利害ニ関スル事実』にあたると解するのが相当であって、これを一宗教団体内部における単なる私的な出来事であるということはできない。なお、右にいう『公共ノ利害ニ関スル事実』にあたるか否かは、摘示された事実自体の内容・性質に照らして客観的に判断されるべきものであり、これを摘示する際の表現方法や事実調査の程度などは、同条にいわゆる公益目的の有無の認定等に関して考慮されるべきことがらであって、摘示された事実が『公共ノ利害ニ関スル事実』にあたるか否かの判断を左右するものではない」。

【コメント】 本件差戻し後第1審判決（東京地判昭和58年6月10日判例時報1084号37頁）、控訴審判決（東京高判昭和59年7月18日判例時報1128号32頁）は、被告人による事実の証明がなく、また、誤信に確実な資料、証拠に照らして相当の理由がないとの理由で有罪（罰金20万円）を維持した。（被告人上告中に死亡）

50 最大判 表現の自由と名誉毀損 (3) 《「北方ジャーナル」事件》

〔最大判昭和61年6月11日民集40巻4号872頁〕

【事件】 昭和54年4月の北海道知事選の立候補予定者、当時の国会議員（社会党）Yは、かねてXの発行する政界情

報誌「北方ジャーナル」がYを誹謗する名誉毀損の記事を掲載するたびに雑誌の販売禁止の仮処分を申請し、認められてきた。同誌の同年4月号に関する仮処分申請について、札幌地裁は、無審尋で認めた。原告Xは損害賠償を求めて出訴。1、2審とも原告敗訴し上告。(上告棄却、原告敗訴確定)

【争点】 ①裁判所の仮処分による出版禁止は憲法21条1項の「検閲」か。②出版禁止の仮処分が認められる場合。③出版禁止の仮処分に必要な手続。

【判旨】 〔❶出版禁止の仮処分は検閲に該当しない〕「一定の記事を掲載した雑誌その他の出版物の印刷、製本、販売、頒布等の仮処分による事前差止めは、裁判の形式によるとはいえ、口頭弁論ないし債務者の審尋を必要的とせず、立証についても疎明で足りるとされているなど簡略な手続によるものであり、また、いわゆる満足的仮処分として争いのある権利関係を暫定的に規律するものであって、非訟的な要素を有することを否定することはできないが、仮処分による事前差止めは、表現物の内容の網羅的一般的な審査に基づく事前規制が行政機関によりそれ自体を目的として行われる場合とは異なり、個別的な私人間の紛争について、司法裁判所により、当事者の申請に基づき差止請求権等の私法上の被保全権利の存否、保全の必要性の有無を審理判断して発せられるものであって、右示にいう『検閲』には当たらない」。〔❷出版禁止の仮処分は公共の利害に関する事項であれば原則としてできないが、一定の実体的要件を具備するときは例外的に許される〕「出版物の頒布等の事前差止めは、〈表現行為の〉事前抑制に該当するものであって、とりわけ、その対象が公務員又は公職選挙の候補者に対する評価、批判等の表現行為に関するものである場合には、そのこと自体から、一般にそれが公共の利害に関する事項であるということができ、前示のような憲法21条1項の趣旨に照らし、その表現が私人の名誉権に優先する社会的価値を含み憲法上特に保護されるべきであることにかんがみると、当該表現行

為に対する事前差止めは，原則として許されない…。ただ，右のような場合においても，その表現内容が真実でなく，又はそれが専ら公益を図る目的のものでないことが明白であって，かつ，被害者が重大にして著しく回復困難な損害を被る虞があるときは，当該表現行為はその価値が被害者の名誉に劣後することが明らかであるうえ，有効適切な救済方法としての差止めの必要性も肯定されるから，かかる実体的要件を具備するときに限って，例外的に事前差止めが許されるものというべきであり，このように解しても上来説示にかかる憲法の趣旨に反するものとはいえない。」

〔❸出版禁止の仮処分には原則として口頭弁論又は債務者審尋が必要〕「事前差止めを命ずる仮処分命令を発するについては，口頭弁論又は債務者の審尋を行い，表現内容の真実性等の主張立証の機会を与えることを原則とすべき…である。ただ，差止めの対象が公共の利害に関する事項についての表現行為である場合においても，口頭弁論を開き又は債務者の審尋を行うまでもなく，債権者の提出した資料によって，その表現内容が真実でなく，又はそれが専ら公益を図る目的のものでないことが明白であり，かつ，債権者が重大にして著しく回復困難な損害を被る虞があると認められるときは，口頭弁論又は債務者の審尋を経ないで差止めの仮処分命令を発したとしても，憲法21条の前示の趣旨に反するものということはできない。」

【コメント】　伊藤，大橋，牧，長島裁判官の各補足意見，谷口裁判官の意見がある。

51 プライバシー保護と表現の自由《「宴のあと」事件》
地判
〔東京地判昭和39年9月28日下民集15巻9号2317頁〕

【事件】　Xは外務大臣の経験もある著名な政治家であったが，昭和34年の東京都知事選に出馬し，落選した。小説家三島由紀夫は，Xと，著名な料亭の女将で夫の選挙に努力した妻とをモデルにした小説を執筆し，後に単行本として出版した。

Xはプライバシー侵害という,当時の日本では判例上未知の理論を根拠に謝罪広告と損害賠償を求めた。(賠償80万円のみ認容)

【争点】 ①プライバシーの権利とは。②どのような事実が公開されたら権利侵害となるか。③権利侵害が許される場合。

【判旨】 〔❶**プライバシーの権利は私生活をみだりに公開されない法的保障ないし権利**〕「近代法の根本理念の一つであり,また日本国憲法のよって立つところでもある個人の尊厳という思想は,相互の人格が尊重され,不当な干渉から自我が保護されることによってはじめて確実なものとなるのであって,そのためには,正当な理由がなく他人の私事を公開することが許されてはならないことは言うまでもない…。このことの片鱗はすでに成文法上にも明示されているところであって…成文法規の存在と…私事をみだりに公開されないという保障が,今日のマスコミュニケーションの発達した社会では個人の尊厳を保ち幸福の追求を保障するうえにおいて必要不可欠なものであるとみられるに至っていることを合わせ考えるならば,その尊重はもはや単に倫理的に要請されるにとどまらず,不法な侵害に対しては法的救済が与えられるまでに高められた人格的な利益であると考えるのが正当であり,それはいわゆる人格権に包摂されるものであるけれども,なおこれを一つの権利と呼ぶことを妨げるものではない」。「いわゆるプライバシー権は私生活をみだりに公開されないという法的保障ないし権利として理解されるから,その侵害に対しては侵害行為の差し止めや精神的苦痛に因る損害賠償請求権が認められるべきものであり,民法709条はこのような侵害行為もなお不法行為として評価されるべきことを規定しているものと解釈するのが正当である。」〔❷**権利侵害となるには私事性・秘事性・未知性の3要件を満たす必要がある**〕「プライバシーの侵害に対し法的な救済が与えられるためには,公開された内容が(イ)私生活上の事実または私生活上の事実らしく受け取られるおそれのあることがらであること,(ロ)

一般人の感受性を基準にして当該私人の立場に立った場合公開を欲しないであろうと認められることがらであること，換言すれば一般人の感覚を基準として公開されることによって心理的な負担，不安を覚えるであろうと認められることがらであること，(ハ)一般の人々に未だ知られていないことがらであることを必要とし，このような公開によって当該私人が実際に不快，不安の念を覚えたことを必要とするが，公開されたところが当該私人の名誉，信用というような他の法益を侵害するものであることを要しない」。

〔❸**正当な理由があれば違法性は阻却される**〕「他人の私生活を公開することに法律上正当とみとめられる理由があれば違法性を欠き結局不法行為は成立しない」。「小説なり映画なりがいかに芸術的価値においてみるべきものがあるとしても，そのことが当然にプライバシー侵害の違法性を阻却するものとは考えられない。」「公共の秩序，利害に直接関係のある事柄の場合とか社会的に著名な存在である場合には，ことがらの公的性格から一定の合理的な限界内で私生活の側面でも報道，論評等が許されるにとどまり，たとえ報道の対象が公人，公職の候補者であっても，無差別，無制限に私生活を公開することが許されるわけではない。」「公人ないし公職の候補者については，…その私生活を報道，論評することも正当とされなければならない…が，…一定の合理的な限界があることはもちろんであって無差別，無制限な公開が正当化される理由はない。」

【コメント】　控訴審係属中に X が死亡し，遺族と和解が成立した。

52 容貌・姿態の法的保護《京都府学連事件》
最大判
〔最大判昭和 44 年 12 月 24 日刑集 23 巻 12 号 1625 頁〕

【事件】　昭和 37 年 6 月 21 日の学生デモで，京都府警所属の警察官がデモ隊の写真撮影を行い，これを妨害しようとした被告は，公務執行妨害，傷害で起訴された。1 審・2 審有罪（懲

役1月執行猶予1年)。(上告棄却,有罪判決確定)

【争点】　①容貌・姿態を無断で撮影されない自由を憲法は保障しているか。②犯罪捜査の必要上個人の容貌等の撮影が許容されるのはいかなる場合か。

【判旨】　〔**❶正当な理由なしに撮影することは憲法13条の趣旨に反する**〕「個人の私生活上の自由の一つとして,何人も,その承諾なしに,みだりにその容ぼう・姿態(以下『容ぼう等』という。)を撮影されない自由を有するものというべきである。これを肖像権と称するかどうかは別として,少なくとも,警察官が,正当な理由もないのに,個人の容ぼう等を撮影することは,憲法13条の趣旨に反し,許されない。」〔**❷現行犯の場合において証拠保全の必要性・緊急性があり,相当な方法で行われるときは許容される**〕「警察官が犯罪捜査の必要上写真を撮影する際,その対象の中に犯人のみならず第三者である個人の容ぼう等が含まれても,これが許容される場合がありうる。」「その許容される限度について考察すると,身体の拘束を受けている被疑者の写真撮影を規定した刑訴法218条2項のような場合のほか,…現に犯罪が行なわれもしくは行なわれたのち間がないと認められる場合であって,しかも証拠保全の必要性および緊急性があり,かつその撮影が一般的に許容される限度をこえない相当な方法をもって行なわれるときである。このような場合に…第三者である個人の容ぼう等を含むことになっても,憲法13条,35条に違反しない。」「本件写真撮影は,現に犯罪が行なわれていると認められる場合になされたものであって,しかも多数の者が参加し刻々と状況が変化する集団行動の性質からいって,証拠保全の必要性及び緊急性が認められ,その方法も一般的に許容される限度をこえない相当なものであった。」

53 前科犯罪歴の法的保護《前科照会事件》

最判〔最3小判昭和56年4月14日民集35巻3号620頁〕

【事件】京都弁護士会所属のXの前科犯罪歴の照会を受けた京都市中京区長が回答したため、Xの解雇をめぐる争訟中の会社幹部がXの前科を知るところとなり、Xは解雇された。Xは違法な回答によって解雇されたとして国家賠償法にもとづき損害賠償請求訴訟を提起した。1審は請求を棄却、2審は請求を認容したので、京都市は上告。（上告棄却）

【争点】①前科及び犯罪経歴を公開されないことは法的に保護されるか。②前科情報保管者に課される注意義務の程度。

【判旨】〔❶前科情報はみだりに公開されない法律上の保護に値する利益である〕「前科及び犯罪経歴（以下「前科等」という。）は人の名誉、信用に直接にかかわる事項であり、前科等のある者もこれをみだりに公開されないという法律上の保護に値する利益を有するのであって、市区町村長が、本来選挙資格の調査のために作成保管する犯罪人名簿に記載されている前科等をみだりに漏えいしてはならないことはいうまでもない」。〔❷前科情報の取扱いには格別の慎重さが要求される〕「前科等の有無が訴訟等の重要な争点となっていて、市区町村長に照会して回答を得るのでなければ他に立証方法がないような場合には、裁判所から前科等の照会を受けた市区町村長は、これに応じて前科等につき回答をすることができるのであり、同様な場合に弁護士法23条の2に基づく照会に応じて報告することも許されないわけのものではないが、その取扱いには格別の慎重さが要求される」。「照会申出書に『中央労働委員会、京都地方裁判所に提出するため』とあったにすぎない…場合に、市区町村長が漫然と弁護士会の照会に応じ、犯罪の種類、軽重を問わず、前科等のすべてを報告することは、〈過失による〉公権力の違法な行使にあたる。」

【コメント】本判決には、伊藤裁判官の補足意見と、環裁判官の反対意見がある。

54 講演会参加者名簿の提出とプライバシー
最判 〔最2小判平成15年9月12日民集57巻8号973頁〕

【事件】　Y大学が開催する中華人民共和国主席の講演会の参加者名簿について、Yは警視庁からの要請を受けて警備のため記入者に無断でその写しを所轄警察署に提出した。Xらは参加申込みをしていたが、講演会妨害の理由でYからけん責処分を受けたので、この処分の無効確認等とプライバシー侵害による損害賠償を求めて出訴した。1審・2審請求棄却。（破棄差戻し）

【争点】　①講演会参加申込み学生の学籍番号・氏名・住所・電話番号は法的保護の対象か。②大学の本件行為は不法行為か。

【判旨】　〔❶秘匿の必要性が高くない個人情報もプライバシーにかかる情報として法的保護の対象〕「学籍番号、氏名、住所及び電話番号は、…秘匿されるべき必要性が必ずしも高いものではない。また、本件講演会に参加を申し込んだ学生であることも同断である。しかし、このような個人情報についても、本人が、自己が欲しない他者にはみだりにこれを開示されたくないと考えることは自然なことであり、そのことへの期待は保護されるべきものであるから、本件個人情報は、上告人らのプライバシーに係る情報として法的保護の対象となる」。〔❷個人情報の適切な管理についての合理的期待を裏切り不法行為となる〕「このようなプライバシーに係る情報は、取扱い方によっては、個人の人格的な権利利益を損なうおそれのあるものであるから、慎重に取り扱われる必要がある。」「本件個人情報を開示することについて上告人らの同意を得る手続を執ることなく、上告人らに無断で本件個人情報を警察に開示した同大学の行為は、上告人らが任意に提出したプライバシーに係る情報の適切な管理についての合理的な期待を裏切るものであり、上告人らのプライバシーを侵害するものとして不法行為を構成する」。

【コメント】　本判決には、亀山・梶谷裁判官の反対意見がある。

55 住基ネットと自己情報コントロール権

最判〔最1小判平成20年3月6日民集62巻3号665頁〕

【事件】 Y市の住民Xらが、住民基本台帳ネットワークシステム（以下「住基ネット」）により行政機関がXらの個人情報を同意なく収集・管理・利用することは、そのプライバシー権その他の人格権を侵害するとして、Xらの住民票コードの削除と国家賠償を求めて出訴した。1審請求棄却、2審コード削除請求認容。（破棄自判、請求棄却）

【争点】 住基ネット制度とその運用は憲法13条が保障する「個人に関する情報をみだりに第三者に開示又は公表されない自由」（＝自己情報コントロール権）を侵害するか。

【判旨】 〔住基ネットは自己情報コントロール権を侵害するものではない〕「憲法13条は、国民の私生活上の自由が…保護されるべきことを規定し…、個人の私生活上の自由の一つとして、何人も、個人に関する情報をみだりに第三者に開示又は公表されない自由を有する」。「住基ネットによって管理、利用等される本人確認情報は、氏名、生年月日、性別及び住所から成る4情報に、住民票コード及び変更情報を加えたものにすぎない。」「これらはいずれも、個人の内面に関わるような秘匿性の高い情報とはいえない。」「住基ネットによる本人確認情報の管理、利用等は、…住民サービスの向上及び行政事務の効率化という正当な行政目的の範囲内で行われている」。「住基ネットにシステム技術上又は法制度上の不備があり、…具体的な危険が生じているということもできない。」「そうすると、行政機関が住基ネットにより住民である被上告人らの本人確認情報を管理、利用等する行為は、個人に関する情報をみだりに第三者に開示又は公表するものということはできず、当該個人がこれに同意していないとしても、憲法13条により保障された上記の自由を侵害するものではない」。

56 ウェブサイトの検索結果の提供

最決〔最3小決平成29年1月31日民集71巻1号63頁〕

【事件】 インターネット上でYが提供する検索サービスで、検索語としてXの住所の県名と氏名を入力して検索すると、検索結果として、Xの犯した児童買春行為に関する逮捕歴等が複数表示された。Xは、人格権を被保全権利として民事保全法23条2項に基づき検索結果の削除を命じる仮処分命令を申し立てた。保全審は仮の削除を命じ保全異議審もこれを認可したが、保全抗告審はこれを取り消し申立てを却下。Xは許可抗告を申し立てた。(抗告棄却)

【争点】 ①検索サービスによる検索結果の削除はいかなる場合に許されるか。②本件の検索結果の削除は認められるか。

【決定要旨】〔❶検索結果の削除は、当該事実の性質・内容、伝達範囲、当事者が被る具体的被害の程度等と当該事実の記載の必要性など、公表されない法的利益と検索結果を提供する理由に関する諸事情の比較衡量によって判断される〕「個人のプライバシーに属する事実をみだりに公表されない利益は、法的保護の対象となるというべきである」。「他方、検索事業者は、インターネット上のウェブサイトに掲載されている情報を網羅的に収集してその複製を保存し、同複製を基にした索引を作成するなどして情報を整理し、利用者から示された一定の条件に対応する情報を同索引に基づいて検索結果として提供するものであるが、この情報の収集、整理及び提供はプログラムにより自動的に行われるものの、同プログラムは検索結果の提供に関する検索事業者の方針に沿った結果を得ることができるように作成されたものであるから、検索結果の提供は検索事業者自身による表現行為という側面を有する。また、検索事業者による検索結果の提供は、公衆が、インターネット上に情報を発信したり、インターネット上の膨大な量の情報の中から必要なものを入手したりすることを支援するものであり、現代社会においてインターネット上の情報流通の基盤と

して大きな役割を果たしている。そして，検索事業者による特定の検索結果の提供行為が違法とされ，その削除を余儀なくされるということは，上記方針に沿った一貫性を有する表現行為の制約であることはもとより，検索結果の提供を通じて果たされている上記役割に対する制約でもあるといえる。」「以上のような検索事業者による検索結果の提供行為の性質等を踏まえると，検索事業者が，ある者に関する条件による検索の求めに応じ，その者のプライバシーに属する事実を含む記事等が掲載されたウェブサイトのURL等情報を検索結果の一部として提供する行為が違法となるか否かは，当該事実の性質及び内容，当該URL等情報が提供されることによってその者のプライバシーに属する事実が伝達される範囲とその者が被る具体的被害の程度，その者の社会的地位や影響力，上記記事等の目的や意義，上記記事等が掲載された時の社会的状況とその後の変化，上記記事等において当該事実を記載する必要性など，当該事実を公表されない法的利益と当該URL等情報を検索結果として提供する理由に関する諸事情を比較衡量して判断すべきもので，その結果，当該事実を公表されない法的利益が優越することが明らかな場合には，検索事業者に対し，当該URL等情報を検索結果から削除することを求めることができるものと解するのが相当である。」〔❷**本件の場合削除は認められない**〕「児童買春をしたとの被疑事実に基づき逮捕されたという本件事実は，他人にみだりに知られたくない抗告人のプライバシーに属する事実であるものではあるが，児童買春が児童に対する性的搾取及び性的虐待と位置付けられており，社会的に強い非難の対象とされ，罰則をもって禁止されていることに照らし，今なお公共の利害に関する事項であるといえる。また，本件検索結果は抗告人の居住する県の名称及び抗告人の氏名を条件とした場合の検索結果の一部であることなどからすると，本件事実が伝達される範囲はある程度限られたものである」。「以上の諸事情に照らすと，〈A〉が妻子と共に生活し，…罰金刑に処せられた後

は一定期間犯罪を犯すことなく民間企業で稼働していることがうかがわれることなどの事情を考慮しても，本件事実を公表されない法的利益が優越することが明らかであるとはいえない。」

57 最大判 報道機関の取材源の秘匿《石井記者証言拒否事件》
〔最大判昭和 27 年 8 月 6 日刑集 6 巻 8 号 974 頁〕

【事件】守秘義務に違反して提供された情報に基づくと推測させる記事が朝日新聞紙上に掲載されたので，同記者 Y は被疑者氏名不詳の国家公務員法違反被疑事件の証人として刑訴法 226 条に基づき召喚されたが，証言を拒否したので，同法 161 条違反で起訴された。1 審・2 審有罪。（Y の上告棄却〔罰金 3000 円〕）

【争点】①新聞記者に取材源の証言拒絶権は認められるか。②憲法 21 条は新聞記者に取材源の証言拒絶を根拠づける取材の自由を保障しているか。

【判旨】〔❶証言拒絶権を認める刑訴法の規定は限定列挙〕「一般国民の証言義務は国民の重大な義務である点に鑑み，証言拒絶権を認められる場合は極めて例外に属するのであり，また制限的である。従って，〈刑訴法 144 条から 149 条の〉例外規定は限定的列挙であって，これを他の場合に類推適用すべきものでないことは勿論である。新聞記者に取材源につき証言拒絶権を認めるか否かは立法政策上考慮の余地のある問題であり，新聞記者に証言拒絶権を認めた立法例もあるのであるが，わが現行刑訴法は新聞記者を証言拒絶権あるものとして列挙していないのであるから，刑訴 149 条に列挙する医師等と比較して新聞記者に右規定を類推適用…できない」。〔❷表現内容が未定段階での取材の自由を憲法 21 条は保障していない〕「憲法 21 条…は一般人に対し平等に表現の自由を保障したものであって，新聞記者に特種の保障を与えたものではない。」「憲法の右規定の保障は，公の福祉に反しない限り，いいたいことはいわせなければならないということである。

未だいいたいことの内容も定まらず，これからその内容を作り出すための取材に関しその取材源について，公の福祉のため最も重大な司法権の公正な発動につき必要欠くべからざる証言の義務をも犠牲にして，証言拒絶の権利までも保障したものとは到底解することができない。」

【コメント】　なお，最決平成18年10月3日民集60巻8号2647頁は，民事裁判について，取材源の秘密も民訴法197条1項3号の「職業の秘密」に当たるとしている。

58 最大判 裁判の傍聴とメモの自由《レペタ訴訟》

〔最大判平成元年3月8日民集43巻2号89頁〕

【事件】　国際交流基金の特別研究生として滞在中のアメリカ人弁護士が，研究の一環として所得税法違反事件の裁判を傍聴し，メモをとることの許可を求めたが，裁判長が許可しなかったので，その違法を争う国家賠償訴訟を提起した。1審・2審では敗訴し，上告。（上告棄却）

【争点】　①裁判の傍聴人がメモをとる自由があるか。②法廷警察権の行使はどのようにあるべきか。

【判旨】　〔❶**特段の事情のない限り傍聴人の自由に任せることが憲法21条1項の精神に合致する**〕「傍聴人が法廷においてメモを取ることは，その見聞する裁判を認識，記憶するためになされるものである限り，尊重に値し，故なく妨げられてはならない。」「メモを取る行為が…公正かつ円滑な訴訟の運営を妨げる場合には，それが制限又は禁止されるべきことは当然である。」「しかしながら…傍聴人のメモを取る行為が公正かつ円滑な訴訟の運営を妨げるに至ることは，通常はあり得ないのであって，特段の事情のない限り，これを傍聴人の自由に任せるべきであり，それが憲法21条1項の規定の精神に合致する」。〔❷**今後裁判長は傍聴人のメモを取る行為に配慮することが要請される**〕「その行使の要否，執るべき措置についての裁判長の判断は，最大限に尊重されなけ

ればならない。」「公正かつ円滑な訴訟の運営の妨げとなるおそれがあったとはいえないのであるから、本件措置は、合理的根拠を欠いた法廷警察権の行使である」。「裁判所としては、今日においては、傍聴人のメモに関し配慮を欠くに至っていることを率直に認め、今後は、傍聴人のメモを取る行為に対し配慮をすることが要請される」。

【コメント】　判決はその他に、メモ禁止が憲法14条、82条違反にならないとする。また本件措置は著しく不当とはいえないとして、国家賠償は認めなかった。本判決には、四ツ谷裁判官の意見がある。

59　取材の自由と公正な裁判《博多駅事件》
最大決
〔最大決昭和44年11月26日刑集23巻11号1490頁〕

【事件】　昭和43年1月、米原子力空母エンタープライズ号の日本寄港に反対する学生と警備の警察官とが博多駅で衝突した事件から生じた付審判請求の審理に当たって、NHK福岡放送局等に対して、事件現場を撮影したテレビ・フィルムの提出が求められ、放送局側は、報道および取材の自由に反すると争った。（特別抗告棄却）

【争点】　①報道と取材は憲法上保障された自由か。②取材制限の可否の判定。③本件の提出命令はどう解されるか。

【決定要旨】　〔❶事実の報道は憲法21条の保障の下にあるが、取材は同条の精神に照らし尊重に値いする〕「報道機関の報道は、民主主義社会において、国民が国政に関与するにつき、重要な判断の資料を提供し、国民の『知る権利』に奉仕するものである。したがって、思想の表明の自由とならんで、事実の報道の自由は、表現の自由を規定した憲法21条の保障のもとにある…。また、このような報道機関の報道が正しい内容をもつためには、報道の自由とともに、報道のための取材の自由も、憲法21条の精神に照らし、十分尊重に値いする」。「しかし、取材の自由

といっても，もとより何らの制約を受けないものではなく，たとえば公正な裁判の実現というような憲法上の要請があるときは，ある程度の制約を受ける。」〔**❷取材制限の可否は諸般の事情を比較衡量して決せられる**〕「公正な刑事裁判を実現することは，国家の基本的要請であり，刑事裁判においては，実体的真実の発見が強く要請される…。このような公正な刑事裁判の実現を保障するために，報道機関の取材活動によって得られたものが，証拠として必要と認められるような場合には，取材の自由がある程度の制約を蒙ることとなってもやむを得ない…。しかしながら，このような場合においても，一面において，審判の対象とされている犯罪の性質，態様，軽重および取材したものの証拠としての価値，ひいては，公正な刑事裁判を実現するにあたっての必要性の有無を考慮するとともに，他面において取材したものを証拠として提出させられることによって報道機関の取材の自由が妨げられる程度およびこれが報道の自由に及ぼす影響の度合その他諸般の事情を比較衡量して決せられるべきであり，これを刑事裁判の証拠として使用することがやむを得ないと認められる場合においても，それによって受ける報道機関の不利益が必要な限度をこえないように配慮されなければならない。」〔**❸刑事裁判の公正を期すためには報道機関のこうむる不利益は忍受すべき**〕「本件の付審判請求事件の審理の対象は，多数の機動隊等と学生との間の衝突に際して行なわれたとされる機動隊員等の公務員職権乱用罪，特別公務員暴行陵虐罪の成否にある。その審理は，現在において，被疑者および被害者の特定すら困難な状態であって，事件発生後2年ちかくを経過した現在，第三者の新たな証言はもはや期待することができず，したがって，当時，右の現場を中立的な立場から撮影した報道機関の本件フィルムが証拠上きわめて重要な価値を有し，被疑者らの罪責の有無を判定するうえに，ほとんど必須のものと認められる状況にある。他方，本件フィルムは，すでに放映されたものを含む放映のために準備されたものであり，それが証拠と

して使用されることによって報道機関が蒙る不利益は，報道の自由そのものではなく，将来の取材の自由が妨げられるおそれがあるというにとどまるものと解されるのであって，付審判請求事件とはいえ，本件の刑事裁判が公正に行なわれることを期するためには，この程度の不利益は，報道機関の立場を十分尊重すべきものとの見地に立っても，なお忍受されなければならない程度のものというべきである。」

【コメント】その後，日本テレビ事件（最決平成元年1月30日刑集43巻1号19頁）やTBS事件（最決平成2年7月9日刑集44巻5号421頁）においては，捜査機関によるビデオテープ差押えを比較衡量の結果，認めている。

60 ビラ貼り規制と表現の自由
最大判 〔最大判昭和43年12月18日刑集22号13号1549頁〕

【事件】Y_1・Y_2が，ビラ26枚を，大阪市屋外広告物条例によってはり紙等の禁止されている大阪市内の橋柱，電柱等にはったとして起訴された。1審・2審有罪（Y_1罰金8000円，Y_2罰金5000円）。（上告棄却）

【争点】美観風致の維持のために表現の自由を制限することは許されるか。

【判旨】〔都市の美観風致の維持は，表現の自由を制限する「公共の福祉」の内容となる〕「大阪市屋外広告物条例は，屋外広告物法（昭和24年法律第189号）に基づいて制定されたもので，右法律と条例の両者相俟って，大阪市における美観風致を維持し，および公衆に対する危害を防止するために，屋外広告物の表示の場所および方法ならびに屋外広告物を掲出する物件の設置および維持について必要な規制をしているのであり，本件印刷物の貼付が所論のように営利と関係のないものであるとしても，右法律および条例の規制の対象とされているものと解すべきところ（屋外広告物法1条，2条，大阪市屋外広告物条例1条），上告人らの

した橋柱，電柱，電信柱にビラをはりつけた本件各所為のごときは，都市の美観風致を害すものとして規制の対象とされているものと認めるのを相当とする。そして，国民の文化的生活の向上を目途とする憲法の下においては，都市の美観風致を維持することは，公共の福祉を保持する所以であるから，この程度の規制は，公共の福祉のため，表現の自由に対し許された必要且つ合理的な制限と解することができる。」

【コメント】最大判昭和45年6月17日刑集24巻6号280頁は，電柱へのビラ貼りが軽犯罪法1条33号前段に該当するとされた事案であるが，「他人の財産権，管理権を不当に害するごときもの」は許されないとして有罪とした。

61 戸別訪問の禁止と表現の自由
最判
〔最2小判昭和56年6月15日刑集35巻4号205頁〕

【事件】昭和51年12月施行の衆議院議員総選挙の際にYらがAに投票を得せしめる目的で選挙人宅を訪問して投票を依頼し，公職選挙法138条1項違反で起訴された。1審・2審はこの禁止規定を違憲として無罪とする。（破棄差戻し〔罰金1万円〕）

【争点】公職選挙法の戸別訪問の禁止規定は憲法21条違反か。

【判旨】〔戸別訪問禁止は内容中立規制であり，目的の正当性，目的と手段の関連性および手段の妥当性の観点からして21条に違反しない〕「戸別訪問の禁止は，意見表明そのものの制約を目的とするものではなく，意見表明の手段方法のもたらす弊害，すなわち，戸別訪問が買収，利害誘導等の温床になり易く，選挙人の生活の平穏を害するほか，これが放任されれば，候補者側も訪問回数等を競う煩に耐えられなくなるうえに多額の出費を余儀なくされ，投票も情実に支配され易くなるなどの弊害を防止し，もって選挙の自由と公正を確保することを目的としているところ…右の目的は正当であり，それらの弊害を総体としてみるときには，

戸別訪問を一律に禁止することと禁止目的との間に合理的な関連性がある」。「そして，戸別訪問の禁止によって失われる利益は，それにより戸別訪問という手段方法による意見表明の自由が制約されることではあるが，それは，もとより戸別訪問以外の手段方法による意見表明の自由を制約するものではなく，単に手段方法の禁止に伴う限度での間接的，付随的な制約にすぎない反面，禁止により得られる利益は，戸別訪問という手段方法のもたらす弊害を防止することによる選挙の自由と公正の確保であるから，得られる利益は失われる利益に比してはるかに大きい…。以上によれば，…合理的で必要やむをえない限度を超えるものとは認められず，憲法21条に違反するものではない。」

【コメント】　最判昭和56年7月21日刑集35巻5号568頁の伊藤裁判官の補足意見は合憲論の新しい論拠として，選挙ルール論を提示している。

62 政見放送の一部削除と表現の自由
最判　〔最3小判平成2年4月17日民集44巻3号547頁〕

【事件】　原告Xは昭和58年6月の参院選に立候補したが，NHKで録音・録画した政見放送中に差別用語が含まれていたので，NHKはその部分の音声を削除して放送した。Xらは損害賠償を求めて出訴した。1審は公選法150条1項後段違反で違法としたが，2審は削除を緊急避難的措置として是認した。（上告棄却）

【争点】　①政見放送中の差別発言の削除は許されるか。②削除は検閲に該当しないか。

【判旨】　〔❶削除は公選法に違反しない〕「本件削除部分は，多くの視聴者が注目するテレビジョン放送において，その使用が社会的に許容されないことが広く認識されていた身体障害者に対する卑俗かつ侮蔑的表現であるいわゆる差別用語を使用した点で，他人の名誉を傷つけ善良な風俗を害する等政見放送としての品位を損なう言動を禁止した公職選挙法150条の2の規定に違

反する…。そして，右規定は，テレビジョン放送による政見放送が直接かつ即時に全国の視聴者に到達して強い影響力を有していることにかんがみ，そのような言動が放送されることによる弊害を防止する目的で政見放送の品位を損なう言動を禁止したものであるから，右規定に違反する言動がそのまま放送される利益は，法的に保護された利益とはいえず…不法行為法上，法的利益の侵害があったとはいえない。」〔❷検閲に該当しない〕「日本放送協会は，行政機関ではなく，自治省行政局選挙部長に対しその見解を照合したとはいえ，自らの判断で本件削除部分の音声を削除してテレビジョン放送をしたのであるから，右措置が憲法21条2項前段にいう検閲に当たらないことは明かである。」

【コメント】　園部裁判官の補足意見は「候補者の政見については，それがいかなる内容のものであれ，政見である限りにおいて，日本放送協会等によりその録音又は録画を放送前に削除し又は修正することは，法150条1項後段の規定に違反する」とする。

63 最大判 NHK受信料訴訟
〔最大判平成29年12月6日民集71巻10号1817頁〕

【事件】　X（日本放送協会＝NHK）は，テレビ放送の受信設備を設置したが，放送受信契約を締結しないYに対し，主位的に放送法64条1項（「協会の放送を受信することのできる受信設備を設置した者は，協会とその放送の受信についての契約をしなければならない。…」）等によってXとYとの間で放送受信契約が成立していると主張して，放送受信契約に基づき受信機を設置した月から現在までの受信料の支払を求め，予備的に，Yは放送受信契約締結義務を負うと主張して，Xからの上記申込みに対する承諾の意思表示と，上記申込みおよび承諾の意思表示によって成立する放送受信契約に基づき，上記受信料の支払などを求めた。1審・2審は予備的請求を認容。双方が上告。

【争点】 ①放送にはどのような機能があるか。②受信契約の締結強制は契約の自由，民間放送視聴の自由，財産権の制限にならないか。

【判旨】〔❶放送は国民の知る権利を充足し，健全な民主主義の発達に寄与するものである〕「放送は，憲法21条が規定する表現の自由の保障の下で，国民の知る権利を実質的に充足し，健全な民主主義の発達に寄与するものとして，国民に広く普及されるべきものである。」「上記の目的を実現するため，放送法は，…放送事業について，公共放送事業者と民間放送事業者とが，各々その長所を発揮するとともに，互いに他を啓もうし，各々その欠点を補い，放送により国民が十分福祉を享受することができるように図るべく，二本立て体制を採ることとした…。そして，同法は，二本立て体制の一方を担う公共放送事業者として〈X〉を設立することとし，その目的，業務，運営体制等を…定め，〈X〉を，民主的かつ多元的な基盤に基づきつつ自律的に運営される事業体として性格付け，これに公共の福祉のための放送を行わせることとした」。「放送法が，…〈X〉につき，営利を目的として業務を行うこと及び他人の営業に関する広告の放送をすることを禁止し（20条4項，83条1項），事業運営の財源を受信設備設置者から支払われる受信料によって賄うこととしているのは，原告が公共的性格を有することをその財源の面から特徴付けるものである。すなわち，上記の財源についての仕組みは，特定の個人，団体又は国家機関から財政面での支配や影響が〈X〉に及ぶことのないようにし，現実に〈X〉の放送を受信するか否かを問わず，受信設備を設置することにより原告の放送を受信することのできる環境にある者に広く公平に負担を求めることによって，〈X〉が上記の者ら全体により支えられる事業体であるべきことを示すものにほかならない。」〔❷受信契約の締結強制規定は立法裁量の範囲内であり契約の自由，民間放送視聴の自由，財産権の制限にならない〕「〈Y〉の論旨は，受信設備設置者に受信契約の締結を強制

する放送法64条1項は，契約の自由，知る権利及び財産権等を侵害し，憲法13条，21条，29条に違反する旨をいう。その趣旨は，①受信設備を設置することが必ずしも原告の放送を受信することにはならないにもかかわらず，受信設備設置者が原告に対し必ず受信料を支払わなければならないとするのは不当であり，また，金銭的な負担なく受信することのできる民間放送を視聴する自由に対する制約にもなっている旨及び②受信料の支払義務を生じさせる受信契約の締結を強制し，かつ，その契約の内容は法定されておらず，原告が策定する放送受信規約によって定まる点で，契約自由の原則に反する旨をいうものと解される。」「①は，放送法が，原告を存立させてその財政的基盤を受信設備設置者に負担させる受信料により確保するものとしていることが憲法上許容されるかという問題であり，上記②は，上記①が許容されるとした場合に，受信料を負担させるに当たって受信契約の締結強制という方法を採ることが憲法上許容されるかという問題であるといえる。」「電波を用いて行われる放送は，電波が有限であって国際的に割り当てられた範囲内で公平かつ能率的にその利用を確保する必要などから，放送局も無線局の一つとしてその開設につき免許制とするなど（電波法4条参照），元来，国による一定の規律を要するものとされてきたといえる。」「日本国憲法下において，…具体的にいかなる制度を構築するのが適切であるかについては，憲法上一義的に定まるものではなく，憲法21条の趣旨を具体化する前記の放送法の目的を実現するのにふさわしい制度を，国会において検討して定めることとなり，そこには，その意味での立法裁量が認められてしかるべきであるといえる。」「受信料の支払義務を受信契約により発生させることとするのは，…〈X〉が，基本的には，受信設備設置者の理解を得て，その負担により支えられて存立することが期待される事業体であることに沿うものであり，現に，放送法施行後長期間にわたり，〈X〉が，任意に締結された受信契約に基づいて受信料を収受すること

によって存立し，同法の目的の達成のための業務を遂行してきたことからも，相当な方法であるといえる。」「受信契約の内容は，同法に定められた〈X〉の目的にかなうものとして，受信契約の締結強制の趣旨に照らして適正なもので受信設備設置者間の公平が図られていることを要するものであり，放送法64条1項は，受信設備設置者に対し，上記のような内容の受信契約の締結を強制するにとどまると解されるから，前記の同法の目的を達成するのに必要かつ合理的な範囲内のものとして，憲法上許容される」。

【コメント】 本判決には，岡部，鬼丸各裁判官の補足意見，小池・菅野裁判官の補足意見，木内裁判官の反対意見がある。

64 最決 知る権利と取材の限界《沖縄密約電文漏洩事件》
〔最1小決昭和53年5月31日刑集32巻3号457頁〕

【事件】 昭和47年3月，日本社会党の衆議院議員横路孝弘が沖縄返還日米交渉に関する外務省の電信文3通の写しを公表して政府に質問した。この情報の出所が捜査され，毎日新聞社の記者であったY_1と外務省の事務官Y_2とが国公法109条12号，100条1項，111条の秘密漏洩罪に問われた。1審ではY_1無罪，Y_2有罪（懲役6月執行猶予1年）とされた。Y_1の部分のみ検察側から控訴され，2審裁判所は原判決を破棄のうえ有罪（懲役4月執行猶予1年）とした。（上告棄却，有罪確定）

【争点】 ①守秘義務が課される秘密とは。②取材の自由と守秘義務の関係は。③本件取材は正当なものか。

【決定要旨】 〔❶守秘義務が課されるのは実質秘である〕「国家公務員法109条12号，100条1項にいう秘密とは，非公知の事実であって，実質的にもそれを秘密として保護するに値すると認められるものをいい…その判定は司法判断に服する。」「本件第1034号電信文案には，昭和46年5月28日に愛知外務大臣とマイヤー駐日米国大使との間でなされた，いわゆる沖縄返還

協定に関する会談の概要が記載され,その内容は非公知の事実であるというのである。そして,条約や協定の締結を目的とする外交交渉の過程で行われる会談の具体的内容については,当事国が公開しないという国際的外交慣行が存在するのであり,これが漏示されると相手国ばかりでなく第三国の不信を招き,当該外交交渉のみならず,将来における外交交渉の効果的遂行が阻害される危険性があるものというべきであるから,本件第1034号電信文案の内容は,実質的にも秘密として保護するに値する」。〔❷**社会通念上是認される取材行為は違法性を欠く正当な業務行為である**〕「報道機関の国政に関する報道は,民主主義社会において,国民が国政に関与するにつき,重要な判断の資料を提供し,いわゆる国民の知る権利に奉仕するものであるから,報道の自由は,憲法21条が保障する表現の自由のうちでも特に重要なものであり,また,このような報道が正しい内容をもつためには,報道のための取材の自由もまた,憲法21条の精神に照らし,十分尊重に値する…。そして,報道機関の国政に関する取材行為は,国家秘密の探知という点で公務員の守秘義務と対立拮抗するものであり,時としては誘導・唆誘的性質を伴うものであるから,報道機関が取材の目的で公務員に対し秘密を漏示するようにそそのかしたからといって,そのことだけで,直ちに当該行為の違法性が推定されるものと解するのは相当ではなく,報道機関が公務員に対し根気強く執拗に説得ないし要請を続けることは,それが真に報道の目的からでたものであり,その手段・方法が法秩序全体の精神に照らし相当なものとして社会通念上是認されるものである限りは,実質的に違法性を欠く正当な業務行為というべきである。しかしながら,報道機関といえども,取材に関し他人の権利・自由を不当に侵害することのできる特権を有するもの〈は〉なく,取材の手段・方法が贈賄,脅迫,強要等の一般の刑罰法令に触れる行為を伴う場合は勿論,その手段・方法が一般の刑罰法令に触れないものであっても,取材対象者の個人としての人格の尊厳を著し

く蹂躙する等法秩序全体の精神に照らし社会観念上是認することのできない態様のものである場合にも，正当な取材活動の範囲を逸脱し違法性を帯びる。」〔❸本件取材行為は正当な範囲を逸脱している〕「被告人は，当初から秘密文書を入手するための手段として利用する意図で右 Y_2 と肉体関係を持ち，同女が右関係のため被告人の依頼を拒み難い心理状態に陥ったことに乗じて秘密文書を持ち出させたが，同女を利用する必要がなくなるや，…同女を顧みなくなったものであって，取材対象者である Y_2 の個人としての人格の尊厳を著しく蹂躙したものといわざるをえず，このような被告人の取材行為は，その手段・方法において法秩序全体の精神に照らし社会観念上，到底是認…できない不相当なものであるから，正当な取材活動の範囲を逸脱している。」

65 最判 意見広告と反論権《サンケイ新聞意見広告事件》

〔最 2 小判昭和 62 年 4 月 24 日民集 41 巻 3 号 490 頁〕

【事件】昭和 48 年 12 月 2 日，サンケイ新聞は，日本共産党を批判する自由民主党の意見広告を掲載した。共産党は，これは回答を求める挑戦広告でかつ内容がひぼう・中傷に満ちているとして，反論文の無料掲載を求めたが拒否され，無料掲載を求める訴えを起こした。1，2 審，請求棄却。（上告棄却）

【争点】①憲法 21 条から反論文無料掲載請求権を導き出せるか。②民法 723 条から導き出せるか。③政党間の批判・論評には公共性があるか。

【判旨】〔❶憲法 21 条から反論文掲載請求権は導き出せない〕「私人間において，当事者の一方が情報の収集，管理，処理につき強い影響力をもつ日刊新聞紙を全国的に発行・発売する者である場合でも，憲法 21 条の規定から直接に，所論のような反論文掲載の請求権が他方の当事者に生ずるものでない」。〔❷民法 723 条からも導きだせない〕「民法 723 条により名誉回復処分又は差止の請求権の認められる場合があることをもって…反論文掲載

請求権を認めるべき実定法上の根拠とすることはできない。」「反論権…の制度が認められるときは、新聞を発行・販売する者にとっては、原記事が正しく、反論文は誤りであると確信している場合でも、あるいは反論文の内容がその編集方針によれば掲載すべきでないものであっても、その掲載を強制され…本来ならば他に利用できたはずの紙面を割かなければならなくなる等の負担を強いられるのであって、これらの負担が、批判的記事、ことに公的事項に関する批判的記事の掲載をちゅうちょさせ、憲法の保障する表現の自由を間接的に侵す危険につながるおそれも多分に存する」。〔❸公共性が極めて強い事項に当たる〕「政党間の批判・論評は、公共性の極めて強い事項に当たり、表現の自由の濫用にわたると認められる事情のない限り、専ら公益を図る目的に出たものというべきである。」

66 税関検査と検閲の禁止

最大判〔最大判昭和 59 年 12 月 12 日民集 38 巻 12 号 1308 頁〕

【事件】　外国より輸入した映画フィルム・雑誌等が、輸入禁制品を定める関税定率法 21 条 1 項 3 号（現関税法 69 条の 11 第 1 項 7 号）の「風俗を害すべき書籍、図画、彫刻物その他の物品」に該当する旨の通知等を税関長がしたため、Xは、本件通知等の取消しを求めた。1 審・請求認容、2 審・1 審判決取消し請求棄却。（上告棄却）

【争点】　①憲法 21 条 2 項前段の「検閲」とは。②税関検査は検閲か。③「風俗を害すべき」という文言は明確か。

【判旨】　〔❶検閲は主体等の観点から精密に定義できる〕「憲法が、…検閲の禁止について…特別の規定を設けたのは、検閲がその性質上表現の自由に対する最も厳しい制約となるものであることにかんがみ…公共の福祉を理由とする例外の許容（憲法 12 条、13 条参照）をも認めない趣旨を明らかにしたもの…である。」「〈こ〉の規定は、…経験に基づいて、検閲の絶対的禁止を

宣言した趣旨と解される」。「憲法21条2項にいう『検閲』とは，行政権が主体となって，思想内容等の表現物を対象とし，その全部又は一部の発表の禁止を目的として，対象とされる一定の表現物につき網羅的一般的に，発表前にその内容を審査した上，不適当と認めるものの発表を禁止することを，その特質として備えるものを指す」。〔❷**税関検査は検閲に当たらない**〕「税関検査が表現の事前規制たる側面を有することを否定することはできない。」「しかし，これにより輸入が禁止される表現物は，一般に，国外においては既に発表済みのものであって，その輸入を禁止したからといって，それは，当該表現物につき，事前に発表そのものを一切禁止するというものではない。」「税関検査は，関税徴収手続の一環として，…付随的手続の中で容易に判定し得る限りにおいて審査しようとするものにすぎず，思想内容等それ自体を網羅的に審査し規制することを目的とするものではない。」「その主体となる税関は，関税の確定及び徴収を本来の職務内容とする機関であって，特に思想内容等を対象としてこれを規制することを独自の使命とするものではなく，また，…通知がされたときは司法審査の機会が与えられているのであって，行政権の判断が最終的なものとされるわけではない。」「税関検査は，憲法21条2項にいう『検閲』に当たらない」。「最小限度の制約としては，単なる所持を目的とする輸入は，これを規制の対象から除外すべき筋合いであるけれども，いかなる目的で輸入されるかはたやすく識別され難いばかりでなく，流入した猥褻表現物を頒布，販売の過程に置くことが容易であることは見易い道理であるから，猥褻表現物の流入，伝播によりわが国内における健全な性的風俗が害されることを実効的に防止するには，単なる所持目的かどうかを区別することなく，その流入を一般的に，いわば水際で阻止することもやむを得ない」。〔❸**「風俗を害すべき」とは猥褻を意味する**〕「関税定率法21条1項3号の『風俗を害すべき書籍，図画』等の中に猥褻物以外のものを含めて解釈するときは，規制の対象となる

書籍, 図画等の範囲が広汎, 不明確となることを免れず, 憲法21条1項の規定の法意に照らして, かかる法律の規定は違憲無効となるものというべく, …限定解釈によって初めて合憲なものとして是認し得る」。「本件のように, 日本国憲法施行前に制定された法律の規定の如きについては, 合理的な法解釈の範囲内において可能である限り, 憲法と調和するように解釈してその効力を維持すべく, 法律の文言にとらわれてその効力を否定するのは相当でない。」「『風俗を害すべき書籍, 図画』等とは, 猥褻な書籍, 図画等を指すものと解すべきであり, 右規定は広汎又は不明確の故に違憲無効ということはでき」ない。

【コメント】本判決には,「一読その意味を理解し得るような文言に改正」すべしとする大橋・木戸口・角田・矢口裁判官の補足意見, 不明確な立法でもその程度が実質的なほどに達していないから合憲とする藤崎裁判官の意見, 不明確に過ぎて違憲とする伊藤・谷口・安岡・島谷裁判官の反対意見がある。

67 公園使用禁止と集会の自由《皇居前広場使用禁止事件》
最大判〔最大判昭和28年12月23日民集7巻13号1561頁〕

【事件】原告総評ら (X) は, 戦後のメーデー式典会場として, 皇居前広場を使用してきたが, 昭和27年度分の申請が同年3月13日に不許可になったので, その取消しを求める訴訟を提起した。1審は原告らの請求を認めたが, 控訴審に係属中にメーデーの当日が経過してしまったので, 2審判決は訴えの利益なしとして請求を棄却した。(上告棄却, 確定)

【争点】①係争中に期日が経過した場合の訴訟の帰結。②公園の管理権と利用権の関係。③本件不許可処分は合憲か。

【判旨】〔❶訴えの利益が失われる〕「〈X〉の本件請求は, 同日の経過により判決を求める法律上の利益を喪失したものといわなければならない。そして, 原判決は, 〈X〉の本訴請求を権利保護の利益なきものとして棄却の裁判をしたものであって,

裁判そのものを拒否したものではなく，憲法32条に違反したものとはいえない。また，…所期の日時までに確定判決を受けることも不可能ではないと判断したものであるから，憲法76条2項の保障に反したものともいえない。」「(なお，念のため，本件不許可処分の適否に関する当裁判所の意見を附加する)。」〔❷管理権者がその行使を誤り国民の利用を妨げれば違法になる〕「国有財産法によれば，公共福祉用財産は，国が直接公共の用に供した財産であって，…国民が均しくこれを利用しうるものである点に特色があるけれども，国民がこれを利用しうるのは，当該公共福祉用財産が公共の用に供せられる目的に副い，かつ公共の用に供せられる態様，程度に応じ，その範囲内においてなしうるのであって，これは，皇居外苑の利用についても同様である。」「公共福祉用財産の…利用の許否は，その利用が公共福祉用財産の，公共の用に供せられる目的に副うものである限り，管理権者の単なる自由裁量に属するものではなく，管理権者は，当該公共福祉用財産の種類に応じ，また，その規模，施設を勘案し，その公共福祉用財産としての使命を十分達成せしめるよう適正にその管理権を行使すべきであり，若しその行使を誤り，国民の利用を妨げるにおいては，違法たるを免れない。」〔❸本件不許可は21条・28条に違反しない〕「若し本件申請を許可すれば，立入禁止区域をも含めた外苑全域に約50万人が長時間充満することとなり，尨大な人員，長い使用時間からいって，当然公園自体が著しい損壊を受けることを予想せねばならず，かくて公園の管理保存に著しい支障を蒙るのみならず，長時間に亘り一般国民の公園としての本来の利用が全く阻害されることになる等を理由としてなされたことが認められる。これらを勘案すると本件不許可処分は，…決して単なる自由裁量によったものでなく管理権の適正な運用を誤ったものとは認められない。次に，国民公園管理…規則4条による許可又は不許可は，国民公園の利用に関する許可又は不許可であり，厚生大臣の有する国民公園の管理権の範囲内のことであって，元来厚

生大臣の権限とされていない集会を催し又は示威運動を行うことの許可又は不許可でないことは明白である。」「厚生大臣が管理権の行使として本件不許可処分をした場合でも，管理権に名を藉り，実質上表現の自由又は団体行動権を制限するの目的に出でた場合は勿論，管理権の適正な行使を誤り，ために実質上これらの基本的人権を侵害したと認められうるに至った場合には，違憲の問題が生じうるけれども，本件不許可処分は，…管理権の適正な運用を誤ったものとは認められないし，また，管理権に名を藉りて実質上表現の自由又は団体行動権を制限することを目的としたものとも認められないのであって，そうである限り，これによって，たとえ皇居前広場が本件集会及び示威行進に使用することができなくなったとしても，本件不許可処分が憲法 21 条及び 28 条違反であるということはできない。」

【コメント】　本判決には，公共用物の使用許可には管理本来の作用と警察許可の性質を帯びるものがあるが，法律の特別の定めなくして規定された公園管理規則は違法であり，それに基づいてなされた本件不許可処分も違法とする栗山裁判官の意見がある。

68 最判 市民会館の使用不許可処分と集会の自由《泉佐野市民会館事件》

〔最 3 小判平成 7 年 3 月 7 日民集 49 巻 3 号 687 頁〕

【事件】　X らは Y 市立市民会館での集会の許可申請をしたが，Y 市条例 7 条 1 号の不許可事由「公の秩序をみだすおそれがある場合」に該当するとして不許可とされたので，損害賠償を請求した。1 審・2 審請求棄却。（上告棄却）

【争点】　「公の施設」を使用不許可できる場合とは。

【判旨】　〔**不許可処分には，明らかな差し迫った危険の発生が具体的に予見されることが必要**〕「集会の用に供される公共施設の管理者は，当該公共施設の種類に応じ，また，その規模，構造，

設備等を勘案し、公共施設としての使命を十分達成せしめるよう適正にその管理権を行使すべきであって、…その利用を拒否し得るのは、利用の希望が競合する場合のほかは、施設をその集会のために利用させることによって、他の基本的人権が侵害され、公共の福祉が損なわれる危険がある場合に限られ…、このような場合には、その危険を回避し、防止するために、その施設における集会の開催が必要かつ合理的な範囲で制限を受けることがある」。「そして、右の制限が必要かつ合理的なもの…かどうかは、…基本的人権としての集会の自由の重要性と、当該集会が開かれることによって侵害されることのある他の基本的人権の内容や侵害の発生の危険性の程度等を較量して決められるべき…である。」「本件条例7条1号…は、広義の表現を採っているとはいえ、…集会の自由を保障することの重要性よりも、…集会が開かれることによって、人の生命、身体又は財産が侵害され、公共の安全が損なわれる危険を回避し、防止することの必要性が優越する場合…と限定して解すべきであり、その危険性の程度としては、…単に危険な事態を生ずる蓋然性があるというだけでは足りず、明らかな差し迫った危険の発生が具体的に予見されることが必要である」。

【コメント】　本判決には、園部裁判官の補足意見がある。

69 最大判 デモ行進の規制と表現の自由(1)《新潟県公安条例事件》

〔最大判昭和29年11月24日刑集8巻11号1866頁〕

【事件】　密造酒取締の際のトラブルをきっかけに警察署前で200～300名の集団示威行動が行われた。これが新潟県公安条例の許可を得ていないとしてY₁・Y₂が起訴された。1審・2審有罪（Y₁懲役3月・Y₂懲役4月）。（上告棄却）

【争点】　①集団行動の許可制は合憲か。②本件条例は合憲か。

【判旨】　〔❶一般的許可制は違憲〕「行列行進又は公衆の集団示威運動（以下単にこれらの行動という）は、公共の福祉に反するような不当な目的又は方法によらないかぎり、本来国民の

自由とするところであるから，条例においてこれらの行動につき単なる届出制を定めることは格別，そうでなく一般的な許可制を定めてこれを事前に抑制することは，憲法の趣旨に反し許されない…。しかしこれらの行動といえども公共の秩序を保持し，又は公共の福祉が著しく侵されることを防止するため，特定の場所又は方法につき，合理的かつ明確な基準の下に，予じめ許可を受けしめ，又は届出をなさしめてこのような場合にはこれを禁止することができる旨の規定を条例に設けても，これをもって直ちに憲法の保障する国民の自由を不当に制限するものと解することはできない。…また，これらの行動について公共の安全に対し明らかな差迫った危険を及ぼすことが予見されるときは，これを許可せず又は禁止することができる旨の規定を設けることも，…直ちに憲法の保障する国民の自由を不当に制限することにはならない。」

〔❷本件条例は合憲〕「本件条例1条の立言…はなお一般的な部分があり，特に4条1項の前段はきわめて抽象的な基準を掲げ，公安委員会の裁量の範囲がいちじるしく広く解されるおそれがあって，いずれも明らかな具体的な表示に改めることが望ましいけれども，条例の趣旨全体を総合して考察すれば…憲法12条同21条同28条同98条その他…いずれの条項にも違反するものではない。」

【コメント】 本判決には，本条例は集団的示威行進等の拒否を公安委員会の自由裁量に委ねている一般的禁止にあたり違憲とする藤田裁判官の少数意見と，井上・岩松裁判官の補足意見がある。

70 デモ行進の規制と表現の自由 (2) 《東京都公安条例事件》
最大判 〔最大判昭和35年7月20日刑集14巻9号1243頁〕

【事件】 $Y_1 \cdot Y_2$ が，東京都公安委員会が付した条件に違反して蛇行進及び渦巻行進を指導したほか，共謀の上，公安委員会の許可を受けないで集団行進を誘導し，指導したとして東京

都公安条例違反で起訴された。1審は条例を違憲として無罪とした。検察側の控訴を受けた東京高裁は、刑訴規則247条に基づき最高裁に移送。（破棄差戻し〔罰金 Y_1 1万5000円・Y_2 1万円〕）

【争点】 ①集団行動にはどのような特質があるか。②公安条例の合憲性はいかなる観点から判断されるべきか。

【判旨】 〔❶**集団行動は潜在する一種の物理力によって支持されている**〕「日本国憲法の下において、裁判所は、個々の具体的事件に関し、表現の自由を擁護するとともに、その濫用を防止し、これと公共の福祉との調和をはかり、自由と公共の福祉との間に正当な限界を画することを任務としている」。「およそ集団行動は、学生、生徒等の遠足、修学旅行等および、冠婚葬祭等の行事をのぞいては、通常一般大衆に訴えんとする、政治、経済、労働、世界観等に関する何等かの思想、主張、感情等の表現を内包するものである。この点において集団行動には、表現の自由として憲法によって保障さるべき要素が存在することはもちろんである。ところでかような集団行動による思想等の表現は、単なる言論、出版等によるものとはことなって、現在する多数人の集合体自体の力、つまり潜在する一種の物理的力によって支持されていることを特徴とする。かような潜在的な力は、あるいは予定された計画に従い、あるいは突発的に内外からの刺激、せん動等によってきわめて容易に動員され得る性質のものである。この場合に平穏静粛な集団であっても、時に昂奮、激昂の渦中に巻きこまれ、甚だしい場合には一瞬にして暴徒と化し、勢いの赴くところ実力によって法と秩序を蹂躙し、集団行動の指揮者はもちろん警察力を以てしても如何ともし得ないような事態に発展する危険が存在すること、群集心理の法則と現実の経験に徴して明らかである。」「従って地方公共団体が、…集団行動による表現の自由に関するかぎり、いわゆる『公安条例』を以て、地方的情況その他諸般の事情を十分考慮に入れ、不測の事態に備え、法と秩序を維持するに必要かつ最小限度の措置を事前に講ずることは、けだし止むを

得ない」。〔❷概念乃至用語のみによって判断すべきではない〕「しからば如何なる程度の措置が必要かつ最小限度のものとして是認できるであろうか。これについては、公安条例の定める集団行動に関して要求される条件が『許可』を得ることまたは『届出』をすることのいずれであるかというような、概念乃至用語のみによって判断すべきでない。」「今本条例を検討するに、集団行動に関しては、公安委員会の許可が要求されている」。「しかし公安委員会は集団行動の実施が『公共の安寧を保持する上に直接危険を及ぼすと明らかに認められる場合』の外はこれを許可しなければならない」。「すなわち許可が義務づけられており、不許可の場合が厳格に制限されている。従って本条例は規定の文面上では許可制を採用しているが、この許可制はその実質において届出制とことなるところがない。」「許可または不許可の処分をするについて、かような場合に該当する事情が存するかどうかの認定が公安委員会の裁量に属することは、それが諸般の情況を具体的に検討、考量して判断すべき性質の事項であることから見て当然である。」「なお集団的示威運動が『場所のいかんを問わず』として一般的に制限されているにしても、かような運動が公衆の利用と全く無関係な場所において行われることは、運動の性質上想像できないところであり、これを論議することは全く実益がない。」「条例の運用にあたる公安委員会が権限を濫用し、公共の安寧の保持を口実にして、平穏で秩序ある集団行動まで抑圧することのないよう極力戒心すべきこともちろんである。しかし濫用の虞れがあり得るからといって、本条例を違憲とすることは失当である。」

【コメント】　本判決には、藤田、垂水裁判官の都条例を違憲とする各反対意見がある。

71 学問の自由と大学の自治(1) 《ポポロ事件地裁判決》
地判
〔東京地判昭和29年5月11日判例時報26号3頁〕

【事件】 東京大学の学生Yらが、教室内で一般公開上演されていた劇団ポポロの演劇の観客中に私服警官を発見し、追及し、暴行を加え、警察手帳をとりあげ、暴力行為等処罰に関する法律1条違反で起訴された。（無罪、検察側控訴）⇨**72**

【争点】 ①大学の自治の位置付け。②大学内の秩序維持の責任者。③本事件の刑法上の処理。

【判旨】 〔**❶大学の自治は制度ないし状況的保障である**〕「学問の研究並びに教育の場としての大学は、警察権力乃至政治勢力の干渉、抑圧を受けてはならないという意味において自由でなければならないし、学生、教員の学問的活動一般は自由でなければならない。そして、この自由が他からの干渉を受けないためには、これを確保するための制度的乃至情況的保障がなければならない。それは大学の自治である。」〔**❷大学の秩序維持は第一次的には大学学長の責任・管理の下で処理されねばならない**〕「警察権力の警備活動の絶えざる監視下にある学問活動及び教育活動は、到底その十全の機能を発揮することができない。…学内の秩序がみだされるおそれのある場合でも、それが学生、教員の学問活動及び教育活動の核心に関連を有するものである限り、大学内の秩序の維持は、緊急止むを得ない場合を除いて、第一次的には大学学長の責任において、その管理の下に処理され、その自律的措置に任せられなければならない。そして、もしも大学当局の能力において処理し、措置することが困難乃至不可能な場合には、大学当局の要請により警察当局が出動しなければならない」。〔**❸Yの行為は法令上正当行為である**〕「警官の本件における学内立入りの行為は、その職務権限の範囲を逸脱して行われた違法な行為であると言わねばならない。…被告人の行為は法令上正当な行為として罪とならない」。

【コメント】 2審も1審判決支持。

72 学問の自由と大学の自治 (2) 《ポポロ事件最高裁判決》

最大判〔最大判昭和38年5月22日刑集17巻4号370頁〕

【事件】 71の上告審。（破棄差戻し）

【争点】 ①学問の自由は教育ないし教授の自由を含むか。②大学の自治の内容。③大学の自治と学生の関係。④大学における学生の集会は大学の自治を享有するか。⑤本件集会はどうか。

【判旨】 〔❶学問の自由は教育・教授の自由を必ずしも含まないが、大学教授等のそれは保障される〕「学問の自由は、学問的研究の自由とその研究結果の発表の自由とを含むものであって、同条が学問の自由はこれを保障すると規定したのは、一面において、広くすべての国民に対してそれらの自由を保障するとともに、他面において、大学が学術の中心として深く真理を探究することを本質とすることにかんがみて、特に大学におけるそれらの自由を保障することを趣旨としたものである。教育ないし教授の自由は、学問の自由と密接な関係を有するけれども、必ずしもこれに含まれるものではない。しかし、大学については、憲法の右の趣旨と、これに沿って学校教育法52条が『大学は、学術の中心として、広く知識を授けるとともに、深く専門の学芸を教授研究』することを目的とするとしていることとに基づいて、大学において教授その他の研究者がその専門の研究の結果を教授する自由は、…保障される」。〔❷人事の自治と施設・学生の管理についての自主的な秩序維持の権能〕「大学における学問の自由を保障するために、伝統的に大学の自治が認められている。この自治は、とくに大学の教授その他の研究者の人事に関して認められ、大学の学長、教授その他の研究者が大学の自主的判断に基づいて選任される。また、大学の施設と学生の管理についてもある程度で認められ、これらについてある程度で大学に自主的な秩序維持の権能が認められている。」〔❸学生のもつ自由は大学の自治の効果としてのものにとどまる〕「大学の施設と学生は、これらの自由と自治の効果として、施設が大学当局によって自治的に管理され、学生も学問の

自由と施設の利用を認められるのである。もとより，憲法 23 条の学問の自由は，学生も一般の国民と同じように享有する。しかし，大学の学生としてそれ以上に学問の自由を享有し，また大学当局の自治的管理による施設を利用できるのは，大学の本質に基づき，大学の教授その他の研究者の有する特別な学問の自由と自治の効果としてである。」〔**❹真に学問的研究・発表のための集会のみが自由と自治を享有する**〕「大学における学生の集会も，右の範囲において自由と自治を認められるものであって，大学の公認した学内団体であるとか，大学の許可した学内集会であるとかいうことのみによって，特別な自由と自治を享有するものではない。」「学生の集会が真に学問的な研究またはその結果の発表のためのものでなく，実社会の政治的社会的活動に当る行為をする場合には，大学の有する特別の学問の自由と自治は享有しない…。また，その集会が学生のみのものでなく，とくに一般の公衆の入場を許す場合には，むしろ公開の集会と見なされるべきであり，すくなくともこれに準じる」。〔**❺本件集会は真に学問的なものではなく，自由と自治を享有しない**〕「本件集会は，真に学問的な研究と発表のためのものでなく，実社会の政治的社会的活動であり，かつ公開の集会またはこれに準じるものであって，大学の学問の自由と自治は，これを享有しないといわなければならない。したがって，本件の集会に警察官が立ち入ったことは，大学の学問の自由と自治を犯すものではない。」

【コメント】 本判決には，入江・奥野・山田・斎藤，垂水，石坂裁判官の各補足意見，横田裁判官の意見がある。差戻し後，東京地判昭和 40 年 6 月 26 日下刑集 7 巻 6 号 1275 頁は有罪判決（懲役 6 月執行猶予 2 年と懲役 4 月執行猶予 2 年）を下し，その上告審（最 1 小判昭和 48 年 3 月 22 日刑集 27 巻 2 号 167 頁）は上告を棄却し，21 年にわたる裁判が完了した。

第6章 経済的自由

73 公衆浴場設置の適正配置規制と営業の自由
最大判

〔最大判昭和 30 年 1 月 26 日刑集 9 巻 1 号 89 頁〕

【事件】　公衆浴場業を営む被告人は、県知事の許可なしに営業したため、公衆浴場法 2 条、福岡県条例 3 条等違反で起訴され、1 審・2 審とも有罪（罰金 5000 円）となった。（上告棄却、有罪確定）

【争点】　①公衆浴場の適正配置規制は憲法 22 条に違反しないか。
②条例の許可制は公衆浴場法の原則許可制に反しないか。

【判旨】　〔❶国民の保健及び環境衛生の観点からの許可制は憲法 22 条に違反しない〕「公衆浴場は、多数の国民の日常生活に必要欠くべからざる、多分に公共性を伴う厚生施設である。そして、若しその設立を業者の自由に委せて、何等その偏在及び濫立を防止する等その配置の適正を保つために必要な措置が講ぜられないときは、その偏在により、多数の国民が日常容易に公衆浴場を利用しようとする場合に不便を来たすおそれなきを保し難く、また、その濫立により、浴場経営に無用の競争を生じその経営を経済的に不合理ならしめ、ひいて浴場の衛生設備の低下等好ましからざる影響を来たすおそれなきを保し難い。このようなことは、上記公衆浴場の性質に鑑み、国民保健及び環境衛生の上から、出来る限り防止することが望ましいことであり、従って、公衆浴場の設置場所が配置の適正を欠き、その偏在乃至濫立を来たすに至るがごときことは、公共の福祉に反するものであって、この理由により公衆浴場の経営の許可を与えないことができる旨の規定を設けることは、憲法 22 条に違反するものとは認められない。」

〔❷条例は法律の原則許可制を変更するものではない〕「右条例は、法律が例外として不許可とする場合の細則を具体的に定めたもので、法律が許可を原則としている建前を、不許可を原則とする建

前に変更したものではなく，従って右条例には，所論のような法律の範囲を逸脱した違法は認められない。」

【コメント】最2小判平成元年1月20日刑集43巻1号1頁は，「公衆浴場業者が…健全で安定した経営を行えるように種々の立法上の手段をとり，国民の保健福祉を維持することは，…公共の福祉に適合〈し〉，適正配置規制及び距離制限も，その手段として十分の必要性と合理性」があるとし，最3小判平成元年3月7日判時1308号111頁も，配置規制の目的は「国民保健及び環境衛生の確保と…ともに…既存公衆浴場の経営の安定を図ることにより，自家風呂を持たない国民にとって必要不可欠な厚生施設〈の〉確保…も目的としている」とした上で当該規制を合憲としている。

74 小売市場の適正配置規制と営業の自由
最大判
〔最大判昭和47年11月22日刑集26巻9号586頁〕

【事件】小売商業調整特別措置法は，特定の都市でのマーケット開設を許可制の下においている。本件は，大阪市内で，店舗数49の建物を建て，これを無許可のまま47名の小売商人に貸し付けたとして，同法3条1項・22条・24条違反で起訴された。1審・2審有罪（罰金15万円）。（上告棄却，有罪確定）

【争点】①憲法はどのような経済活動の自由を保障しているか。
②営業の自由の規制にはどのような目的のものがあるか。
③営業の自由の規制に対する違憲審査基準。

【判旨】〔❶憲法22条1項は「営業の自由」を保障する趣旨を含む〕
「憲法22条1項は，国民の基本的人権の一つとして，職業選択の自由を保障しており，そこで職業選択の自由を保障するというなかには，広く一般に，いわゆる営業の自由を保障する趣旨を包含しているものと解すべきであり，ひいては，憲法が，個人の自由な経済活動を基調とする経済体制を一応予定している」。
〔❷営業の自由の規制には消極目的のものと積極目的のものがある〕

「個人の経済活動に対する法的規制は，個人の自由な経済活動からもたらされる諸々の弊害が社会公共の安全と秩序の維持の見地から看過することができないような場合に，消極的に，かような弊害を除去ないし緩和するために必要かつ合理的な規制である限りにおいて許されるべきことはいうまでもない。のみならず，憲法の他の条項をあわせ考察すると，憲法は，全体として，福祉国家的理想のもとに，社会経済の均衡のとれた調和的発展を企図しており，その見地から，すべての国民にいわゆる生存権を保障し，その一環として，国民の勤労権を保障する等，経済的劣位に立つ者に対する適切な保護政策を要請していることは明らかである。このような点を総合的に考察すると，憲法は，国の責務として積極的な社会経済政策の実施を予定しているものということができ，個人の経済活動の自由に関する限り，個人の精神的自由等に関する場合と異なって，右社会経済政策の実施の一手段として，これに一定の合理的規制措置を講ずることは，もともと，憲法が予定し，かつ，許容するところと解するのが相当であり，国は，積極的に，国民経済の健全な発達と国民生活の安定を期し，もって社会経済全体の均衡のとれた調和的発展を図るために，立法により，個人の経済活動に対し，一定の規制措置を講ずることも，それが右目的達成のために必要かつ合理的な範囲にとどまる限り，許されるべきであって，決して憲法の禁ずるところではない」。〔❸立法裁量が尊重され，規制措置が著しく不合理であることが明白な場合に限り違憲となる〕「法的規制措置の必要の有無や法的規制措置の対象・手段・態様などを判断するにあたっては，その対象となる社会経済の実態についての正確な基礎資料が必要であり，具体的な法的規制措置が現実の社会経済にどのような影響を及ぼすか，その利害得失を洞察するとともに，広く社会経済政策全体との調和を考慮する等，相互に関連する諸条件についての適正な評価と判断が必要であって，このような評価と判断の機能は，まさに立法府の使命とするところであり，立法府こそがその機能を果たす

適格を具えた国家機関である。したがって，個人の経済活動に対する法的規制措置については，立法府の政策技術的な裁量に委ねるほかはなく，裁判所は，立法府の右裁量的判断を尊重するのを建前とし，ただ，立法府がその裁量権を逸脱し，当該法的規制措置が著しく不合理であることの明白である場合に限って，これを違憲として，その効力を否定することができる」。「本法所定の小売市場の許可規制は，国が社会経済の調和的発展を企図するという観点から中小企業保護政策の一方策としてとった措置ということができ，その目的において，一応の合理性を認めることができないわけではなく，また，その規制の手段・態様においても，それが著しく不合理であることが明白であるとは認められない。」

75 薬局の適正配置規制と営業の自由
最大判

〔最大判昭和50年4月30日民集29巻4号572頁〕

【事件】原告は薬の小売店を開設しようとして，薬事法（現医薬品医療機器等法）に基づいて被告広島県知事に許可を求めたが，当時定められていた配置基準（距離制限）に反するとして不許可となった。原告は，薬局開設距離制限は違憲として処分の取消を求めた。1審・請求認容，2審・1審判決取消し請求棄却。（破棄自判，請求認容）

【争点】①職業とは。②憲法22条1項の保障内容。③職業活動の規制の合憲性はどの部門が判断すべきか。④許可制の違憲審査基準。⑤薬事法の規制目的。⑥薬事法の配置規制は合憲か。

【判旨】〔❶職業は生計維持活動である〕「職業は，人が自己の生計を維持するためにする継続的活動であるとともに，分業社会においては，これを通じて社会の存続と発展に寄与する社会的機能分担の活動たる性質を有し，各人が自己のもつ個性を全うすべき場として，個人の人格的価値とも不可分の関連を有するものである。右規定〈憲法22条1項〉が職業選択の自由を基本

的人権の一つとして保障したゆえんも，現代社会における職業のもつ右のような性格と意義にある」。〔❷22条1項は職業活動一般の自由を保障している〕「そして，このような職業の性格と意義に照らすときは，職業は，ひとりその選択，すなわち職業の開始，継続，廃止において自由であるばかりでなく，選択した職業の遂行自体，すなわちその職業活動の内容，態様においても，原則として自由であることが要請されるのであり，したがって，右規定は，狭義における職業選択の自由のみならず，職業活動の自由の保障をも包含している」。「もっとも，職業は，…本質的に社会的な，しかも主として経済的な活動であって，その性質上，社会的相互関連性が大きいものであるから，職業の自由は，それ以外の憲法の保障する自由，殊にいわゆる精神的自由に比較して，公権力による規制の要請がつよく，憲法22条1項が『公共の福祉に反しない限り』という留保のもとに職業選択の自由を認めたのも，特にこの点を強調する趣旨に出たものと考えられる。」〔❸職業活動の規制は第一次的には立法府が判断すべき〕「これらの規制措置が憲法22条1項にいう公共の福祉のために要求されるものとして是認されるかどうかは，これを一律に論ずることができず，具体的な規制措置について，規制の目的，必要性，内容，これによって制限される職業の自由の性質，内容及び制限の程度を検討し，これらを比較考量したうえで慎重に決定されなければならない。この場合，右のような検討と考量をするのは，第一次的には立法府の権限と責務であり，裁判所としては，規制の目的が公共の福祉に合致するものと認められる以上，そのための規制措置の具体的内容及びその必要性と合理性については，立法府の判断がその合理的裁量の範囲にとどまるかぎり，立法政策上の問題としてその判断を尊重すべきものである。」〔❹許可制の審査基準は厳格になる〕「一般に許可制は，単なる職業活動の内容及び態様に対する規制を超えて，狭義における職業の選択の自由そのものに制約を課するもので，職業の自由に対する強力な制限であるから，そ

の合憲性を肯定しうるためには，原則として，重要な公共の利益のために必要かつ合理的な措置であることを要し，また，それが社会政策ないしは経済政策上の積極的な目的のための措置ではなく，自由な職業活動が社会公共に対してもたらす弊害を防止するための消極的，警察的措置である場合には，許可制に比べて職業の自由に対するよりゆるやかな制限である職業活動の内容及び態様に対する規制によっては右の目的を十分に達成することができないと認められることを要するもの，というべきである。そして，この要件は，許可制そのものについてのみならず，その内容についても要求されるのであって，許可制の採用自体が是認される場合であっても，個々の許可条件については，更に個別的に右の要件に照らしてその適否を判断しなければならない」。〔❺**薬事法の規制は消極目的である**〕「右の適正配置規制は，主として国民の生命及び健康に対する危険の防止という消極的，警察的目的のための規制措置であり，そこで考えられている薬局等の過当競争及びその経営の不安定化の防止も，それ自体が目的ではなく，あくまでも不良医薬品の供給の防止のための手段であるにすぎないものと認められる。すなわち，小企業の多い薬局等の経営の保護というような社会政策的ないし経済政策的目的は右の適正配置規制の意図するところではなく…また，一般に，国民生活上不可欠な役務の提供の中には，当該役務のもつ高度の公共性にかんがみ，その適正な提供の確保のために，法令によって，提供すべき役務の内容及び対価等を厳格に規制するとともに，更に役務の提供自体を提供者に義務づける等のつよい規制を施す反面，これとの均衡上，役務提供者に対してある種の独占的地位を与え，その経営の安定をはかる措置がとられる場合があるけれども，薬事法その他の関係法令は，医薬品の供給の適正化措置として右のような強力な規制を施してはおらず，したがって，その反面において既存の薬局等にある程度の独占的地位を与える必要も理由もなく，本件適正配置規制にはこのような趣旨，目的はなんら含まれていな

い」。〔❻薬事法の配置規制は違憲〕「薬局等の設置場所の地域的制限の必要性と合理性を裏づける理由として被上告人の指摘する薬局等の偏在―競争激化――一部薬局等の経営の不安定―不良医薬品の供給の危険又は医薬品乱用の助長の弊害という事由は，いずれもいまだそれによって右の必要性と合理性を肯定するに足りず，また，これらの事由を総合しても右の結論を動かすものではない。」「本件適正配置規制は，…全体としてその必要性と合理性を肯定しうるにはなお遠いものであり，この点に関する立法府の判断は，その合理的裁量の範囲を超える」。

76 酒類販売業の免許制と営業の自由《酒類販売免許制事件》
最判
〔最3小判平成4年12月15日民集46巻9号2829頁〕

【事件】 Xは，酒類販売業を営もうとして酒税法9条に従い免許を申請したが，税務署長により拒否処分を受けたのでその取消しを求めて出訴した。1審・請求認容，2審・1審判決取消し請求棄却。(上告棄却)

【争点】 本件免許制の違憲審査基準はどうなるか。

【判旨】 〔著しく不合理なものでない限り違憲ではない〕「租税の適正かつ確実な賦課徴収を図るという国家の財政目的のための職業の許可制による規制については，その必要性と合理性についての立法府の判断が，右の政策的，技術的な裁量の範囲を逸脱するもので，著しく不合理なものでない限り，これを憲法22条1項の規定に違反するものということはできない。」「賦課徴収に関しては，いわゆる庫出税方式によって酒類製造者にその納税義務を課し，酒類販売業者を介しての代金の回収を通じてその税負担を最終的な担税者である消費者に転嫁するという仕組みによることとし，これに伴い，酒類の製造及び販売業について免許制を採用したものである。酒税法は，酒税の確実な徴収とその税負担の消費者への円滑な転嫁を確保する必要から，このような制度を採用した」。「酒税の納税義務者とされた酒類製造者のため，酒

類の販売代金の回収を確実にさせることによって消費者への酒税の負担の円滑な転嫁を実現する目的で，これを阻害するおそれのある酒類販売業者を免許制によって酒類の流通過程から排除することとしたのも，酒税の適正かつ確実な賦課徴収を図るという重要な公共の利益のために採られた合理的な措置であった」。「酒類の販売業免許制度によって規制されるのが，そもそも，致酔性を有する嗜好品である性質上，販売秩序維持等の観点からもその販売について何らかの規制が行われてもやむを得ないと考えられる商品である酒類の販売の自由にとどまることをも考慮すると，当時においてなお酒類販売業免許制度を存置すべきものとした立法府の判断が，前記のような政策的，技術的な裁量の範囲を逸脱するもので，著しく不合理であるとまでは断定し難い。」

【コメント】 本判決には，園部裁判官の補足意見，坂上裁判官の反対意見がある。

77 共有林の分割請求制限と財産権の保障《森林法事件》
最大判 〔最大判昭和62年4月22日民集41巻3号408頁〕

【事件】　XとYは父親から生前贈与を受けた山林を持分2分の1の割合で共有していたが，その管理などで対立したため，持分価額が過半数に達しない場合に民法256条1項の特則として分割請求を認めない森林法186条（当時）が違憲・無効であるとして分割請求訴訟を提起した。1審・2審請求棄却。（破棄差戻し）

【争点】　①憲法29条は何を保障しているか。②財産権の制約にはどのようなものがあるか。③共有物の分割請求権の趣旨。④森林法186条の立法目的。⑤立法目的と立法目的達成手段との間に合理的関連性はあるか。

【判旨】　〔❶私有財産制度と財産権を保障している〕「憲法29条は，…私有財産制度を保障しているのみでなく，社会的経済的活動の基礎をなす国民の個々の財産権につきこれを基本的人権

として保障するとともに，社会全体の利益を考慮して財産権に対し制約を加える必要性が増大するに至ったため，立法府は公共の福祉に適合する限り財産権について規制を加えることができる，としている」。〔❷内在する制約と社会全体の利益を図るための規制がある〕「財産権は，それ自体に内在する制約があるほか，…立法府が社会全体の利益を図るために加える規制により制約を受けるものであるが，この規制は，財産権の種類，性質等が多種多様であり，また，財産権に対し規制を要求する社会的理由ないし目的も，社会公共の便宜の促進，経済的弱者の保護等の社会政策及び経済政策上の積極的なものから，社会生活における安全の保障や秩序の維持等の消極的なものに至るまで多岐にわたるため，種々様々でありうる…。したがって，財産権に対して加えられる規制が憲法29条2項にいう公共の福祉に適合するものとして是認されるべきものであるかどうかは，規制の目的，必要性，内容，その規制によって制限される財産権の種類，性質及び制限の程度等を比較考量して決すべきものであるが，裁判所としては，立法府がした右比較考量に基づく判断を尊重すべきものであるから，立法の規制目的が前示のような社会的理由ないし目的に出たとはいえないものとして公共の福祉に合致しないことが明らかであるか，又は規制目的が公共の福祉に合致するものであっても規制手段が右目的を達成するための手段として必要性若しくは合理性に欠けていることが明らかであって，そのため立法府の判断が合理的裁量の範囲を超えるものとなる場合に限り，当該規制立法が憲法29条2項に違背するものとして，その効力を否定することができる」。〔❸単独所有への移行を可能ならしめるためのもの〕「民法256条1項所定の分割請求権…は，各共有者に近代市民社会における原則的所有形態である単独所有への移行を可能ならしめ，右のような公益的目的をも果たすものとして発展した権利であり，共有の本質的属性として，持分権の処分の自由とともに，民法において認められるに至った」。「したがって，当該共有物がその性

質上分割することのできないものでない限り、分割請求権を共有者に否定することは、憲法上、財産権の制限に該当し、かかる制限を設ける立法は、憲法29条2項にいう公共の福祉に適合することを要するものと解すべきところ、共有森林はその性質上分割することのできないものに該当しないから、共有森林につき持分価額2分の1以下の共有者に分割請求権を否定している森林法186条が、公共の福祉に適合するものといえないときは、違憲の規定として、その効力を有しない」。〔❹立法目的は森林経営の安定〕「森林法186条…の立法目的は、…結局、森林の細分化を防止することによって森林経営の安定を図り、ひいては森林の保続培養と森林の生産力の増進を図り、もって国民経済の発展に資することにある」。「186条の立法目的は、以上のように解される限り、公共の福祉に合致しないことが明らかであるとはいえない。」〔❺立法目的と立法目的達成手段との間に合理的関連性はない〕「森林が共有であることと森林の共同経営とは直接関連するものとはいえない。したがって、共有森林の共有者間の権利義務についての規制は、森林経営の安定を直接的目的とする…森林法186条の立法目的と関連性が全くないとはいえないまでも、合理的関連性があるとはいえない。」「共有者間、ことに持分の価額が相等しい2名の共有者間において、共有物の管理又は変更等をめぐって意見の対立、紛争が生ずるに至ったときは、各共有者は、共有森林につき…保存行為をなしうるにとどまり、管理又は変更の行為を適法にすることができないこととなり、ひいては当該森林の荒廃という事態を招来する」。「森林法186条が共有森林につき持分価額2分の1以下の共有者に民法の右規定の適用を排除した結果は、右のような事態の永続化を招くだけであって、当該森林の経営の安定化に資することにはならず、森林法186条の立法目的と同条が共有森林につき持分価額2分の1以下の共有者に分割請求権を否定したこととの間に合理的関連性のないことは、これを見ても明らかである」。「森林の安定的経営のために必要な最小限度の森

林面積は，当該森林の地域的位置，気候，植栽竹木の種類等によって差異はあっても，これを定めることが可能というべきであるから，当該共有森林を分割した場合に，分割後の各森林面積が必要最小限度の面積を下回るか否かを問うことなく，一律に現物分割を認めないとすることは，同条の立法目的を達成する規制手段として合理性に欠け，必要な限度を超える」。「また，当該森林の伐採期あるいは計画植林の完了時期等を何ら考慮することなく無期限に分割請求を禁止することも，同条の立法目的の点からは必要な限度を超えた不必要な規制というべきである。」「以上のとおり，森林法186条が共有森林につき持分価額2分の1以下の共有者に民法256条1項所定の分割請求権を否定しているのは，森林法186条の立法目的との関係において，合理性と必要性のいずれをも肯定することのできないことが明らかであって，この点に関する立法府の判断は，その合理的裁量の範囲を超えるものである…。したがって，同条は，憲法29条2項に違反し，無効というべきである」。

【コメント】　本判決には坂上，林裁判官の各補足意見，大内・高島裁判官の意見，香川裁判官の反対意見がある。国会は昭和62年，186条を削除。差戻し後，平成9年10月8日に東京高裁でXとYの間に和解が成立した。

78 財産権規制の合憲性の判断手法《証券取引法事件》
最大判　〔最大判平成14年2月13日民集56巻2号331頁〕

【事件】　上場会社Xは，その主要株主であるYがX株式の短期売買取引で得た利益の返還請求を，証券取引法（現金融商品取引法）164条1項に基づき行ったが，Yがこれに応じないため出訴した。1, 2審でX勝訴。Yは上告。（上告棄却，被告敗訴）

【争点】　①証券取引法164条1項はいかなる趣旨か。②財産権規制の合憲性はどのように判断すべきか。

【判旨】〔❶秘密の不当利用を一般的に予防する趣旨である〕「164条1項は，…客観的な適用要件を定めて上場会社等の役員又は主要株主による秘密の不当利用を一般的に予防しようとする規定であって，…当該取引においてその者が秘密を不当に利用したか否か，その取引によって一般投資家の利益が現実に損なわれたかを問うことなく，当該上場会社等はその利益を提供すべきことを当該役員又は主要株主に対して請求することができるものとした規定である」。〔❷比較考量による〕「財産権は，それ自体に内在する制約がある外，その性質上社会全体の利益を図るために立法府によって加えられる規制により制約を受けるものである。財産権の種類，性質等は多種多様であり，また，財産権に対する規制を必要とする社会的理由ないし目的も，社会公共の便宜の促進，経済的弱者の保護等の社会政策及び経済政策に基づくものから，社会生活における安全の保障や秩序の維持等を図るものまで多岐にわたるため，財産権に対する規制は，種々の態様のものがあり得る。このことからすれば，財産権に対する規制が憲法29条2項にいう公共の福祉に適合するものとして是認されるべきものであるかどうかは，規制の目的，必要性，内容，その規制によって制限される財産権の種類，性質及び制限の程度等を比較考量して判断すべきものである。」「その規制目的は正当であり，規制手段が必要性又は合理性に欠けることが明らかであるとはいえないのであるから…憲法29条に違反するものではない。」

79 条例による財産権の制限と損失補償《奈良県ため池条例事件》
最大判〔最大判昭和38年6月26日刑集17巻5号521頁〕

【事件】昭和29年に制定された奈良県ため池の保全に関する条例は，所定のため池の堤とうに竹木若しくは農作物を植える等の行為をした者を3万円以下の罰金に処する旨の定めを設けた。従前からため池の堤とうで耕作を続けてきたYらが，条例制定後もなお耕作を続けたため，同条例違反で起訴された。1

審有罪，2審無罪。検察側上告。（破棄差戻し）

【争点】①条例による財産権行使の制限が許されるのはいかなる場合か。②損失補償が不要とされるのはいかなる場合か。

【判旨】〔❶憲法・民法の保障する財産権行使の埒外のものは条例による制限が許される〕「本条例4条…2号は，ため池の堤とうの使用に関し制限を加えているから，ため池の堤とうを使用する財産上の権利を有する者に対しては，その使用を殆んど全面的に禁止することとなり，同条項は，結局右財産上の権利に著しい制限を加えるものである」。「しかし，その制限の内容たるや，立法者が科学的根拠に基づき，ため池の破損，決かいを招く原因となるものと判断した，ため池の堤とうに竹木若しくは農作物を植え，または建物その他の工作物（ため池の保全上必要な工作物を除く）を設置する行為を禁止することであり，そして，このような禁止規定の設けられた所以のものは，…ため池の破損，決かい等による災害を未然に防止するにある」。「本条例4条2号の禁止規定は，堤とうを使用する財産上の権利を有する者であると否とを問わず，何人に対しても適用される。ただ，ため池の提とうを使用する財産上の権利を有する者は，…その財産権の行使を殆んど全面的に禁止されることになるが，それは災害を未然に防止するという社会生活上の已むを得ない必要から来ることであって，ため池の提とうを使用する財産上の権利を有する者は何人も，公共の福祉のため，当然これを受忍しなければならない責務を負う」。「すなわち，ため池の破損，決かいの原因となるため池の堤とうの使用行為は，憲法でも，民法でも適法な財産権の行使として保障されていないものであって，憲法，民法の保障する財産権の行使の埒外にあるものというべく，従って，これらの行為を条例をもって禁止，処罰しても憲法および法律に牴触またはこれを逸脱するものとはいえない」。「なお，事柄によっては，特定または若干の地方公共団体の特殊な事情により，国において法律で一律に定めることが困難または不適当なことがあり，その地方公共

団体ごとに、その条例で定めることが、容易且つ適切なことがある。本件のような、ため池の保全の問題は、まさにこの場合に該当する」。「それ故、本条例は、憲法29条2項に違反して条例をもっては規定し得ない事項を規定したものではな」い。〔❷災害防止のための制約は受忍しなければならず損失補償は不要〕「本条例は、災害を防止し公共の福祉を保持するためのものであり、その4条2号は、ため池の堤とうを使用する財産上の権利の行使を著しく制限するものではあるが、結局それは、災害を防止し公共の福祉を保持する上に社会生活上已を得ないものであり、そのような制約は、ため池の堤とうを使用し得る財産権を有する者が当然受忍しなければならない責務というべきものであって、憲法29条3項の損失補償はこれを必要としない」。

【コメント】　本判決には、入江、垂水、奥野裁判官の各補足意見、河村（大）、山田、横田（正）裁判官の各少数意見（＝反対意見）がある。

80 憲法29条3項の「正当な補償」《農地改革事件》
最大判〔最大判昭和28年12月23日民集7巻13号1523頁〕

【事件】　農地改革で農地を買収されたXが、自作農創設特別措置法（昭27法230で廃止）6条3項による買収対価の算定価格が当時の経済事情からみて著しく低いとして、買収対価の増額変更を求めて出訴した。1・2審とも請求棄却。（上告棄却）

【争点】　①憲法29条3項の「正当な補償」とは何か。②自創法6条3項による買収価格は「正当な補償」といえるか。

【判旨】　〔❶「正当な補償」とは合理的に算出された相当な額〕「憲法29条3項にいうところの財産権を公共の用に供する場合の正当な補償とは、その当時の経済状態において成立することを考えられる価格に基き、合理的に算出された相当な額をいうのであって、必しも常にかかる価格と完全に一致することを要す

るものでない…。けだし財産権の内容は，公共の福祉に適合するように法律で定められるのを本質とするから（憲法29条2項），公共の福祉を増進し又は維持するため必要ある場合は，財産権の使用収益又は処分の権利にある制限を受けることがあり，また財産権の価格についても特定の制限を受けることがあって，その自由な取引による価格の成立を認められないこともあるからである。」〔❷自創法6条3項の買収価格は「正当な補償」といえる〕「対価の採算方法を地主採算価格によらず自作収益価格によったことは，農地を耕作地として維持し，耕作者の地位の安定と農業生産力の維持増進を図ろうとする，農地調整法（以下農調法という）よりいわゆる第2次農地改革において制定された自創法（昭和21年10月21日法律第43号）に及ぶ一貫した国策に基く法の目的からいって当然である…。…計算の基礎とされた前記米価は，いわゆる公定価格（食糧管理法3条2項，4条2項）であるが，…農地の買収対価を算出するにあたり，まずこの米価によったことは正当であって，…その算出過程においてなんら不合理を認めることはできない。…以上のとおり田と畑とに通じて対価算出の項目と数字は，いずれも客観的且つ平均的標準に立つのであって，わが国の全土にわたり自作農を急速且つ広汎に創設する自創法の目的を達するため自創法3条の要件を具備する農地を買収し，これによって大多数の耕作者に自作農としての地位を確立しようとするのであるから，各農地のそれぞれについて，常に変化する経済事情の下に自由な取引によってのみ成立し得べき価格を標準とすることは許されない」。「このように農地は自創法成立までに，すでに自由処分を制限され，耕作以外の目的に変更することを制限され，…農地所有権の性質の変化は，自作農創設を目的とする一貫した国策に伴う法律上の措置であって，いいかえれば憲法29条2項にいう公共の福祉に適合するように法律によって定められた農地所有権の内容である」。「法律により定められる公定又は統制価格といえども，国民の経済状態に即しその諸条件に適合

するように定められるのを相当とするけれども, …公定又は統制価格は, 公共の福祉のために定められるのであるから, 必しも常に当時の経済状態における収益に適合する価格と完全に一致するとはいえず, まして自由な市場取引において成立することを考えられる価格と一致することを要するものではない。」

【コメント】　本判決には, 栗山裁判官の補足意見が私有財産の社会的義務性を強調しているほか, 井上・岩松両裁判官は反対意見で, 本法の買収は被占領当時の連合軍の指令による農地改革として行われたもので, 講和後は被買収者は正当価格に達するまで対価の訴求ができるとし, 真野裁判官は反対意見で, 正当な補償とは, 当該財産が具体的個別的に保有する客観的価値に対応する価格をもってすべきで, かような画一的標準による買収価格は「正当な補償」とは認めえないとし, 斎藤裁判官は6条3項の規定はいちおうの標準を示したにとどまるもの, としている。なお, 最1小判昭和48年10月18日民集27巻9号1210頁は, 土地収用法における補償価格につき「完全な補償, すなわち, 収用の前後を通じて被収用者の財産価値を等しくならしめるような補償をなすべき」としている。

81 事後法による財産権の内容変更の合憲性《国有農地等売払特別措置法訴訟》

〔最大判昭和53年7月12日民集32巻5号946頁〕

【事件】　農地法80条（現47条）は不用農地につき農林大臣の認定に基づいて旧所有者へ売り渡すべき旨を定め, その売払価格は買収の対価に相当する額としていた。ところがその後, 売払いの場合を限定していた旧施行令16条が違法とされ, 不用農地は原則として旧地主に売り渡されなければならないことになったため, 著しく低廉な価格での売渡しの社会的妥当性が問題になり, 特別措置法がつくられ, 旧所有者への売払価格は時価の10分の7とされた。Xは不用農地となった旧所有地の買収対価

相当価格による売払い請求の拒否処分の取消しを求めていたが，1審で却下され，控訴審で棄却されたため，上告した。（上告棄却）

【争点】 事後法による財産権の内容変更は合憲か。

【判旨】〔事後法による財産権の価額の変更も公共の福祉に適合するものであれば合憲〕「〈憲法29条2項の規定からみて〉，法律でいったん定められた財産権の内容を事後の法律で変更しても，それが公共の福祉に適合するようにされたものである限り，これをもって違憲の立法ということができないことは明らかである。そして右の変更が公共の福祉に適合するようにされたものであるかどうかは，いったん定められた法律に基づく財産権の性質，その内容を変更する程度，及びこれを変更することによって保護される公益の性質などを総合的に勘案し，その変更が当該財産権に対する合理的な制約として容認されるべきものであるかどうかによって，判断すべきである。」「特別措置法及び同施行令が売払いの対価を時価そのものではなくその7割相当額に変更したことは，…社会経済秩序の保持及び国有財産の処分の適正という公益上の要請と旧所有者の…権利との調和を図ったものであり旧所有者の権利に対する合理的な制約として容認されるべき性質のものであって，公共の福祉に適合する」。

【コメント】 本判決には，岸上裁判官の補足意見，高辻，環，藤崎裁判官の各意見がある。

82 戦争損害に関する国家の責任《戦争災害補償事件》
最判
〔最2小判昭和62年6月26日判例時報1262号100頁〕

【事件】 太平洋戦争において空襲により被災した民間人であるXらは，戦傷病者遺族等援護法が戦災障害者のうち旧軍人軍属等及びその遺族のみを援護の対象とし，民間人被災者を適用の対象から除外しているのは法の下の平等に反するとして，立法不作為の違法を争う国家賠償請求訴訟を提起した。1審，2

審請求棄却。(上告棄却)

【争点】 戦争損害に対する補償は憲法上要請されているか。

【判旨】 〔戦争損害についての補償は憲法の想定外のものである〕

「憲法には〈Xら〉主張のような立法を積極的に命ずる明文の規定が存しないばかりでなく、かえって、〈Xら〉の主張するような戦争犠牲ないし戦争損害は、国の存亡にかかわる非常事態のもとでは、国民のひとしく受忍しなければならなかったところであって、これに対する補償は憲法の全く予想しないところというべきであり、したがって、右のような戦争犠牲ないし戦争損害に対しては単に政策的見地からの配慮が考えられるにすぎないもの、すなわち、その補償のために適宜の立法措置を講ずるか否かの判断は国会の裁量的権限に委ねられるものと解すべきことは、当裁判所の判例の趣旨に徴し明らかというべきである。」

【コメント】 最後に言及されている判例は、最大判昭和43年11月27日民集22巻12号2808頁であり、そこではサンフランシスコ平和条約で日本が在外財産に対する請求権を放棄したことにより損失をこうむった者の補償請求につき、戦争損害に関しては本判決と同旨の判示がなされ、在外資産の賠償への充当による損害も一種の戦争損害として憲法29条3項の適用の余地のない問題とされている。上記大法廷判決は、その後繰り返し提訴された種々の戦争損害補償請求事件において踏襲され、韓国人戦争被害補償請求事件においても同様である（最2小判平成16年11月29日判例時報1879号58頁）。

83 最大判 憲法29条3項に基づく補償請求《河川附近地制限令事件》

〔最大判昭和43年11月27日刑集22巻12号1402頁〕

【事件】 砂利採取業者Yが従来から砂利採取をしていた地域が、「河川附近地」に指定され、河川附近地制限令（昭40政14により廃止）4条2号により以後知事の許可が必要となった。ところが、Yが無許可で採取を続けたため同令10条によって起

訴された。1審・2審有罪（罰金2万円・3万円）。（上告棄却）
【争点】 損失補償規定のない法律は合憲か。
【判旨】〔直接憲法29条3項を根拠に補償請求する余地もあるから違憲無効ではない〕「河川附近地制限令4条2号の定める制限は，…公共の福祉のためにする一般的な制限であり，原則的には，何人もこれを受忍すべきものである。このように，同令4条2号の定め自体としては，特定の人に対し，特別に財産上の犠牲を強いるものとはいえないから，右の程度の制限を課するには損失補償を要件とするものではなく，したがって，補償に関する規定のない同令4条2号の規定が…憲法29条3項に違反し無効であるとはいえない。」「もっとも，…名取川の堤外民有地の各所有者に対し賃借料を支払い，労務者を雇い入れ，従来から同所の砂利を採取してきたところ，…右地域が河川附近地に指定されたため，…従来，賃借料を支払い，労務者を雇い入れ，相当の資本を投入して営んできた事業が営み得なくなるために相当の損失を被る筋合であるというのである。そうだとすれば，その財産上の犠牲は，公共のために必要な制限によるものとはいえ，単に一般的に当然に受忍すべきものとされる制限の範囲をこえ，特別の犠牲を課したものとみる余地が全くないわけではなく，憲法29条3項の趣旨に照らし，…本件被告人の被った現実の損失については，その補償を請求することができるものと解する余地がある。」「本件被告人も，その損失を具体的に主張立証して，別途，直接憲法29条3項を根拠にして，補償請求をする余地が全くないわけではないから，単に一般的な場合について，当然に受忍すべきものとされる制限を定めた同令4条2号およびこの制限違反について罰則を定めた同令10条の各規定を直ちに違憲無効の規定と解すべきではない。」

第7章　法定手続の保障

84 最大判　法定手続と第三者所有物の没収
〔最大判昭和 37 年 11 月 28 日刑集 16 巻 11 号 1593 頁〕

【事件】　韓国向けに貨物を密輸出しようと企てたが未遂におわった Y₁・Y₂ が関税法違反で起訴された。1 審・2 審有罪，附加刑として機帆船と貨物を没収。(破棄自判，Y₁ 懲役 6 月・Y₂ 懲役 4 月各執行猶予 3 年，Y₂ 所有の気帆船の換価代金 43 万 1000 円を没収)

関税法 118 条 1 項（当時）：「〈関税法で定める貨物，船舶等〉は，没収する。但し，犯罪貨物等が犯人以外の者の所有に係り，且つ，その者が左の各号の一に該当する場合は，この限りではない。／一　第 109 条から第 112 条までの犯罪が行われることをあらかじめ知らないでその犯罪が行われた時から引き続き犯罪貨物等を所有していると認められるとき。／二　前号に掲げる犯罪が行われた後，その情を知らないで犯罪貨物等を取得したと認められるとき。」

【争点】　①関税法 118 条 1 項による第三者の所有物の没収は憲法 31 条・29 条違反か。②附加刑として第三者の所有物の没収の裁判を受けた被告人は，その違憲を理由に上告しうるか。

【判旨】　〔❶第三者所有物没収規定は憲法 31 条・29 条に違反する〕

「関税法 118 条 1 項の規定による没収は，同項所定の犯罪に関係ある船舶，貨物等で同項但書に該当しないものにつき，被告人の所有に属すると否とを問わず，その所有権を剥奪して国庫に帰属せしめる処分であって，被告人以外の第三者が所有者である場合においても，被告人に対する附加刑としての没収の言渡により，当該第三者の所有権剥奪の効果を生ずる趣旨である」。「しかし，第三者の所有物を没収する場合において，その没収に関して当該所有者に対し，何ら告知，弁解，防禦の機会を与える

ことなく，その所有権を奪うことは，著しく不合理であって，憲法の容認しないところである」。「…前記第三者の所有物の没収は，被告人に対する附加刑として言い渡され，その刑事処分の効果が第三者に及ぶものであるから，所有物を没収せられる第三者についても，告知，弁解，防禦の機会を与えることが必要であって，これなくして第三者の所有物を没収することは，適正な法律手続によらないで，財産権を侵害する制裁を科するに外ならないからである。そして，このことは，右第三者に，事後においていかなる権利救済の方法が認められるかということとは，別個の問題である。然るに，関税法118条1項は，同項所定の犯罪に関係ある船舶，貨物等が被告人以外の第三者の所有に属する場合においてもこれを没収する旨規定しながら，その所有者たる第三者に対し，告知，弁解，防禦の機会を与えるべきことを定めておらず，また刑訴法その他の法令においても，何らかかる手続に関する規定を設けていないのである。従って，前記関税法118条1項によって第三者の所有物を没収することは，憲法31条，29条に違反する」。〔❷被告人には違憲を主張して上訴する利益がある〕「そして，かかる没収の言渡を受けた被告人は，たとえ第三者の所有物に関する場合であっても，被告人に対する附加刑である以上，没収の裁判の違憲を理由として上告をなしうることは，当然である。のみならず，被告人としても没収に係る物の占有権を剝奪され，またはこれが使用，収益をなしえない状態におかれ，更には所有権を剝奪された第三者から賠償請求権等を行使される危険に曝される等，利害関係を有することが明らかであるから，上告によりこれが救済を求めることができる…。これと矛盾する…昭和35年10月19日当裁判所大法廷言渡の判例は，これを変更するを相当と認める。」

【コメント】　本判決には，入江，垂水，奥野裁判官の各補足意見，藤田，下飯坂，高木，石坂，山田裁判官の各少数意見または反対意見がある。この判決後，「刑事事件における第三

者所有物の没収手続に関する応急措置法」(昭 38 法 138) が制定された。

85 デモ行進の規制と適正手続の保障《徳島市公安条例事件》
最大判
〔最大判昭和 50 年 9 月 10 日刑集 29 巻 8 号 489 頁〕

【事件】 Y は徳島市内でジグザグデモを指揮・実行して,①道交法 77 条 3 項および②徳島市公安条例 3 条 3 号に違反するとして起訴された。1 審は①につき有罪,②につき無罪,2 審は控訴棄却。(破棄自判,有罪〔①②を一罪として刑法 54 条 1 項前段によって重罪を定める②で処罰して罰金 1 万円〕) ⇨**157**

【争点】 犯罪構成要件の明確性を判定する観点。

【判旨】 〔通常の判断能力を有する一般人の理解によって判定される〕「本条例 3 条 3 号の『交通秩序を維持すること』という規定…は,その文言だけからすれば,単に抽象的に交通秩序を維持すべきことを命じているだけで,いかなる作為,不作為を命じているのかその義務内容が具体的に明らかにされていない。」「およそ,刑罰法規の定める犯罪構成要件があいまい不明確のゆえに憲法 31 条に違反し無効であるとされるのは,その規定が通常の判断能力を有する一般人に対して,禁止される行為とそうでない行為とを識別するための基準を示すところがなく,そのため,その適用を受ける国民に対して刑罰の対象となる行為をあらかじめ告知する機能を果たさず,また,その運用がこれを適用する国又は地方公共団体の機関の主観的判断にゆだねられて恣意に流れる等,重大な弊害を生ずるからである」。「それゆえ…通常の判断能力を有する一般人の理解において,具体的場合に当該行為がその適用を受けるものかどうかの判断を可能ならしめるような基準が読みとれるかどうかによってこれを決定すべきである。」「3 条 3 号の規定が禁止する交通秩序の侵害は,当該集団行進等に不可避的に随伴するものを指すものでないことは,極めて明らかである。」「3 号の規定は,確かにその文言が抽象的であるとのそしり

を免れないとはいえ，集団行進等における道路交通の秩序遵守についての基準を読みとることが可能であり，犯罪構成要件の内容をなすものとして明確性を欠き憲法31条に違反するものとはいえない」。

【コメント】　本判決には，小川・阪本，岸，団藤裁判官の各補足意見，高辻裁判官の意見がある。

86 「淫行」処罰の明確性《福岡県青少年保護育成条例事件》
最大判〔最大判昭和60年10月23日刑集39巻6号413頁〕

【事件】　福岡県青少年保護育成条例（現青少年健全育成条例）は，青少年（就学の始期から満18歳まで）に対する「淫行又はわいせつの行為をしてはならない」と規定し，罰則を設けていた。Yは，同条例違反で起訴された。1審・2審，有罪。（上告棄却，有罪確定〔罰金5万円〕）

【争点】　①「淫行」禁止の立法目的。②禁止行為が広汎に過ぎ，また不明確ではないか。③本件行為は可罰対象か。④18歳で区別するのは年齢差別ではないか。

【判旨】　〔❶青少年の精神に痛手となる行為の禁止が立法目的である〕「本件各規定…の趣旨は，一般に青少年が，その心身の未成熟や発育程度の不均衡から，精神的に未だ十分に安定していないため，性行為等によって精神的な痛手を受け易く，また，その痛手からの回復が困難となりがちである等の事情にかんがみ，青少年の健全な育成を図るため，青少年を対象としてなされる性行為等のうち，その育成を阻害するおそれのあるものとして社会通念上非難を受けるべき性質のものを禁止することとした」。〔❷「淫行」は限定解釈するのが合理的であり，通常の判断能力を有する一般人の理解にも適う〕「本条例10条1項の規定にいう『淫行』とは，広く青少年に対する性行為一般をいうものと解すべきでなく，青少年を誘惑し，威迫し，欺罔し又は困惑させる等その心身の未成熟に乗じた不当な手段により行う性交又は性交類似行為の

ほか，青少年を単に自己の性的欲望を満足させるための対象として扱っているとしか認められないような性交又は性交類似行為をいうものと解するのが相当である。けだし，右の『淫行』を広く青少年に対する性行為一般を指すものと解するときは，『淫らな』性行為を指す『淫行』の用語自体の意義に添わないばかりでなく，例えば婚約中の青少年又はこれに準ずる真摯な交際関係にある青少年との間で行われる性行為等，社会通念上およそ処罰の対象として考え難いものを含むこととなって，その解釈は広きに失することが明らかであり，また，前記『淫行』を目して単に反倫理的あるいは不純な性行為と解するのでは，犯罪の構成要件として不明確であるとの批判を免れないのであって，前記の規定の文理から合理的に導き出され得る解釈の範囲内で，前叙のように限定して解するのを相当とする。このような解釈は通常の判断能力を有する一般人の理解にも適うものであり，『淫行』の意義を右のように解釈するときは，同規定につき処罰の範囲が不当に広過ぎるとも不明確であるともいえないから，本件各規定が憲法31条の規定に違反するものとはいえ…ない。」〔❸**本件行為は可罰対象となる**〕「被告人と少女との間には本件行為までに相当期間にわたって一応付合いと見られるような関係があったようであるが，当時における両者のそれぞれの年齢，性交渉に至る経緯，その他両者の付合の態様等の諸事情に照らすと，本件は，被告人において当該少女を単に自己の性的欲望を満足させるための対象として扱っているとしか認められないような性行為をした場合に該当するものというほかないから，本件行為が本条例10条1項にいう『淫行』に当たるとした原判断は正当である。」〔❹**年齢で区別するのは立法政策の問題である**〕「18歳未満の者と18歳以上の者との間で異なる取扱いをしている…点は，青少年の範囲をどのように定めるかという立法政策に属する問題であるにとどまり，憲法適否の問題ではない」。

【コメント】 本判決には，牧，長島裁判官の各補足意見，伊藤，谷口，島谷裁判官の各反対意見がある。

87 法定手続の保障と行政手続(1)《川崎民商事件》
最大判 〔最大判昭和47年11月22日刑集26巻9号554頁〕

【事件】 昭和40年法改正前の旧所得税法63条・70条10号は，収税官吏が所得税に関する調査を実施するについて必要と認めるとき，納税義務者などに質問しまたは帳簿書類その他の物件の検査を行うことができる旨規定しており，帳簿書類などの検査を拒み，妨げまたは忌避した者には1年以下の懲役または20万円以下の罰金を科している。川崎民主商工会会員のYが，昭和37年分所得につき過少申告の疑いがあるとして調査のため派遣された職員に対し，売上帳・仕入帳等の呈示を拒んだために上記規定違反として起訴された。1審・2審有罪（罰金1万円執行猶予2年）。（上告棄却）

【争点】 ①罰則による強制は合理的か。②憲法35条1項（令状主義）の保障は行政手続に及ぶか。③憲法38条1項（自己負罪拒否特権）の保障は行政手続に及ぶか。

【判旨】 〔❶罰則は実効性確保の手段として不合理とはいえない〕
「国家財政の基本となる徴税権の適正な運用を確保し，所得税の公平確実な賦課徴収を図るという公益上の目的を実現するために収税官吏による実効性のある検査制度が欠くべからざるものであることは，何人も否定しがたいものであるところ，その目的，必要性にかんがみれば，右の程度の強制は，実効性確保の手段として，あながち不均衡，不合理なものとはいえない」。〔❷憲法35条1項の保障は行政手続にも及ぶが，令状を要件としない税務調査はその法意に反しない〕「憲法35条1項の規定は，本来，主として刑事責任追及の手続における強制について，それが司法権による事前の抑制の下におかれるべきことを保障した趣旨であるが，当該手続が刑事責任追及を目的とするものでないとの理由

のみで，その手続における一切の強制が当然に右規定による保障の枠外にあると判断することは相当ではない。しかしながら，前に述べた諸点を総合して判断すれば，旧所得税法70条10号，63条に規定する検査は，あらかじめ裁判官の発する令状によることをその一般的要件としないからといって，これを憲法35条の法意に反するものとすることはできず，前記規定を違憲であるとする所論は，理由がない。」〔**❸憲法38条1項の保障は行政手続にも及ぶが，税務調査はその法意に反しない**〕「同法70条12号，63条に規定する質問も同様である…。そして，憲法38条1項の法意が，何人も自己の刑事上の責任を問われるおそれのある事項について供述を強要されないことを保障したものであると解すべきことは，当裁判所大法廷の判例（昭和32年2月20日判決・刑集11巻2号802頁）とするところであるが，右規定による保障は，純然たる刑事手続においてばかりではなく，それ以外の手続においても，実質上，刑事責任追及のための資料の取得収集に直接結びつく作用を一般的に有する手続には，ひとしく及ぶ…。しかし，旧所得税法70条10号，12号，63条の検査，質問の性質が上述のようなものである以上，右各規定そのものが憲法38条1項にいう『自己に不利益な供述』を強要するものとすることはできず，この点の所論も理由がない。」「右条項が刑事手続に関する規定であって直ちに行政手続に適用されるものではない旨の原判断は，右各条項についての解釈を誤ったものというほかないのであるが，旧所得税法70条10号，63条の規定が，憲法35条，38条1項との関係において違憲とはいえないとする原判決の結論自体は正当であるから，この点の憲法解釈の誤りが判決に影響を及ぼさないことは，明らかである。」

【コメント】　上記の趣旨の規定は，現在，国税通則法74条の2，128条2号にある。

88 法定手続の保障と行政手続 (2) 《成田新法訴訟》
最大判〔最大判平成 4 年 7 月 1 日民集 46 巻 5 号 437 頁〕

【事件】いわゆる成田新法は，成田空港の周辺の工作物が暴力主義的破壊活動者の集合等に用いられるのを防ぐための使用禁止命令を認めているが，この命令を受けた X が，その取消し等を求めて出訴した。1 審・2 審請求棄却。（一部破棄自判〔取消請求につき訴え却下〕・その他上告棄却）

【争点】①法定手続の保障は行政手続にも及ぶか。②本件法律はどう評価すべきか。

【判旨】〔❶法定手続の保障は行政手続にも及ぶか，具体的には総合較量して決定すべき〕「憲法 31 条の定める法定手続の保障は，直接には刑事手続に関するものであるが，行政手続については，それが刑事手続ではないとの理由のみで，そのすべてが当然に同条による保障の枠外にあると判断することは相当ではない。」「しかしながら，同条による保障が及ぶと解すべき場合であっても，一般に，行政手続は，刑事手続とその性質においておのずから差異があり，また，行政目的に応じて多種多様であるから，行政処分の相手方に事前の告知，弁解，防御の機会を与えるかどうかは，行政処分により制限を受ける権利利益の内容，性質，制限の程度，行政処分により達成しようとする公益の内容，程度，緊急性等を総合較量して決定されるべきものであって，常に必ずそのような機会を与えることを必要とするものではない」。〔❷本件法律は憲法 31 条の法意に反しない〕「右命令により達成しようとする公益の内容，程度，緊急性等は，…新空港の設置，管理等の安全という国家的，社会経済的，公益的，人道的見地からその確保が極めて強く要請されているものであって，高度かつ緊急の必要性を有するものであることなどを総合較量すれば，右命令をするに当たり，その相手方に対し事前に告知，弁解，防御の機会を与える旨の規定がなくても，本法 3 条 1 項が憲法 31 条の法意に反するものということはできない。」

【コメント】　本判決は，憲法21条1項（集会の自由），22条1項（居住の自由），29条1項・2項（財産権の保障），35条（令状主義の保障）にも詳細に言及している。なお，園部，可部裁判官の各意見がある。

第8章 人身の自由

89 旅券発給の拒否と海外渡航の自由《帆足計事件》
最大判
〔最大判昭和33年9月10日民集12巻13号1969頁〕

【事件】 昭和27年4月3日から10日にかけてモスクワで開催される国際経済会議への招請状を受けた前参議院議員帆足計(ほか1名)が、外務大臣により旅券の発給を拒否され国際会議に出席できなくなった。そこで、国を相手取って国家賠償請求訴訟を提起した。1審・2審請求棄却。(上告棄却)

【争点】 ①海外渡航の自由を憲法は保障しているか。②旅券法13条1項5号(現7号)は合憲か。③本件処分は適法か。

【判旨】 〔❶海外渡航の自由は憲法22条2項が保障している〕「憲法22条2項の『外国に移住する自由』には外国へ一時旅行する自由を含むものと解すべきであるが、外国旅行の自由といえども無制限のままに許されるものではなく、公共の福祉のために合理的な制限に服する」。〔❷当該規定は合理的制限を定めたものである〕「旅券発給を拒否することができる場合として、旅券法13条1項5号が『著しく且つ直接に日本国の利益又は公安を害する虞があると認めるに足りる相当の理由がある者』と規定したのは、外国旅行の自由に対し、公共の福祉のために合理的な制限を定めたものとみることができ、…右規定が漠然たる基準を示す無効のものであるということはできない。」〔❸本件処分は適法である〕「占領下我国の当面する国際情勢の下においては、上告人等〈の出国が旅券法13条1項5号に該当するとの判断に基づく外務大臣の拒否処分〉は、これを違法ということはできない。」

【コメント】 本判決には、海外渡航の自由について「一般的な自由または幸福追求の権利の一部分をなしている」とする田中・下飯坂裁判官の補足意見がある。

90 GPS捜査の適法性
最大判 〔最大判平成29年3月15日刑集71巻3号13頁〕

【事件】　複数人が関係する窃盗・建造物侵入・傷害被告事件において組織性の有無・程度，組織内におけるYの役割を含む犯行の全容を解明する捜査の一環として，約6ヵ月半，Yと共犯者，Yの知人が使用する蓋然性のあった自動車等合計19台に，同人らの承諾なく，かつ令状取得なく，GPS端末を取り付けその所在と移動状況を把握する捜査が実施された。1審は，GPS捜査により直接得られた証拠とこれと密接に関連する証拠の証拠能力を否定したが，その余の証拠に基づき有罪と認定した。2審は，GPS捜査に重大な違法はなかったとして有罪を維持。(Yの上告棄却，有罪確定)

【争点】　①GPS捜査はプライバシーを侵害しうるか。②GPS捜査は刑訴法の根拠規定がなければ許容されない強制処分に当たるか。③GPS捜査は検証令状と捜査令状によって可能か。④GPS捜査により取得した証拠に証拠能力はあるか。

【判旨】　〔❶ **GPS捜査は公権力による私的領域での侵入を伴う**〕「GPS捜査は，対象車両の時々刻々の位置情報を検索し，把握すべく行われるものであるが，その性質上，公道上のもののみならず，個人のプライバシーが強く保護されるべき場所や空間に関わるものも含めて，対象車両及びその使用者の所在と移動状況を逐一把握することを可能にする。このような捜査手法は，個人の行動を継続的，網羅的に把握することを必然的に伴うから，個人のプライバシーを侵害し得るものであり，また，そのような侵害を可能とする機器を個人の所持品に秘かに装着することによって行う点において，公道上の所在を肉眼で把握したりカメラで撮影したりするような手法とは異なり，公権力による私的領域への侵入を伴うものというべきである。」〔❷ **GPS捜査は令状がなければ許容されない処分である**〕「憲法35条…の保障対象には，『住居，書類及び所持品』に限らずこれらに準ずる私的領域に『侵

入』されることのない権利が含まれるものと解するのが相当である。そうすると，前記のとおり，個人のプライバシーの侵害を可能とする機器をその所持品に秘かに装着することによって，合理的に推認される個人の意思に反してその私的領域に侵入する捜査手法であるGPS捜査は，個人の意思を制圧して憲法の保障する重要な法的利益を侵害するものとして，刑訴法上，特別の根拠規定がなければ許容されない強制の処分に当たる…とともに，一般的には，現行犯人逮捕等の令状を要しないものとされている処分と同視すべき事情があると認めるのも困難であるから，令状がなければ行うことのできない処分と解すべきである。」〔❸**検証令状と捜索令状ではGPS捜査による，被疑事実と関係のない使用者の行動の過剰な把握を抑制できず，またこの捜査には事前の令状呈示は性質上なじまず，立法措置を講じるのが望ましい**〕「GPS捜査は，情報機器の画面表示を読み取って対象車両の所在と移動状況を把握する点では刑訴法上の『検証』と同様の性質を有するものの，対象車両にGPS端末を取り付けることにより対象車両及びその使用者の所在の検索を行う点において，『検証』では捉えきれない性質を有することも否定し難い。仮に，検証許可状の発付を受け，あるいはそれと併せて捜索許可状の発付を受けて行うとしても，GPS捜査は，GPS端末を取り付けた対象車両の所在の検索を通じて対象車両の使用者の行動を継続的，網羅的に把握することを必然的に伴うものであって，GPS端末を取り付けるべき車両及び罪名を特定しただけでは被疑事実と関係のない使用者の行動の過剰な把握を抑制することができず，裁判官による令状請求の審査を要することとされている趣旨を満たすことができないおそれがある。さらに，GPS捜査は，被疑者らに知られず秘かに行うのでなければ意味がなく，事前の令状呈示を行うことは想定できない。刑訴法上の各種強制の処分については，手続の公正の担保の趣旨から原則として事前の令状呈示が求められており（同法222条1項，110条），他の手段で同趣旨が図られ得るのであ

れば事前の令状呈示が絶対的な要請であるとは解されないとしても、これに代わる公正の担保の手段が仕組みとして確保されていないのでは、適正手続の保障という観点から問題が残る。」「これらの問題を解消するための手段として、一般的には、実施可能期間の限定、第三者の立会い、事後の通知等様々なものが考えられるところ、捜査の実効性にも配慮しつつどのような手段を選択するかは、刑訴法197条1項ただし書の趣旨に照らし、第一次的には立法府に委ねられていると解される。仮に法解釈により刑訴法上の強制の処分として許容するのであれば、以上のような問題を解消するため、裁判官が発する令状に様々な条件を付す必要が生じるが、事案ごとに、令状請求の審査を担当する裁判官の判断により、多様な選択肢の中から的確な条件の選択が行われない限り是認できないような強制の処分を認めることは、『強制の処分は、この法律に特別の定のある場合でなければ、これをすることができない』と規定する同項ただし書の趣旨に沿うものとはいえない。」「以上のとおり、GPS捜査について、刑訴法197条1項ただし書の『この法律に特別の定のある場合』に当たるとして同法が規定する令状を発付することには疑義がある。GPS捜査が今後も広く用いられ得る有力な捜査手法であるとすれば、その特質に着目して憲法、刑訴法の諸原則に適合する立法的な措置が講じられることが望ましい。」〔**❹ GPS捜査によって直接得られた証拠とこれと密接な関連性を有する証拠には証拠能力はない**〕「本件GPS捜査によって直接得られた証拠及びこれと密接な関連性を有する証拠の証拠能力を否定する一方で、その余の証拠につき、同捜査に密接に関連するとまでは認められないとして証拠能力を肯定し、これに基づき被告人を有罪と認定した第1審判決は正当であり、第1審判決を維持した原判決の結論に誤りはないから、原判決の前記法令の解釈適用の誤りは判決に影響を及ぼすものではないことが明らかである。」

【コメント】 本判決には、岡部・大谷・池上裁判官の補足意見がある。

91 別件逮捕・取調の違法性《狭山事件》
最決
〔最2小決昭和52年8月9日刑集31巻5号821頁〕

【事件】 昭和38年に埼玉県狭山市で起きた身代金誘拐殺人事件に関連して、Yは恐喝容疑で逮捕され、取調べによって自供した。公判で自供を撤回し、無実を訴えたが、1審は有罪、死刑、2審は無期懲役に減刑。被告人上告。（上告棄却、確定）

【争点】 別件逮捕・取調は合憲か。

【決定要旨】 〔別件逮捕・取調は合憲〕「第一次逮捕・勾留は、その基礎となった被疑事実について逮捕・勾留の理由と必要性があったことは明らかである。そして、『別件』中の恐喝未遂と『本件』とは社会的事実として一連の密接な関連があり、『別件』の捜査として事件当時の〈Y〉の行動状況について〈Y〉を取調べることは、他面においては『本件』の捜査ともなるのであるから、第一次逮捕・勾留中に『別件』のみならず『本件』についても〈Y〉を取調べているとしても、それは、専ら『本件』のためにする取調というべきではなく、『別件』について当然しなければならない取調をしたものにほかならない。それ故、第一次逮捕・勾留は、専ら、いまだ証拠の揃っていない『本件』について〈Y〉を取調べる目的で、証拠の揃っている『別件』の逮捕・勾留に名を借り、その身柄の拘束を利用して、『本件』について逮捕・勾留して取調べるのと同様な効果を得ることをねらいとしたものである、とすることはできない。」「しかも、第一次逮捕・勾留当時『本件』について逮捕・勾留するだけの証拠が揃っておらず、その後に発見、収集した証拠を併せて事実を解明することによって、初めて『本件』について逮捕・勾留の理由と必要性を明らかにして、第二次逮捕・勾留を請求することができるに至ったもの…であるから、『別件』と『本件』とについて同時に

逮捕・勾留して捜査することができるのに、専ら、逮捕・勾留の期間の制限を免れるため罪名を小出しにして逮捕・勾留を繰り返す意図のもとに、各別に請求したものとすることはできない。」

92 迅速な裁判《高田事件》
最大判
〔最大判昭和47年12月20日刑集26巻10号631頁〕

【事件】　Yらは、住居侵入、放火予備等を内容とする一連の刑事訴追事件の被告人であったが、第1審の名古屋地裁で併合したり分離したりして審理が行われているうち、昭和28年6月18日ないし昭和29年3月4日の公判期日を最後に審理が中断され、その後15年余りも経た昭和44年6月10日ないし同年9月25日にようやく審理が再開された。再開後の公判でYらは憲法37条1項を援用し、名古屋地裁はこれをいれて免訴の判決を言い渡した。しかし検察側が控訴し、控訴審は原判決を破棄したため、Yらが上告した。（破棄自判、免訴）

【争点】　①憲法37条1項の迅速な裁判をうける権利は、具体的権利として認められるか。②具体的刑事事件における審理の遅延が迅速な裁判保障規定に違反する場合。③本件はどう判断すべきか。④どう審理を打ち切るか。

【判旨】　〔❶迅速な裁判をうける権利は具体的権利である〕「憲法37条1項の保障する迅速な裁判をうける権利は、…単に迅速な裁判を一般的に保障するために必要な立法上および司法行政上の措置をとるべきことを要請するにとどまらず、さらに個々の刑事事件について、現実に右の保障に明らかに反し、審理の著しい遅延の結果、迅速な裁判をうける被告人の権利が害せられたと認められる異常な事態が生じた場合には、これに対処すべき具体的規定がなくても、もはや当該被告人に対する手続の続行を許さず、その審理を打ち切るという非常救済手段がとられるべきことをも認めている趣旨の規定である」。「刑事事件について審理が著しく遅延するときは、被告人としては長期間罪責の有無未定のま

ま放置されることにより，ひとり有形無形の社会的不利益を受けるばかりでなく，当該手続においても，被告人または証人の記憶の減退・喪失，関係人の死亡，証拠物の滅失などをきたし，ために被告人の防禦権の行使に種々の障害を生ずることをまぬがれず，ひいては，刑事司法の理念である，事実の真相を明らかにし，罪なき者を罰せず罪ある者を逸せず，刑罰法令を適正かつ迅速に適用実現するという目的を達することができないことともなる」。「審理の著しい遅延の結果，迅速な裁判の保障条項によって憲法がまもろうとしている被告人の諸利益が著しく害せられると認められる異常な事態が生ずるに至った場合には，…これ以上実体的審理を進めることは適当でないから，その手続をこの段階において打ち切るという非常の救済手段を用いることが憲法上要請される」。〔❷37条1項違反は諸般の事情を総合的に判断して決せられる〕「具体的刑事事件における審理の遅延が右の保障条項に反する事態に至っているか否かは，遅延の期間のみによって一律に判断されるべきではなく，遅延の原因と理由などを勘案して，その遅延がやむをえないものと認められないかどうか，これにより右の保障条項がまもろうとしている諸利益がどの程度実際に害せられているかなど諸般の情況を総合的に判断して決せられなければならない…。しかし，少なくとも検察官の立証がおわるまでの間に訴訟進行の措置が採られなかった場合において，被告人側が積極的に期日指定の申立をするなど審理を促す挙に出なかったとしても，その一事をもって，被告人が迅速な裁判をうける権利を放棄したと推定することは許されない」。〔❸本件は明らかに違反する〕「本件は，昭和44年第1審裁判所が公判手続を更新した段階においてすでに，憲法37条1項の迅速な裁判の保障条項に明らかに違反した異常な事態に立ち至っていた」。〔❹免訴の言渡が相当〕「審理を打ち切る方法については現行法上よるべき具体的な明文の規定はないのであるが，…これ以上実体的審理を進めることは適当でないから，判決で免訴の言渡をするのが相当である。」

【コメント】 本判決には天野裁判官の反対意見がある。

93 遮蔽措置・ビデオリンク方式の合憲性
最判
〔最1小判平成17年4月14日刑集59巻3号259頁〕

【事件】 傷害・強姦被告事件の被告Yは、1審での証人尋問の際に「ビデオリンク方式」および「遮蔽措置」が採られ、それを証拠として下された1審の有罪判決は違法だと主張し、控訴したが、2審で控訴を棄却されたので、上告に及んだ。(上告棄却、被告人有罪確定)

【争点】 刑訴法157条の3「遮蔽措置」および刑訴法157条の4「ビデオリンク方式」は、憲法82条1項、37条1項（裁判の公開）、同37条2項（被告人の審問権）に違反しないか。

【判旨】 〔これら措置・方式はいずれも合憲〕「証人尋問が公判期日において行われる場合、傍聴人と証人との間で遮へい措置が採られ、あるいはビデオリンク方式によることとされ、さらには、ビデオリンク方式によった上で傍聴人と証人との間で遮へい措置が採られても、審理が公開されていることに変わりはないから、これらの規定は、憲法82条1項、37条1項に違反するものではない。」「また、証人尋問の際、被告人から証人の状態を認識できなくする遮へい措置が採られた場合、被告人は、証人の姿を見ることはできないけれども、供述を聞くことはでき、自ら尋問することもでき、さらに、この措置は、弁護人が出頭している場合に限り採ることができるのであって、弁護人による証人の供述態度等の観察は妨げられないのであるから、…被告人の証人審問権は侵害されていない」。「ビデオリンク方式によることとされた場合には、被告人は、映像と音声の送受信を通じてであれ、証人の姿を見ながら供述を聞き、自ら尋問することができるのであるから、被告人の証人審問権は侵害されていない」。「さらには、ビデオリンク方式によった上で被告人から証人の状態を認識できなくする遮へい措置が採られても…やはり被告人の証人審問権は

侵害されていない…ことは同様で…憲法37条2項前段に違反するものでもない。」

94 自動車事故報告義務と自白強制の禁止
最大判〔最大判昭和37年5月2日刑集16巻5号495頁〕

【事件】　昭和33年10月, Yは自動車を運転中に自転車に乗ったAをはねて, 無免許運転・重過失致死のほかに, 道路交通取締法〈現・道路交通法〉所定の救護・報告義務違反で起訴された。1審・2審有罪。(上告論旨に理由なし)

【争点】　交通事故報告義務は憲法38条1項の自己負罪拒否特権を侵害するか。

【判旨】　〔刑事責任を問われるおそれのある事項が報告義務に含まれないので違憲ではない〕「道路交通取締法は, 道路における危険防止及びその他交通の安全を図ることを目的とするものであり, 法24条1項は, その目的を達成するため, 車馬又は軌道車の交通に因り人の殺傷等, 事故の発生した場合において右交通機関の操縦者又は乗務員その他の従業者の講ずべき必要な措置に関する事項を命令の定めるところに委任し, その委任に基づき, 同法施行令67条は, …交通事故発生の場合において, 右操縦者, 乗務員その他の従業者の講ずべき応急措置を定めているに過ぎない。法の目的に鑑みるときは, 令同条は, 警察署をして, 速に, 交通事故の発生を知り, 被害者の救護, 交通秩序の回復につき適切な措置を執らしめ, 以って道路における危険とこれによる被害の増大とを防止し, 交通の安全を図る等のため必要かつ合理的な規定として是認せられねばならない。しかも, 同条2項掲記の『事故内容』とは, その発生した日時, 場所, 死傷者の数及び負傷の程度並に物の損壊及びその程度等, 交通事故の態様に関する事項を指す…。したがって, 右操縦者, 乗務員その他の従業者は, 警察官が交通事故に対する前叙の処理をなすにつき必要な限度においてのみ, 右報告義務を負担するのであって, それ以上, 所論

の如くに，刑事責任を問われる虞のある事故の原因その他の事項までも右報告義務ある事項中に含まれるものとは，解せられない。」

【コメント】 本判決には，奥野，山田裁判官の各補足意見がある。

95 偽計によって得られた自白の採用と証拠排除法則
最大判
〔最大判昭和45年11月25日刑集24巻12号1670頁〕

【事件】 被告人夫妻は拳銃の不法所持の捜査を受け，妻は，自分の一存で購入，所持していた旨を自供した。ところが取調べに当たった検察官は，夫と共謀して購入，所持したとの自白を妻がしているとウソを述べて夫に共謀の自白を迫り，夫がその旨の自白をすると，それをもとに妻にも共謀の自白を迫り，結局双方から共謀の自白を得て起訴した。（有罪判決を破棄差戻し〔無罪〕）

【争点】 ①偽計によって得た自白を採用することは憲法38条2項に違反しないか。②本件自白は偽計によるものか。

【判旨】 〔❶偽計による自白の証拠能力は否定すべき〕「捜査手続といえども，憲法の保障下にある刑事手続の一環である以上，刑訴法1条所定の精神に則り，公共の福祉の維持と個人の基本的人権の保障とを全うしつつ適正に行なわれるべきものであることにかんがみれば，捜査官が被疑者を取り調べるにあたり偽計を用いて被疑者を錯誤に陥れ自白を獲得するような尋問方法を厳に避けるべきであることはいうまでもない…が，もしも偽計によって被疑者が心理的強制を受け，その結果虚偽の自白が誘発されるおそれのある場合には，右の自白はその任意性に疑いがあるものとして，証拠能力を否定すべきであり，このような自白を証拠に採用することは，刑訴法319条1項の規定に違反し，ひいては憲法38条2項にも違反する」。〔❷本件自白は偽計によるものとの疑いが濃厚〕「本件においては前記のような偽計によって被疑者が心理的強制を受け，虚偽の自白が誘発されるおそれのある疑い

が濃厚であり、もしそうであるとするならば、前記尋問によって得られた被告人の検察官に対する自白及びその影響下に作成された司法警察員に対する自白調書は、いずれも任意性に疑いがある」。

96 違法収集証拠の証拠能力《ポケット所持品検査事件》
最判
〔最1小判昭和53年9月7日刑集32巻6号1672頁〕

【事件】職務質問中の警官が、Yの承諾を得ないで上衣左側内ポケットに手を入れ覚醒剤を発見したので、Yは覚せい剤不法所持等で起訴された。1審・2審覚せい剤不法所持につき無罪。(破棄差戻し)

【争点】①職務質問にともなう令状なき所持品検査の限界はどこにあるか。②違法に収集された物に証拠能力はあるか。

【判旨】〔❶令状なき所持品検査も認められる場合がある〕「警職法2条1項に基づく職務質問に附随して行う所持品検査は、任意手段として許容されるものであるから、所持人の承諾を得てその限度でこれを行うのが原則であるが…強制にわたらない限り、たとえ所持人の承諾がなくても、所持品検査の必要性、緊急性、これによって侵害される個人の法益と保護されるべき公共の利益との権衡などを考慮し、具体的状況のもとで相当と認められる限度において許容される場合がある」。「本件の具体的な状況のもとにおいては、相当な行為とは認めがたい。…本件証拠物の差押手続は違法…である。」〔❷違法収集証拠は重大な違法がある場合は証拠能力は否定される〕「〈証拠物〉の押収手続に違法があるとして直ちにその証拠能力を否定することは、事案の真相の究明に資するゆえんではなく、相当でない…。しかし、…証拠物の押収等の手続に、憲法35条及びこれを受けた刑訴法218条1項等の所期する令状主義の精神を没却するような重大な違法があり、これを証拠として許容することが、将来における違法な捜査の抑制の見地からして相当でないと認められる場合においては、その証拠能

力は否定される」。「本件証拠物の押収手続の違法は必ずしも重大であるとはいえないのであり，…本件証拠物の証拠能力はこれを肯定すべきである。」

97 死刑の合憲性
最大判　〔最大判昭和23年3月12日刑集2巻3号191頁〕

【事件】　Yは妹と母を殺害したとして刑法199条（普通殺人）・200条（尊属殺人）等の罪で起訴された。1審・2審有罪（死刑）。（上告棄却）

【争点】　死刑は憲法36条の「残虐な刑罰」に該当するか。

【判旨】　〔死刑そのものが直ちに残虐な刑罰に該当するとは考えられない〕「生命は尊貴である。一人の生命は，全地球よりも重い。死刑は，まさにあらゆる刑罰のうちで最も冷厳な刑罰であり，またまことにやむを得ざるに出ずる窮極の刑罰である。それは言うまでもなく，尊厳な人間存在の根元である生命そのものを永遠に奪い去るものだからである。…まず，憲法第13条においては，…公共の福祉という基本的原則に反する場合には，生命に対する国民の権利といえども立法上制限乃至剥奪されることを当然予想している」。「さらに，憲法第31条によれば，国民個人の生命の尊貴といえども，法律の定める適理の手続によって，これを奪う刑罰を科せられることが，明かに定められている。」「死刑の威嚇力によって一般予防をなし，死刑の執行によって特殊な社会悪の根元を絶ち，これをもって社会を防衛せんとしたものであり，また個体に対する人道観の上に全体に対する人道観を優位せしめ，結局社会公共の福祉のために死刑制度の存続の必要性を承認したものと解せられる」。「刑罰としての死刑そのものが，一般に直ちに同条にいわゆる残虐な刑罰に該当するとは考えられない。ただ死刑といえども，…その執行の方法等がその時代と環境とにおいて人道上の見地から一般に残虐性を有するものと認められる場合には，勿論これを残虐な刑罰といわねばならぬから，将

来若し死刑について火あぶり，はりつけ，さらし首，釜ゆでの刑のごとき残虐な執行方法を定める法律が制定されたとするならば，その法律こそは，まさに憲法第36条に違反する」。

【コメント】　本判決には，島・藤田・岩松・河村，井上裁判官の各意見がある。なお，刑法200条は平成7年に削除されている（法91）。

第9章 国務請求権

98 最大決 裁判の公開
〔最大決昭和35年7月6日民集14巻9号1657頁〕

【事件】 XらとYとの間の家屋明渡・占有回収の訴えにつき、裁判所は職権で借地借家調停法および戦時民事特別法（いずれも現在は廃止）による調停に付し、Yが8ヵ月の猶予後家屋を明け渡す旨の調停に代わる裁判（原決定）をした。Xの抗告に対して、抗告審は抗告棄却、再抗告審も棄却したので、最高裁に特別抗告した。（原決定破棄、抗告審の決定取消差戻し）

【争点】 ①純然たる訴訟事件の非公開裁判は憲法32条・82条に違反するか。②本件裁判は非公開を必要とするか。

【決定要旨】 〔❶憲法32条・82条に違反する〕「憲法は一方において、基本的人権として裁判請求権を認め、何人も裁判所に対し裁判を請求して司法権による権利、利益の救済を求めることができることとすると共に、他方において、純然たる訴訟事件の裁判については、…公開の原則の下における対審及び判決によるべき旨を定めた」。「若し性質上純然たる訴訟事件につき、当事者の意思いかんに拘わらず終局的に、事実を確定し当事者の主張する権利義務の存否を確定するような裁判が、憲法所定の例外の場合を除き、公開の法廷における対審及び判決によってなされないとするならば、それは憲法82条に違反すると共に、同32条が基本的人権として裁判請求権を認めた趣旨をも没却する」。
〔❷本件裁判は公開が必要である〕「本件訴は、…純然たる訴訟事件であることは明瞭である。しかるに、このような本件訴に対し…調停に代わる裁判をすることを正当としている…各裁判所の判断は…憲法82条、32条に照らし、違憲たるを免れない。」

【コメント】 本判決には、藤田・入江・高木、下飯坂、奥野裁判官の各補足意見、小谷、池田、河村裁判官の各意見、

島・石坂，斎藤（田中・高橋同調），垂水裁判官の各反対意見がある。

99 郵便法の国家賠償免責・制限規定と憲法17条
最大判〔最大判平成14年9月11日民集56巻7号1439頁〕

【事件】X社はAとの裁判で勝訴し，Aの某銀行支店の預金債権の差押命令の申立てを行った。裁判所はその命令正本を支店に対し特別送達したが，その際郵便局員のミスで送達が遅れ，そのためそれを察知したAが債権の回収を行ったことにより，相当額の損害を被ったとして，国に対して賠償請求を行った。しかし1，2審は郵便法の免責・制限規定を理由に請求を棄却したので，同規定の違憲を争って上告した。（破棄差戻し）

【争点】①憲法17条の趣旨。②郵便法68条・73条（当時）の目的は正当か。③郵便法68条・73条に規定された手段に合理性・必要性はあるか。

【判旨】〔❶憲法17条は具体的内容を立法府の政策判断にゆだねているが，白紙委任を認めるものではない〕「憲法17条は，…その保障する国又は公共団体に対し損害賠償を求める権利については，法律による具体化を予定している。これは，公務員の行為が権力的な作用に属するものから非権力的な作用に属するものにまで及び，公務員の行為の国民へのかかわり方には種々多様なものがあり得ることから，国又は公共団体が公務員の行為による不法行為責任を負うことを原則とした上，公務員のどのような行為によりいかなる要件で損害賠償責任を負うかを立法府の政策判断にゆだねたものであって，立法府に無制限の裁量権を付与するといった法律に対する白紙委任を認めているものではない。そして，公務員の不法行為による国又は公共団体の損害賠償責任を免除し，又は制限する法律の規定が同条に適合するものとして是認されるものであるかどうかは，当該行為の態様，これによって侵害される法的利益の種類及び侵害の程度，免責又は責任制限の範

囲及び程度等に応じ，当該規定の目的の正当性並びにその目的達成の手段として免責又は責任制限を認めることの合理性及び必要性を総合的に考慮して判断すべきである。」」〔❷ 68条・73条の目的は正当〕「法68条，73条は，その規定の文言に照らすと，郵便事業を運営する国は，法68条1項各号に列記されている場合に生じた損害を，同条2項に規定する金額の範囲内で，差出人又はその承諾を得た受取人に対して賠償するが，それ以外の場合には，債務不履行責任であると不法行為責任であるとを問わず，一切損害賠償をしないことを規定した」。「法は，『郵便の役務をなるべく安い料金で，あまねく，公平に提供することによって，公共の福祉を増進すること』を目的として制定されたものであり（法1条），法68条，73条が規定する免責又は責任制限もこの目的を達成するために設けられたものである…。すなわち，郵便官署は，限られた人員と費用の制約の中で，日々大量に取り扱う郵便物を，送達距離の長短，交通手段の地域差にかかわらず，円滑迅速に，しかも，なるべく安い料金で，あまねく，公平に処理することが要請されているのである。仮に，その処理の過程で郵便物に生じ得る事故について，すべて民法や国家賠償法の定める原則に従って損害賠償をしなければならないとすれば，それによる金銭負担が多額となる可能性があるだけでなく，千差万別の事故態様，損害について，損害が生じたと主張する者らに個々に対応し，債務不履行又は不法行為に該当する事実や損害額を確定するために，多くの労力と費用を要することにもなるから，その結果，料金の値上げにつながり，上記目的の達成が害されるおそれがある。」「したがって，上記目的の下に運営される郵便制度が極めて重要な社会基盤の1つであることを考慮すると，法68条，73条が郵便物に関する損害賠償の対象及び範囲に限定を加えた目的は，正当なものである」。〔❸-1（**書留郵便物の場合**）**故意または重過失の場合の免責・責任制限は合理性がなく違憲**〕「書留郵便物も大量であり，限られた人員と費用の制約の中で処理されなければならな

いものであるから、…郵便業務従事者の軽過失による不法行為に基づき損害が生じたにとどまる場合には、法68条、73条に基づき国の損害賠償責任を免除し、又は制限することは、やむを得ないものであり、憲法17条に違反するものではない」。「しかしながら、…郵便業務従事者の故意又は重大な過失による不法行為についてまで免責又は責任制限を認める規定に合理性があるとは認め難い。」「憲法17条が立法府に付与した裁量の範囲を逸脱したものであるといわざるを得ず、同条に違反し、無効である」。〔❸-2（特別送達郵便物の場合）軽過失の場合の免責・責任制限は合理性がなく違憲〕「特別送達郵便物については、郵便業務従事者の軽過失による不法行為から生じた損害の賠償責任を肯定したからといって、直ちに、その目的の達成が害されるということはできず、上記各条に規定する免責又は責任制限に合理性、必要性があるということは困難であり、そのような免責又は責任制限の規定を設けたことは、憲法17条が立法府に付与した裁量の範囲を逸脱したものである」。「そうすると、…特別送達郵便物について、郵便業務従事者の軽過失による不法行為に基づき損害が生じた場合に、国家賠償法に基づく国の損害賠償責任を免除し、又は制限している部分は、憲法17条に違反し、無効である」。

【コメント】　本判決には、滝井裁判官の補足意見、福田・深澤、横尾、上田裁判官の意見がある。なお判決後国会は郵便法改正を行い、同法68条に3項を加えるなどの修正で対応した（平14法121。現50条3項～5項がこれに相当）。

100 ハンセン病患者隔離政策と国家賠償責任
地判　〔熊本地判平成13年5月11日判例時報1748号30頁〕

【事件】　1953年制定の「らい予防法」（「新法」）は、旧法を引き継ぎ、当時の医学上の知見を無視して患者の強制隔離や外出制限等を定め、その後のWHOの勧告を含む内外の認識の変化にもかかわらず、1996年まで廃止されなかった。国立療養

所に入所していたXら127名は，国に対して，隔離政策の違法，「新法」の立法行為またはその後の立法不作為の違法などを理由に国家賠償を求めた。（請求一部認容。国が控訴せず確定）

【争点】 ①強制隔離等は合憲か。②違憲性は明白か。③隔離政策等は国家賠償法の要件をみたすか。

【判旨】 〔❶憲法13条が保障する人格権を侵害する〕「新法の隔離規定によってもたらされる人権の制限は，居住・移転の自由という枠内で的確に把握し得るものではない。…より広く憲法13条に根拠を有する人格権そのものに対するものととらえるのが相当である。」「患者の隔離がもたらす影響の重大性にかんがみれば，〈公共の福祉による合理的な制限〉を認めるには最大限の慎重さをもって望むべきであり，伝染予防のために患者の隔離以外に適当な方法がない場合でなければならず，しかも，極めて限られた特殊な疾病にのみ許される」。〔❷違憲性は明白〕「新法の隔離規定は，新法制定当時から既に，ハンセン病予防上の必要を超えて過度な人権の制限を課すものであ〈つ〉た」。「遅くとも昭和35年には，新法の隔離規定は，その合理性を支える根拠を全く欠く状況に至っており，その違憲性は明白となっていた」。〔❸国家賠償法の要件をみたす〕「〈厚生大臣の隔離政策遂行は違法で過失あり〉。」「他にはおよそ想定し難いような極めて特殊で例外的な場合として，遅くとも昭和40年以降に新法の隔離規定を改廃しなかった国会議員の立法上の不作為につき，国家賠償法上の違法性を認めるのが相当である。」「国会議員の過失も優にこれを認めることができる。」

【コメント】 この判決後，2001年に議員立法で「ハンセン病療養所入所者等に対する補償金の支給等に関する法律」（平13法63）が，2008年には「ハンセン病問題の解決の促進に関する法律」（平20法82）が制定された。

第10章 社会権

101 生存権の性格(1)《朝日訴訟地裁判決》
地判
〔東京地判昭和35年10月19日行裁例集11巻10号2921頁〕

【事件】戦前から重症の結核で国立岡山療養所に入院していた朝日茂氏は、生活保護法に基づく医療扶助および生活扶助を受けていたところ、実兄から毎月1500円の送金を受けることになった。そこで津山市社会福祉事務所長は、日用品費の生活扶助600円を打ち切り、兄からの送金額からその600円を控除した残額900円を医療費の一部として朝日氏に負担させる保護変更決定をした。これに対する不服申立を却下された朝日氏が厚生大臣の裁決の取消を求め出訴した。(請求認容、被告側控訴) ⇒**102**

【争点】①憲法25条の内容。②生活保護法は憲法25条1項に基づく保護の実施を請求する権利を賦与しているか。③「健康で文化的な最低限度の生活」は法的に確定しうるか。④「健康で文化的な最低限度の生活」を判定する際の留意点。⑤本件保護変更決定は「健康で文化的な最低限度の生活」保障に違反しないか。

【判旨】〔❶ 25条は法的効力をもつ〕「憲法第25条第1項は国に対しすべて国民が健康で文化的な最低限度の生活を営むことができるように積極的な施策を講ずべき責務を課して国民の生存権を保障し、同条第2項は同条第1項の責務を遂行するために国がとるべき施策を列記したものである。…もし国にしてこれらの条項の規定するところに従いとるべき施策をとらないときはもとより、その施策として定め又は行うすべての法律命令又は処分にしてこの憲法の条規の意味するところを正しく実現するものでないときは、ひとしく本条の要請をみたさないものとの批判を免れないのみならず、もし国がこの生存権の実現に努力すべき責務に違反して生存権の実現に障害となるような行為をするときは

かかる行為は無効と解しなければならない。」〔❷生活保護法は憲法25条を現実化し具体化したもので，請求権を賦与している〕「生活保護法…は国がまさにこの憲法第25条の明定する生存権保障の理念に基いて困窮者の生活保護制度を，同条第2項にいう社会保障の一環として，国の直接の責任において実現しようとするものであり，憲法の前記規定を現実化し，具体化したものに外ならない（同法第1条参照）。〈同法第2条の平等保護規定〉は同法に定める保護を受ける資格をそなえる限り何人に対しても単に国の事実上の保護行為による反射的利益を享受させるにとどまらず，積極的に国に対して同法第3条の規定するような『健康で文化的な生活水準』を維持することができる最低限度の生活を保障する保護の実施を請求する権利，すなわち保護請求権を賦与することを規定したものと解すべきである。…したがって，保護実施機関が現に保護を受けている者あるいは保護の開始を申請した者の保護請求権を不当に侵害するような処分をした場合においては，右処分が違法とされる」。〔❸「健康で文化的な最低限度の生活」は法的に確定できる〕「〈生活保護法8条2項にいう〉『最低限度の生活』とは，同法第3条によれば『健康で文化的な生活水準』を維持することができるものでなければならない。…これが憲法25条第1項に由来することは多言をまたないところであり，『健康で文化的な』とは決してたんなる修飾ではなく，その概念にふさわしい内実を有するものでなければならない…。それは生活保護法がその理想を具体化した憲法第25条の規定の前述のような沿革からいっても，国民が単に辛うじて生物としての生存を維持できるという程度のものであるはずはなく，必ずや国民に『人間に値する生存』あるいは『人間としての生活』といい得るものを可能ならしめるような程度のものでなければならない」。「その具体的な内容は決して固定的なものではなく通常は絶えず進展向上しつつあるものであると考えられるが，それが人間としての生活の最低限度という一線を有する以上理論的には特定の国における特

定の時点においては一応客観的に決定すべきものであり，またしうるものである…。もちろん，具体的にいかなる程度の生活水準をもってここにいう『健康で文化的な生活水準』と解すべきかはそれが単なる数額算定の問題にとどまらず微妙な価値判断を伴う…。しかしそれはあくまで前記憲法から由来する右法第3条第8条第2項に規定せられるところを逸脱することを得ないものであり，その意味においてはいわゆる覊束行為というべきものである。」〔❹3点の注意事項がある〕「最低限度の生活水準を判定するについて注意すべきことの一は，現実の国内における最低所得層，たとえば低賃金の日雇労働者，零細農漁業者等いわゆるボーダー・ラインに位する人々が現実に維持している生活水準をもって直ちに生活保護法の保障する『健康で文化的な生活水準』に当ると解してはならない…。…その二はその時々の国の予算の配分によって左右さるべきものではない…。…最低限度の水準は決して予算の有無によって決定されるものではなく，むしろこれを指導支配すべきものである。その意味では決して相対的ではない。そしてその三は『健康で文化的な生活水準』は国民の何人にも全的に保障されねばならないものとして観念しなければならない」。〔❺本件保護決定変更は違法〕「本件保護基準は要保護患者につきさきに述べたような趣旨においての『健康で文化的な生活水準』を維持することができる程度のものとはいいがたい…。それがいくらでなければならないかはここで決定することは必要でなく，また相当でもない。しかし右のような生活水準を維持するに足りないという限度で，それは生活保護法第8条第2項，第3条に違反するものといわざるをえない。してみればこのような保護基準に基〈づく〉…本件保護変更決定はそれだけですでに違法ということができる。」

102 生存権の性格 (2)《朝日訴訟最高裁判決》
最大判

〔最大判昭和42年5月24日民集21巻5号1043頁〕

【事件】 **101**の上告審。2審で請求を棄却されたため原告側は上告したが，上告中に朝日茂氏は死亡し，同人の相続人が後を継いだ。(訴訟終了)

【争点】 ①生活保護法に基づき生活保護を受ける権利は相続の対象か。②憲法25条1項は具体的権利規定か。③生活保護基準の設定は厚生大臣〈現・厚生労働大臣〉の裁量事項か。④本件生活保護基準は適法か。

【判旨】 〔❶生活保護を受ける権利は相続の対象とならない〕「生活保護法の規定に基づき要保護者または被保護者が国から生活保護を受けるのは，単なる国の恩恵ないし社会政策の実施に伴う反射的利益ではなく，法的権利であって，保護受給権とも称すべきもの…である。しかし，この権利は，被保護者自身の最低限度の生活を維持するために当該個人に与えられた一身専属の権利であって，他にこれを譲渡し得ないし（59条参照），相続の対象ともなり得ない…。また，被保護者の生存中の扶助ですでに遅滞にあるものの給付を求める権利についても，医療扶助の場合はもちろんのこと，金銭給付を内容とする生活扶助の場合でも，それは当該被保護者の最低限度の生活の需要を満たすことを目的とするものであって，法の予定する目的以外に流用することを許さないものであるから，当該被保護者の死亡によって当然消滅し，相続の対象となり得ない…。また，所論不当利得返還請求権は，保護受給権を前提としてはじめて成立するものであり，その保護受給権が右に述べたように一身専属の権利である以上，相続の対象となり得ない」。「されば，本件訴訟は，上告人の死亡と同時に終了し，同人の相続人朝日健二，同君子の両名においてこれを承継し得る余地はない」。〈❷以下は，「なお，念のために，本件生活扶助基準の適否に関する当裁判所の意見を付加する」として示された。〉〔❷憲法25条1項は具体的権利規定ではない〕「〈憲法25

条1項)の規定は、すべての国民が健康で文化的な最低限度の生活を営み得るように国政を運営すべきことを国の責務として宣言したにとどまり、直接個々の国民に対して具体的権利を賦与したものではない…。具体的権利としては、憲法の規定の趣旨を実現するために制定された生活保護法によって、はじめて与えられている…。生活保護法は、『この法律の要件』を満たす者は、『この法律による保護』を受けることができると規定し（2条参照)、その保護は、厚生大臣の設定する基準に基づいて行なうものとしているから（8条1項参照)、右の権利は、厚生大臣が最低限度の生活水準を維持するにたりると認めて設定した保護基準による保護を受け得ることにある」。〔❸生活保護基準の設定は厚生大臣の裁量事項〕「もとより、厚生大臣の定める保護基準は、法8条2項所定の事項を遵守したものであることを要し、結局には憲法の定める健康で文化的な最低限度の生活を維持するにたりるものでなければならない。しかし、健康で文化的な最低限度の生活なるものは、抽象的な相対的概念であり、その具体的内容は、文化の発達、国民経済の進展に伴って向上するのはもとより、多数の不確定的要素を総合考量してはじめて決定できる…。したがって、何が健康で文化的な最低限度の生活であるかの認定判断は、いちおう、厚生大臣の合目的的な裁量に委されており、その判断は、当不当の問題として政府の政治責任が問われることはあっても、直ちに違法の問題を生ずることはない。ただ、現実の生活条件を無視して著しく低い基準を設定する等憲法および生活保護法の趣旨・目的に反し、法律によって与えられた裁量権の限界をこえた場合または裁量権を濫用した場合には、違法な行為として司法審査の対象となる」。「原判決は、保護基準設定行為を行政処分たる羈束裁量行為であると解し、なにが健康で文化的な最低限度の生活であるかは、厚生大臣の専門技術的裁量に委されていると判示し、その判断の誤りは、法の趣旨・目的を逸脱しないかぎり、当不当の問題にすぎないものであるとした。羈束裁量行為といって

も行政庁に全然裁量の余地が認められていないわけではないので，原判決が保護基準設定行為を覊束裁量行為と解しながら，そこに厚生大臣の専門技術的裁量の余地を認めたこと自体は，理由齟齬の違法をおかしたものではない。また，原判決が本件生活保護基準の適否を判断するにあたって考慮したいわゆる生活外的要素というのは，当時の国民所得ないしその反映である国の財政状態，国民の一般的生活水準，都市と農村における生活の格差，低所得者の生活程度とこの層に属する者の全人口において占める割合，生活保護を受けている者の生活が保護を受けていない多数貧困者の生活より優遇されているのは不当であるとの一部の国民感情および予算配分の事情である。以上のような諸要素を考慮することは，保護基準の設定について厚生大臣の裁量のうちに属することであって，その判断については，法の趣旨・目的を逸脱しないかぎり，当不当の問題を生ずるにすぎないのであって，違法の問題を生ずることはない。」〔❹**本件保護基準は適法**〕「原判決の確定した事実関係の下においては，本件生活扶助基準が入院入所患者の最低限度の日用品費を支弁するにたりるとした厚生大臣の認定判断は，与えられた裁量権の限界をこえまたは裁量権を濫用した違法があるものとはとうてい断定することができない。」

【コメント】　本判決には，田中（二），松田・岩田（草鹿同調）裁判官の各反対意見があり，上告人は本件裁決の取消を条件とする不当利得返還請求権を国に対してもつことになるが，この条件付権利は，一身専属的な保護受給権とは別個のものであって相続性を有するから，本件訴訟の承継を肯認すべきだとする。これに対してはさらに奥野補足意見が否定的見解を述べている。

103 児童扶養手当と年金の併給制限(1)《堀木訴訟高裁判決》

[大阪高判昭和50年11月10日行裁例集26巻10＝11号1268頁]

【事件】 堀木姓のXは全盲で，国民年金法（昭60法34による改正前のもの）に基づく障害福祉年金を受給していたが，夫と離婚後次男を養育しているので児童扶養手当法（昭48法93による改正前のもの）により，児童扶養手当の支給認定を知事Yに申請した。ところがYは，児童扶養手当法4条3項（「…手当は，母に対する手当にあっては当該母が，…養育者に対する手当にあっては当該養育者が，次の各号のいずれかに該当するときは，支給しない。…／二 …公的年金給付を受けることができるとき。ただし，その全額につきその支給が停止されているときを除く。」）（当時）に基づきXの申請を却下し，XはYに異議申立てをしたが，Yは棄却決定をしたので，Xがその取消と認定の義務付けを求めて出訴した。1審は一部取消し一部却下としたので，Xは控訴。（原判決取消し）⇒**104**

【争点】 ①併給制限規定は憲法25条違反か。②憲法14条違反か。

【判旨】 〔**❶憲法25条に違反しない〈1項2項分離論〉**〕「憲法第25条第1項にいう『健康で文化的な最低限度の生活』（生存権）の達成を直接目的とする国の救貧施策としては，生活保護法による公的扶助制度がある。そして，国民年金法による障害福祉年金，母子福祉年金及び児童扶養手当法による児童扶養手当，児童手当法による児童手当などは憲法第25条第2項に基づく防貧施策であって，同条第1項の…保障と直接関係しない。」「したがって，児童扶養手当法が障害福祉年金と児童扶養手当との併給を禁止したとしても，生活保護法による公的扶助たる生活保護制度がある以上，憲法第25条第1項違反の問題を生ずるものではない。」「憲法第25条第2項には同第1項のような…絶対的基準はなく，而も国は『生活水準の向上につき，財政との関連において，できる限りの努力』をすればよいのだから，国が同条同項に基づき，具体的にどのような内容の法律を定立し，どのような施

策をし〈等々のことは〉いずれも立法政策の問題であって,立法府の裁量に任せられている」。「そして,このような立法政策に属する事項については…原則として,違憲問題を生じる余地がない。只例外として立法府の判断が恣意的なものであって,国民の生活水準を後退させることが明らかなような施策をし,裁量権の行使を著しく誤り裁量権の範囲を逸脱したような場合であれば,憲法第 25 条第 2 項に反することが明白となり,司法審査に服することとなる。」「これを本件についてみるに,〈裁量権逸脱〉は認め難い。」〔❷憲法 14 条に違反しない〕「当裁判所も右併給禁止に合理性があるものとした〈立法府の〉見解を是認できる。」

104 最大判	児童扶養手当と年金の併給制限 (2)《堀木訴訟最高裁判決》

〔最大判昭和 57 年 7 月 7 日民集 36 巻 7 号 1235 頁〕

【事件】 **103** の上告審。(上告棄却,原告敗訴確定)

【争点】 ①憲法 25 条の法的効力。②併給制限規定は憲法 25 条違反か。③併給制限規定は憲法 14 条違反か。

【判旨】 〔❶憲法 25 条は立法裁量を規律する法的効力はある〕「憲法 25 条 1 項は…いわゆる福祉国家の理念に基づき,すべての国民が健康で文化的な最低限度の生活を営みうるよう国政を運営すべきことを国の責務として宣言したものであること,また,同条 2 項は,…同じく福祉国家の理念に基づき,社会的立法及び社会的施設の創造拡充に努力すべきことを国の責務として宣言したものであること,そして,同条 1 項は,国が個々の国民に対して具体的・現実的に右のような義務を有することを規定したものではなく,同条 2 項によって国の責務であるとされている社会的立法及び社会的施設の創造拡充により個々の国民の具体的・現実的な生活権が設定充実されてゆくものであると解すべきことは,すでに当裁判所の判例とするところである」。「〈健康で文化的な最低限度の生活〉の具体的内容は,その時々における文化の発達の程度,経済的・社会的条件,一般的な国民生活の状況等との相

関関係において判断決定されるべきものであるとともに、右規定を現実の立法として具体化するに当たっては、国の財政事情を無視することができず、また、各方面にわたる複雑多様な、しかも高度の専門技術的な考察とそれに基づいた政策的判断を必要とする…。したがって、憲法25条の規定の趣旨にこたえて具体的にどのような立法措置を講ずるかの選択決定は、立法府の広い裁量にゆだねられており、それが著しく合理性を欠き明らかに裁量の逸脱・濫用と見ざるをえないような場合を除き、裁判所が審査判断するのに適しない」。〔❷併給調整と金額決定は立法裁量の範囲内〕「児童扶養手当は、…受給者に対する所得保障である点において、前記母子福祉年金ひいては国民年金法所定の国民年金（公的年金）一般、したがってその一種である障害福祉年金と基本的に同一の性格を有するもの、と見るのがむしろ自然である。そして、一般に、社会保障法制上、同一人に同一の性格を有する二以上の公的年金が支給されることとなるべき、いわゆる複数事故において、そのそれぞれの事故それ自体としては支給原因である稼得能力の喪失又は低下をもたらすものであっても、事故が二以上重なったからといって稼得能力の喪失又は低下の程度が必ずしも事故の数に比例して増加するといえない…。このような場合について、社会保障給付の全般的公平を図るため公的年金相互間における併給調整を行うかどうかは、さきに述べたところにより、立法府の裁量の範囲に属する事柄と見るべきである。また、この種の立法における給付額の決定も、立法政策上の裁量事項であり、それが低額であるからといって当然に憲法25条違反に結びつくものということはできない。」〔❸併給調整は不合理な差別ではない〕「憲法25条の規定の要請にこたえて制定された法令において、受給者の範囲、支給要件、支給金額等につきなんら合理的理由のない不当な差別的取扱をしたり、あるいは個人の尊厳を毀損するような内容の定めを設けているときは、別に所論指摘の憲法14条及び13条違反の問題を生じうることは否定しえない…。しか

しながら，本件併給調整条項の適用により，上告人のように障害福祉年金を受けることができる地位にある者とそのような地位にない者との間に児童扶養手当の受給に関して差別を生ずることになるとしても，さきに説示したところに加えて原判決の指摘した諸点，とりわけ身体障害者，母子に対する諸施策及び生活保護制度の存在などに照らして総合的に判断すると，右差別がなんら合理的理由のない不当なものであるとはいえない。…また，本件併給調整条項が児童の個人としての尊厳を害し，憲法13条に違反する恣意的かつ不合理な立法であるといえないことも…明らかである。」

【コメント】　昭和48年に児童扶養手当法が改正され，併給が認められた。また，平成16年の行政事件訴訟法改正で義務付け訴訟が導入された（同法3条6項・37条の2・37条の3等）。

105 障害基礎年金と受給資格《学生無年金障害者訴訟》
最判　〔最2小判平成19年9月28日民集61巻6号2345頁〕

【事件】　大学在学中に障害を負ったXらは，知事に対して障害基礎年金の支給申請をしたが，国民年金に任意加入しておらず被保険者資格がないなどを理由として不支給処分を受けた。Xらはこの処分の取消しと損害賠償を求めて出訴した。1審・損害賠償請求のみ認容，2審・すべての請求を棄却。（上告棄却）

【争点】　①国民年金への強制加入被保険者の範囲の設定は憲法25条・14条違反か。②20歳以上の学生と20歳未満の障害者との異なる取扱いは憲法26条・14条違反か。

【判旨】　〔❶設定には合理性があり，立法裁量の範囲内〕「学生…は，夜間の学部等に在学し就労しながら教育を受ける者を除き，一般的には，20歳に達した後も稼得活動に従事せず，収入がなく，保険料負担能力を有していない。また，20歳以上の者が学生である期間は，多くの場合，数年間と短く，その間の傷病

により重い障害の状態にあることとなる一般的な確率は低い上に，多くの者は卒業後は就労し，これに伴い，平成元年改正前の法の下においても，被用者年金各法等による公的年金の保障を受けることとなっていた」。「20歳以上の学生にとって学生のうちから老齢，死亡に備える必要性はそれほど高くはなく，専ら障害による稼得能力の減損の危険に備えるために国民年金の被保険者となることについては，保険料納付の負担に見合う程度の実益が常にあるとまではいい難い。」「これらの事情からすれば，平成元年改正前の法が，20歳以上の学生の保険料負担能力，国民年金に加入する必要性ないし実益の程度，加入に伴い学生及び学生の属する世帯の世帯主等が負うこととなる経済的な負担等を考慮し，保険方式を基本とする国民年金制度の趣旨を踏まえて，20歳以上の学生を国民年金の強制加入被保険者として一律に保険料納付義務を課すのではなく，任意加入を認めて国民年金に加入するかどうかを20歳以上の学生の意思にゆだねることとした措置は，著しく合理性を欠くということはできず，加入等に関する区別が何ら合理的理由のない不当な差別的取扱いであるということもできない。」「加入等に関する区別によって，…保険料負担能力のない20歳以上60歳未満の者のうち20歳以上の学生とそれ以外の者との間に障害基礎年金等の受給に関し差異が生じていた…が，いわゆる拠出制の年金である障害基礎年金等の受給に関し保険料の拠出に関する要件を緩和するかどうか，どの程度緩和するかは，国民年金事業の財政及び国の財政事情にも密接に関連する事項であって，立法府は，これらの事項の決定について広範な裁量を有する」。「そうすると，…強制加入例外規定を含む20歳以上の学生に関する上記の措置及び加入等に関する区別並びに立法府が…20歳以上の学生について国民年金の強制加入被保険者とするなどの所論の措置を講じなかったことは，憲法25条，14条1項に違反しない。」〔❷ **20歳を区別の基準としたことには合理的理由がある**〕「20歳前障害者は，傷病により障害の状態にあることとなり

稼得能力，保険料負担能力が失われ又は著しく低下する前は，20歳未満であったため任意加入も含めおよそ国民年金の被保険者となることのできない地位にあったのに対し，初診日において20歳以上の学生である者は，傷病により障害の状態にあることとなる前に任意加入によって国民年金の被保険者となる機会を付与されていた…。これに加えて…障害者基本法，生活保護法等による諸施策が講じられていること等をも勘案すると，平成元年改正前の法の下において，傷病により障害の状態にあることとなったが初診日において20歳以上の学生であり国民年金に任意加入していなかったために障害基礎年金等を受給することができない者に対し，無拠出制の年金を支給する旨の規定を設けるなどの所論の措置を講じるかどうかは，立法府の裁量の範囲に属する事柄というべきであって，そのような立法措置を講じなかったことが，著しく合理性を欠くということはできない。また，無拠出制の年金の受給に関し上記のような20歳以上の学生と20歳前障害者との間に差異が生じるとしても，両者の取扱いの区別が，何ら合理的理由のない不当な差別的取扱いであるということもできない。」

106 老齢加算廃止違憲訴訟
最判 〔最3小判平成24年2月28日民集66巻3号1240頁〕

【事件】 東京都内に居住して生活保護法（以下「法」）に基づく生活扶助の支給を受けているXらが，同法の委任に基づいて厚生労働大臣（以下「大臣」）が定めた「生活保護法による保護の基準」（昭38厚生省告示158。以下「保護基準」）の数次の改定により，原則として70歳以上の者を対象とする生活扶助の加算（以下「老齢加算」）が段階的に減額されて廃止されたことに基づいて所轄の福祉事務所長（Y）らからそれぞれ生活扶助の支給額を減額する保護変更決定（以下「本件処分」）を受けた。Xらは，保護基準の上記改定は憲法25条1項，生活保護法3条等に反する違憲，違法なものであるとして，Yらを相手に，

本件処分の取消しを求め出訴した。1審・2審請求棄却。Xらは上告。（上告棄却）

【争点】①法56条（「被保護者は，正当な理由がなければ，既に決定された保護を，不利益に変更されることがない」）は制度後退禁止原則を定めているか。②老齢加算の減額・廃止は，法8条2項（「〈生活保護〉基準は，要保護者の年齢別，性別，世帯構成別，所在地域別その他保護の種類に応じて必要な事情を考慮した最低限度の生活の需要を満たすに十分なものであって，且つ，これをこえないものでなければならない」）に違反するか。③いかなる場合に，保護基準の改定が法3条（「この法律により保障される最低限度の生活は，健康で文化的な生活水準を維持することができるものでなければならない」）・8条2項に違反することになるか。④本件処分は法3条・8条2項に違反するか。

【判旨】〔❶法56条は制度後退禁止原則を定めてはいない〕「〈法56条〉は，既に保護の決定を受けた個々の被保護者の権利及び義務について定めた規定であって，保護の実施機関が被保護者に対する保護を一旦決定した場合には，当該被保護者について，同法の定める変更の事由が生じ，保護の実施機関が同法の定める変更の手続を正規に執るまでは，その決定された内容の保護の実施を受ける法的地位を保障する趣旨のものである…。このような同条の…趣旨に照らすと，同条にいう正当な理由がある場合とは，既に決定された保護の内容に係る不利益な変更が，同法及びこれに基づく保護基準の定める変更，停止又は廃止の要件に適合する場合を指すものと解するのが相当である。したがって，保護基準自体が減額改定されることに基づいて保護の内容が減額決定される本件のような場合については，同条が規律するところではない」。〔❷老齢加算の減額・廃止は法8条2項に違反しない〕「仮に，老齢加算の一部又は全部についてその支給の根拠となっていた高齢者の特別な需要が認められないというのであれば，老齢加算の減額又は廃止をすることは，同項の規定に沿うところである」。

「これらの規定にいう最低限度の生活は，抽象的かつ相対的な概念であって，その具体的な内容は，その時々における経済的・社会的条件，一般的な国民生活の状況等との相関関係において判断決定されるべきものであり，これを保護基準において具体化するに当たっては，高度の専門技術的な考察とそれに基づいた政策的判断を必要とする」。「したがって，保護基準中の老齢加算に係る部分を改定するに際し，最低限度の生活を維持する上で老齢であることに起因する特別な需要が存在するといえるか否か及び高齢者に係る改定後の生活扶助基準の内容が健康で文化的な生活水準を維持することができるものであるか否かを判断するに当たっては，厚生労働大臣に上記のような専門技術的かつ政策的な見地からの裁量権が認められる…。なお，同法9条は，…個々の要保護者又はその世帯の必要に即応した保護の決定及び実施を求めるものであって，保護基準の内容を規律するものではない。また，同条が要保護者に特別な需要が存在する場合において保護の内容について特別な考慮をすべきことを定めたものであることに照らせば，仮に加算の減額又は廃止に当たって同条の趣旨を参酌するとしても，…専門技術的かつ政策的な見地からの裁量権に基づく高齢者の特別な需要の存否に係る判断を基礎としてこれをすべきことは明らかである。」〔❸**大臣の判断に最低限度の生活の具体化に係る判断の過程および手続における過誤・欠落の有無等，または被保護者の期待的利益や生活への影響等の観点からみて裁量権の逸脱・濫用があった場合に違法となる**〕「老齢加算の全部についてその支給の根拠となる上記の特別な需要が認められない場合であっても，老齢加算の廃止は，これが支給されることを前提として現に生活設計を立てていた被保護者に関しては，保護基準によって具体化されていたその期待的利益の喪失を来す側面があることも否定し得ない」。「〈そ〉のような場合においても，厚生労働大臣は，老齢加算の支給を受けていない者との公平や国の財政事情といった見地に基づく加算の廃止の必要性を踏まえつつ，被保護者のこの

ような期待的利益についても可及的に配慮するため，その廃止の具体的な方法等について，激変緩和措置の要否などを含め，上記のような専門技術的かつ政策的な見地からの裁量権を有している」。「老齢加算の減額又は廃止の要否の前提となる最低限度の生活の需要に係る評価や被保護者の期待的利益についての可及的な配慮は，前記…のような専門技術的な考察に基づいた政策的判断であって，老齢加算の支給根拠及びその額等については，それまでも各種の統計や専門家の作成した資料等に基づいて高齢者の特別な需要に係る推計や加算対象世帯と一般世帯との消費構造の比較検討がされてきたところである。これらの経緯等に鑑みると，老齢加算の廃止を内容とする保護基準の改定は，①当該改定の時点において70歳以上の高齢者には老齢加算に見合う特別な需要が認められず，高齢者に係る当該改定後の生活扶助基準の内容が高齢者の健康で文化的な生活水準を維持するに足りるものであるとした厚生労働大臣の判断に，最低限度の生活の具体化に係る判断の過程及び手続における過誤，欠落の有無等の観点からみて裁量権の範囲の逸脱又はその濫用があると認められる場合，あるいは，②老齢加算の廃止に際し激変緩和等の措置を採るか否かについての方針及びこれを採る場合において現に選択した措置が相当であるとした同大臣の判断に，被保護者の期待的利益や生活への影響等の観点からみて裁量権の範囲の逸脱又はその濫用があると認められる場合に，生活保護法3条，8条2項の規定に違反し，違法となる」。〔❹本件処分は法3条・8条2項に違反しない〕「専門委員会が中間取りまとめにおいて示した意見は，特別集計等の統計や資料等に基づき，…〈諸点〉が勘案されたものであって，統計等の客観的な数値等との合理的関連性や専門的知見との整合性に欠けるところはない。」「70歳以上の高齢者に老齢加算に見合う特別な需要が認められず，高齢者に係る本件改定後の生活扶助基準の内容が健康で文化的な生活水準を維持するに足りない程度にまで低下するものではないとした厚生労働大臣の判断は，専門

委員会のこのような検討等を経た…意見に沿って行われたものであり，その判断の過程及び手続に過誤，欠落があると解すべき事情はうかがわれない。」「また，…本件改定が老齢加算を3年間かけて段階的に減額して廃止したことも，専門委員会の…意見に沿ったものであるところ，…3年間かけて段階的に老齢加算を減額して廃止することによって被保護者世帯に対する影響は相当程度緩和されたものと評価することができる上，厚生労働省による生活扶助基準の水準の定期的な検証も前記…の意見を踏まえて生活水準の急激な低下を防止すべく配慮したものということができ，その他本件に現れた一切の事情を勘案しても，本件改定に基づく生活扶助額の減額が被保護者世帯の期待的利益の喪失を通じてその生活に看過し難い影響を及ぼしたものとまで評価することはできない」。「本件改定については，…裁量権の範囲の逸脱又はその濫用があるということはできない。」

【コメント】　制度後退禁止原則は，ドイツで生活保障に関して展開された理論で，「ある制度の定立またはその制度の下での便益の供与を憲法は要請していないが，それがいったん定立され便益の供与がひとたびなされた後は，当該制度または便益の供与の廃止またはその内容の縮小・後退を憲法は禁止する」原則である。日本で，この原則の趣旨に沿った判断をしたものとして，宮訴訟・東京地判昭和49年4月24日行裁例集25巻4号274頁，塩見（第1次）訴訟・大阪地判昭和55年10月29日行裁例集31巻10号2274頁がある。

107 環境権訴訟《大阪空港公害訴訟》
最大判　〔最大判昭和56年12月16日民集35巻10号1369頁〕

【事件】　大阪空港の離着路のほぼ真下に居住する住民Xらが，航空機による騒音，振動，排気ガス，墜落の危険という公害にさらされ，多種多様な被害を受けているとして，本件空港の設置管理者であるY（国）を相手に①午後9時から翌朝7時

までの空港使用差止め，②過去の損害賠償，③将来の損害賠償を求めて出訴した。1審は①午後10時から翌朝7時まで飛行差止めと②の請求を認容したが③は棄却，2審は①②③の主張をほぼ全面的に認めたので，Yは上告。(①は訴え却下，②は原審破棄差戻し，③は訴え却下)

【争点】①国営空港の管理権と航空行政権の関係。②民事訴訟管理権と航空行政権によって差止請求できるか。

【判旨】〔❶両者は不可分一体〕「国際航空路線又は主要な国内航空路線に必要なものなど基幹となる公共用飛行場（空港整備法2条1項1, 2号にいわゆる第一，二種空港）…は，その設置，管理のあり方がわが国の政治，外交，経済，文化等と深いかかわりを持ち，国民生活に及ぼす影響も大きく，したがって，どの地域にどのような規模でこれを設置し，どのように管理するかについては航空行政の全般にわたる政策的判断を不可欠とする。」「本件空港の管理に関する事項のうち，少なくとも航空機の離着陸の規制そのもの等，本件空港の本来の機能の達成実現に直接にかかわる事項自体については，空港管理権に基づく管理と航空行政権に基づく規制とが，空港管理権者としての運輸大臣と航空行政権の主管者としての運輸大臣のそれぞれ別個の判断に基づいて分離独立的に行われ，両者の間に矛盾乖離を生じ…ないよう，いわば両者が不即不離，不可分一体的に行使実現されている」。

〔❷民事訴訟による差止請求は不適法〕「右被上告人らの…請求は，事理の当然として，不可避的に航空行政権の行使の取消変更ないしその発動を求める請求を包含する…。…右被上告人らが行政訴訟の方法により何らかの請求をすることができるかどうかはともかくとして，上告人に対し，いわゆる通常の民事上の請求として…私法上の給付請求権を有するとの主張の成立すべきいわれはない。」「民事訴訟の手続により一定の時間帯につき本件空港を航空機の離着陸に使用させることの差止めを求める請求は不適法。」

【コメント】　本判決には，団藤裁判官の反対意見をはじめ，論点ごとに様々な少数意見がある。

108 教育権の所在《旭川学テ事件》
最大判　〔最大判昭和51年5月21日刑集30巻5号615頁〕

【事件】　昭和36年度の全国中学校一斉学力調査に反対したY₁～Y₃らは，北海道旭川市立永山中学校での調査テストを阻止するため同校校舎内に侵入し，校長に暴行を加え，建造物侵入，公務執行妨害罪で起訴された。1審・2審有罪。（一部上告棄却，一部破棄自判・有罪〔Y₁懲役3月，Y₂懲役1月，Y₃懲役2月，いずれも執行猶予1年〕）

【争点】　①学力テストの法的性質。②文部省（現文部科学省）は学力テストを命令できるか。③憲法26条の保障する権利。④普通教育において学問の自由は保障されるか。⑤教育内容決定権は誰がもつか。⑥教育基本法10条（現16条）1項の「不当な支配」の排斥の法的効力。

【判旨】　〔❶本件学力テストは行政調査〕「行政調査は，通常，行政機関がその権限を行使する前提として，必要な基礎資料ないしは情報を収集，獲得する作用であって，…本件学力調査がこのような行政調査として行われたものであることは，前記実施要綱に徴して明らかであるところ，原判決は，右調査が試験問題によって生徒を試験するという方法をとっている点をとらえて，それは調査活動のわくを超えた固有の教育活動であるとしている。しかしながら，本件学力調査においてとられた右の方法が，教師の行う教育活動の一部としての試験とその形態を同じくする…としても，学力調査としての試験は，あくまでも全国中学校の生徒の学力の程度が一般的にどのようなものであるかを調査するためにされるものであって，教育活動としての試験の場合のように，個々の生徒に対する教育の一環としての成績評価のためにされるものではなく，両者の間には，その趣旨と性格において明らかに

区別がある」。〔❷**実施主体は地教委**〕「地教行法54条2項が，同法53条との対比上，文部大臣において本件学力調査のような調査の実施を要求する権限までをも認めたものと解し難いことは，原判決の説くとおりである。しかしながら，このことは，地教行法54条2項によって求めることができない文部大臣の調査要求に対しては，地教委においてこれに従う法的義務がないということを意味するだけであって，右要求に応じて地教委が行った調査行為がそのために当然に手続上違法となる…のではない。」「文部大臣の要求は，法手続上は，市町村教委による調査実施の動機をなすものであるにすぎず，その法的要件をなすものではない。」〔❸**憲法 26 条は子供の学習権を保障している**〕「この規定の背後には，国民各自が，一個の人間として，また，一市民として，成長，発達し，自己の人格を完成，実現するために必要な学習をする固有の権利を有すること，特に，みずから学習することのできない子どもは，その学習要求を充足するための教育を自己に施すことを大人一般に対して要求する権利を有するとの観念が存在している…。換言すれば，子どもの教育は，教育を施す者の支配的権能ではなく，何よりもまず，子どもの学習をする権利に対応し，その充足をはかりうる立場にある者の責務に属するものとしてとらえられている」。〔❹**普通教育の教師に完全な教授の自由は認められない**〕「学問の自由を保障した憲法23条により，学校において現実に子どもの教育の任にあたる教師は，教授の自由を有し，公権力による支配，介入を受けないで自由に子どもの教育内容を決定することができるとする見解も，採用することができない。確かに，憲法の保障する学問の自由は，単に学問研究の自由ばかりでなく，その結果を教授する自由をも含むと解されるし，更にまた，専ら自由な学問的探求と勉学を旨とする大学教育に比してむしろ知識の伝達と能力の開発を主とする普通教育の場においても，例えば教師が公権力によって特定の意見のみを教授することを強制されないという意味において，また，子どもの教育が教師と子ど

もとの間の直接の人格的接触を通じ，その個性に応じて行われなければならないという本質的要請に照らし，教授の具体的内容及び方法につきある程度自由な裁量が認められなければならないという意味においては，一定の範囲における教授の自由が保障されるべきことを肯定できないではない。しかし，大学教育の場合には，学生が一応教授内容を批判する能力を備えていると考えられるのに対し，普通教育においては，児童生徒にこのような能力がなく，教師が児童生徒に対して強い影響力，支配力を有することを考え，また，普通教育においては，子どもの側に学校や教師を選択する余地が乏しく，教育の機会均等をはかる上からも全国的に一定の水準を確保すべき強い要請があること等に思いをいたすときは，普通教育における教師に完全な教授の自由を認めることは，とうてい許されない。」〔❺**教育内容決定権は，必要かつ相当と認められる範囲で国にある**〕「親は，子どもに対する自然的関係により，子どもの将来に対して最も深い関心をもち，かつ，配慮をすべき立場にある者として，子どもの教育に対する一定の支配権，すなわち子女の教育の自由を有すると認められるが，このような親の教育の自由は，主として家庭教育等学校外における教育や学校選択の自由にあらわれるものと考えられるし，また，私学教育における自由や前述した教師の教授の自由も，それぞれ限られた一定の範囲においてこれを肯定するのが相当であるけれども，それ以外の領域においては，一般に社会公共的な問題について国民全体の意思を組織的に決定，実現すべき立場にある国は，国政の一部として広く適切な教育政策を樹立，実施すべく，また，しうる者として，憲法上は，あるいは子ども自身の利益の擁護のため，あるいは子どもの成長に対する社会公共の利益と関心にこたえるため，必要かつ相当と認められる範囲において，教育内容についてもこれを決定する権能を有するものと解さざるをえず，これを否定すべき理由ないし根拠は，どこにもみいだせない」。「もとより，政党政治の下で多数決原理によってされる国政上の意思決定

は，さまざまな政治的要因によって左右されるものであるから，本来人間の内面的価値に関する文化的な営みとして，党派的な政治的観念や利害によって支配されるべきでない教育にそのような政治的影響が深く入り込む危険があることを考えるときは，教育内容に対する右のごとき国家的介入についてはできるだけ抑制的であることが要請されるし，殊に個人の基本的自由を認め，その人格の独立を国政上尊重すべきものとしている憲法の下においては，子どもが自由かつ独立の人格として成長することを妨げるような国家的介入，例えば，誤った知識や一方的な観念を子どもに植えつけるような内容の教育を施すことを強制するようなことは，憲法26条，13条の規定上からも許されないと解することができるけれども，これらのことは，前述のような子どもの教育内容に対する国の正当な理由に基づく合理的な決定権能を否定する理由となるものではない」。〔❻**教育の自主性をゆがめるものを排斥する効力をもつ**〕「教基法は，憲法において教育のあり方の基本を定めることに代えて，わが国の教育及び教育制度全体を通じる基本理念と基本原理を宣明することを目的として制定されたものであって，戦後のわが国の政治，社会，文化の各方面における諸改革中最も重要な問題の一つとされていた教育の根本的改革を目途として制定された諸立法の中で中心的地位を占める法律であり，このことは，同法の前文の文言及び各規定の内容に徴しても，明らかである。それ故，同法における定めは，形式的には通常の法律規定として，これと矛盾する他の法律規定を無効にする効力をもつものではないけれども，一般に教育関係法令の解釈及び運用については，法律自体に別段の規定がない限り，できるだけ教基法の規定及び同法の趣旨，目的に沿うように考慮が払われなければならない。」「教基法10条〈現16条〉1項が排斥しているのは，教育が国民の信託にこたえて右の意味において自主的に行われることをゆがめるような『不当な支配』であって，そのような支配と認められる限り，その主体のいかんは問うところでない。」

109 教科書検定制度と教育権(1)《第2次教科書訴訟東京地裁〈杉本〉判決》
地判

〔東京地判昭和 45 年 7 月 17 日行裁例集 21 巻 7 号別冊〕

【事件】　東京教育大学教授家永三郎は，かねて高校用教科書『新日本史』を執筆し，同書は検定済教科書として使用されてきたが，昭和 41 年以降に行った修正の検定申請が不合格とされたので，文部省による検定を違憲としてその取消を求めて出訴した。（検定不合格処分取消，被告側控訴）

【争点】　①教育において国家が果たすべき責務。②下級教育機関の教師に教育の自由は保障されているか。③教科書執筆者が教師や児童・生徒の権利侵害を主張できるか。④教科書検定は検閲か。⑤検定制度は法治主義に反するか。⑥教育基本法 10 条（現 16 条）が排斥する「不当な支配」か。⑦本件不合格処分は合憲か。

【判旨】　〔❶国家の責務は教育を育成するための諸条件を整備することにある〕「憲法 26 条…は，憲法 25 条をうけて，いわゆる生存権的基本権のいわば文化的側面として，国民の一人一人にひとしく教育を受ける権利を保障し，その反面として，国に対し右の教育を受ける権利を実現するための立法その他の措置を講ずべき責務を負わせたものであって，国民とくに子どもについて教育を受ける権利を保障した」。「このような教育の本質にかんがみると，前記の子どもの教育を受ける権利に対応して子どもを教育する責務をになうのは親を中心として国民全体である…。すなわち，国民は自らの子どもはもとより，次の世代に属するすべての者に対し，その人間性を開発し，文化を伝え，健全な国家および世界の担い手を育成する責務を負う…のであって，家庭教育，私立学校の設置などはこのような親をはじめとする国民の自然的責務に由来する…。このような国民の教育の責務は，いわゆる国家教育権に対する概念として国民の教育の自由とよばれるが，その実体は右のような責務である…。かくして，国民は家庭におい

て子どもを教育し，また社会において種々の形で教育を行なう…が，しかし現代において，すべての親が自ら理想的に子どもを教育することは不可能であることはいうまでもなく，右の子どもの教育を受ける権利に対応する責務を十分に果たし得ないこととなるので，公教育としての学校教育が必然的に要請されるに至り，前記のごとく，国に対し，子どもの教育を受ける権利を実現するための立法その他の措置を講ずべき責任を負わせ，とくに子どもについて学校教育を保障することになった」。「してみれば，国家は，右のような国民の教育責務の遂行を助成するためにもっぱら責任を負うものであって，その責任を果たすために国家に与えられる権能は，教育内容に対する介入を必然的に要請するものではなく，教育を育成するための諸条件を整備することであると考えられ，国家が教育内容に介入することは基本的には許されない」。〔❷基本的には教育の自由は否定されていない〕「憲法23条は，教師に対し，学問研究の自由はもちろんのこと学問研究の結果自らの正当とする学問的見解を教授する自由をも保障している…。もっとも，実際問題として，現在の教師には学問研究の諸条件が整備されているとはいいがたく，したがって教育ないし教授の自由は主として大学における教授（教師）について認められるというべきであろうが，下級教育機関における教師についても，基本的には，教育の自由の保障は否定されていない」。〔❸原告と直接関係のない権利侵害は主張できない〕「原告が本件各検定不合格処分の取消訴訟について有する利益は，前示のとおり，教科書を執筆し，出版するにあって，児童，生徒の教育を受ける権利または教師の教育の自由とは直接の関係がない…から，本訴において，教科書検定制度が右の教育を受ける権利または教育の自由を侵害し，違憲，違法であることを理由として，本件各検定不合格処分の取消しを求めることは許されない…（行政事件訴訟法10条1項）。したがって原告の右主張は採用の由なきものといわざるを得ない。」〔❹審査が思想内容に及ぶものでないかぎり検閲に該当しない〕

「憲法21条2項は『検閲は,これをしてはならない。』と定め,『検閲』を禁止しているが,ここに『検閲』とは,これを表現の自由についていえば公権力によって外に発表されるべき思想の内容を予じめ審査し,不適当と認めるときは,その発表を禁止するいわゆる事前審査を意味し,また,『検閲』は,思想内容の審査に関する限り,一切禁止されている」。「教科書検定は,…その法的性格は事前の許可と解せられるのであるが,しかし出版に関する事前許可制がすべて検閲に該当するわけでない…。してみると,右の審査が思想内容に及ぶものでない限り,教科書検定は検閲に該当しない」。「教科書検定は,国が福祉国家として,小学校,中学校,高等学校において児童,生徒の心身の発達段階に応じ,必要かつ適切な教育を施し,教育の機会均等と教育水準の維持向上を図るというその責任を果すために,その一環として行なうことをその趣旨とする…から,その限度において教科書執筆,出版の自由が制約を受けてもそれは公共の福祉の見地からする必要かつ合理的な制限というべきであって,表現の自由の侵害にならない」。「原告の主張はこれを採用することができないが,その運用を誤るときは,憲法の保障する表現の自由を侵害するとのそしりを免れない」。〔❺検定制度の細目をどの法形式で定めるかは立法裁量に属する〕「現行の教科書検定制度は,…教育に関する国民の権利,自由を国政上十分に尊重するゆえんのものではなく,これにより教育の理念に沿った適正かつ公正な検定が行なわれない恐れなしとしない…が,検定の権限,基準,手続などのうちどの範囲で,どのように法律で定め,どの範囲を命令等の下位法に委ねるかは,結局は立法の裁量に属する…から,現行の教科書検定制度が前記のごとくであるとしても,なおこのことをもって直ちに法治主義(法律に基づく行政)の原則に違背し,違憲であると断定できない」。〔❻記述内容の当否に及ぶときは「不当な支配」〕「叙上のとおり,教育基本法10条の趣旨は,その1,2項を通じて,教育行政ことに国の教育行政は教育の外的事項について条件整備

の責務を負うけれども，教育の内的事項については，指導，助言等は別として，教育課程の大綱を定めるなど一定の限度を超えてこれに権力的に介入することは許されず，このような介入は不当な支配に当たる…から，これを教科書に関する行政である教科書検定についてみるに，教科書検定における審査は教科書の誤記，誤植その他の客観的に明らかな誤り，教科書の造本その他教科書についての技術的事項および教科書内容が教育課程の大綱的基準の枠内にあるかの諸点にとどめられるべきものであって，審査が右の限度を超えて，教科書の記述内容の当否にまで及ぶときには，検定は教育基本法 10 条に違反する」。「原告の主張するとおり，現行の検定基準には前示教育基本法に違背するものがあると認められるし，また，教育基本法は前記認定の事情のもとに成立したものであって，憲法の諸規定をうけ，これを教育において具体化するため教育に関する理念あるいは方針等の基本的なあり方を定めるものであって他の教育諸法規の基本法たる性格をもち，同法 11 条がこの法律に掲げる諸条項を実施するために必要がある場合には適当な法令が制定されなければならないとしているのもこのため…であるが，しかし，教育基本法の法的効力が他の法律に優越するとはいえないから，学校教育法（21 条，88 条，これらの規定の変遷についてはすでに述べた）に基づく現行教科書検定制度が教育基本法 10 条に違反し無効であるとは断じがたい。それゆえ原告の上記主張もまた採用できない」。〔❼憲法 21 条 2 項および教育基本法 10 条に違反し，違憲・違法〕「本件各検定不合格処分は，いずれも憲法 21 条 2 項および教育基本法 10 条の各規定に違反し，違憲，違法であるから，原告のその余の主張について判断をすすめるまでもなく，取消しを免れない。」

【コメント】　2 審（東京高判昭和 50 年 12 月 20 日民集 36 巻 4 号 618 頁）は検定制度の合憲性には触れず裁量権の逸脱で違法として国側の控訴を棄却。上告審（最 1 小判昭和 57 年 4 月 8 日民集 36 巻 4 号 594 頁）は学習指導要領改正に伴う訴えの利益の有

無を審理するために原審判決を破棄・差戻し。差戻審（東京高判平成元年6月27日高民集42巻2号97頁）は訴えの利益は消滅したとして訴え却下。

110 最判 教科書検定制度と教育権 (2)《第1次教科書訴訟最高裁判決》
〔最3小判平成5年3月16日民集47巻5号3483頁〕

【事件】　家永教授が，教科書検定不合格処分によって被った損害の賠償を求めた。1審・請求一部認容，2審・請求棄却。（上告棄却）

【争点】　①教科書検定は教育を受ける権利を侵害するか。②検定は憲法21条に違反するか。

【判旨】　〔❶児童・生徒の発達段階に応じるために必要かつ合理的な範囲を超えていない〕「本件検定による審査は，単なる誤記，誤植等の形式的なものにとどまらず，記述の実質的な内容，すなわち教育内容に及ぶ…。しかし，普通教育の場においては，児童，生徒の側にはいまだ授業の内容を批判する十分な能力は備わっていないこと，学校，教師を選択する余地も乏しく，教育の機会均等を図る必要があることなどから，教育内容が正確かつ中立・公正で，地域，学校のいかんにかかわらず全国的に一定の水準であることが要請され…程度の差はあるが，基本的には高等学校の場合においても小学校，中学校の場合と異ならない」。「このような児童，生徒に対する教育の内容が，その心身の発達段階に応じたものでなければならない」。「その審査基準である旧検定基準も，右目的のための必要かつ合理的な範囲を超えているものとはいえず，子どもが自由かつ独立の人格として成長することを妨げるような内容を含むものではない。また，右のような検定を経た教科書を使用することが，教師の授業等における裁量の余地を奪うものでもない。」〔❷21条1項・2項に違反しない〕「本件検定は，…一般図書としての発行を何ら妨げるものではなく，発表禁止目的や発表前の審査などの特質がないから，検閲に当たらず，

憲法 21 条 2 項前段の規定に違反するものではない。…本件検定による表現の自由の制限は，合理的で必要やむを得ない限度のもの…であって，憲法 21 条 1 項の規定に違反するものではない。」

111 学習指導要領の法的効力《伝習館高校事件》
最判 〔最 1 小判平成 2 年 1 月 18 日民集 44 巻 1 号 1 頁〕

【事件】福岡県立伝習館高校の社会科担当教諭 3 名は，それぞれの程度は異なるが，教科書を使用せず，学習指導要領を逸脱した偏向教育を行ったとして懲戒免職処分を受けた。1 審 2 名処分取消・1 名請求棄却，2 審控訴棄却。（破棄自判）

【争点】①高等学校の教育はどうあるべきか。②当該処分は懲戒権者の裁量権の範囲を逸脱するか。

【判旨】〔❶法規により教育の基準が定立されている事項については教師に認められる裁量に制約がある〕「高等学校の教育は，高等普通教育及び専門教育を施すことを目的とするものではあるが，中学校の教育の基礎の上に立って，所定の修業年限の間にその目的を達成しなければならず（学校教育法 41 条，46 条参照），また，高等学校においても，教師が依然生徒に対し相当な影響力，支配力を有しており，生徒の側には，いまだ教師の教育内容を批判する十分な能力は備わっておらず，教師を選択する余地も大きくないのである。これらの点からして，国が，教育の一定水準を維持しつつ，高等学校教育の目的達成に資するために，高等学校教育の内容及び方法について遵守すべき基準を定立する必要があり，特に法規によってそのような基準が定立されている事柄については，教育の具体的内容及び方法につき高等学校の教師に認められるべき裁量にもおのずから制約が存する」。〔❷懲戒権の範囲を逸脱していない〕「被上告人らの…各行為は，…教育活動の中で枢要な部分を占める日常の教科の授業，考査ないし生徒の成績評価に関して行われたものであるところ，…高等学校の教師に認められるべき裁量を前提としてもなお，明らかにその範囲を逸脱し

て，日常の教育のあり方を律する学校教育法の規定や学習指導要領の定め等に明白に違反する」。「懲戒事由に該当する被上告人らの…各行為の性質，態様，結果，影響等のほか，右各行為の前後における被上告人らの態度，懲戒処分歴等の諸事情を考慮のうえ決定した本件各懲戒免職処分を，社会観念上著しく妥当を欠くものとまではいい難く，その裁量権の範囲を逸脱したものと判断することはできない。」

112 校則と校長の裁量権《バイク免許取得規制事件》
地判　〔高知地判昭和63年6月6日判例時報1295号50頁〕

【事件】県立商業高校2年に在学中のXは，運転免許の試験を受けるには学校の許可を要する旨定めた校則に反して，無許可で原動機付自転車の運転免許を取得したため，校長から無期停学処分を受けた。Xがこの処分の取消し等を求めて出訴した。（請求棄却。X控訴に対し，2審は控訴棄却）

【争点】①校則制定権の根拠。②校則の内容のありかた。

【判旨】〔❶校長は在学する生徒を規律する包括的権能を有する〕
「高等学校は，生徒の教育を目的とする公共的な施設（営造物）であるから，その校長は，法令上の根拠がなくても，生徒の生活指導，学校施設の利用関係など学校の設置目的を達成するために必要な事項を，行政立法たる営造物規則（内規）として，校則，生徒心得等の形式で制定し，これによって在学する生徒を規律する包括的権能を有する」。〔❷校則は学校の設置目的と合理的関連性を有しなければならない〕「そして，校則等の内容については，事柄の性質上，校長が教育的・専門的見地からの裁量権を有する…から，その定めは，学校の設置目的を達成するのに必要な範囲を逸脱し著しく不合理である場合には，行政立法として無効になる…が，そうでない限り，生徒の権利自由を束縛することとなっても，無効とはいえず，生徒はこれに従うことを義務づけられるのであって，校則等の具体的規定が裁量権の逸脱，濫

用に当たるかどうかは，校長がその規定を設けた趣旨，目的と社会通念に照らし，それが学校の設置目的との間に合理的関連性を有するかどうかによって決せられる」。「諸点を総合して判断すると，本件校則は…その趣旨，目的と社会通念に照らし，学校の設置目的と合理的関連性を有する」。

【コメント】　私立高校での類似の退学事件における憲法13条違反の主張につき，最3小判平成3年9月3日判例タイムズ770号157頁は，私人間の問題で，直接違憲を論ずる余地なしとした。

113 生徒の学習権と内申書記載《麹町中学内申書事件》
最判
〔最2小判昭和63年7月15日判例時報1287号65頁〕

【事件】　原告Xは昭和46年3月，東京都千代田区立麹町中学の卒業を控えて受験した各高校をいずれも不合格となったが，後日内申書の「行動及び性格の記録」に悪い評定があり，備考に「麹町中全共闘を名乗り…」などと記載されていたことが判明した。そこでXが国家賠償法に基づき慰謝料を請求した。1審請求認容，2審請求棄却。（上告棄却）

【争点】　①本件記載は憲法19条に違反するか。②憲法21条に違反するか。③憲法13条，26条に違反するか。

【判旨】　〔❶憲法19条に違反しない〕「〈内申書の〉いずれの記載も，上告人の思想，信条そのものを記載したものでないことは明らかであり，右の記載に係る外部的行為によっては上告人の思想，信条を了知し得るものではないし，また，上告人の思想，信条自体を高等学校の入学者選抜の資料に供したものとは到底解することができないから，所論違憲の主張は，その前提を欠く〉。」〔❷憲法21条に違反しない〕「中学校における教育環境に悪影響を及ぼし，学習効果の減殺等学習効果をあげる上において放置できない弊害…を未然に防止するため…許可のない文書の配布を禁止することは，必要かつ合理的な範囲の制約であって，憲

法21条に違反するものでない。」「調査書には,入学者の選抜の資料の一とされる目的に適合するよう生徒の性格,行動に関しても,これを把握し得る客観的事実を公正に記載すべきものである以上,…上告人の表現の自由を侵し又は違法に制約するものとすることはでき〈ない〉。」〔❸**憲法13条,26条に違反しない**〕「本件調査書の記載による情報の開示は,入学者選抜に関係する特定小範囲の人に対するものであって,情報の公開には該当しない。」「本件調査書の備考欄等の記載事項は,いずれも入学者選抜の資料に供し得るものである…から,〈憲法26条違反〉の主張は,その前提を欠き,採用できない。」

114 労働組合の統制権と立候補の自由《三井美唄炭鉱労組事件》

最大判

〔最大判昭和43年12月4日刑集22巻13号1425頁〕

【事件】 北海道三井美唄労働組合の執行機関の役員Yらは,美唄市会議員の前回選挙の同組合推薦候補となって当選したAに,次回選挙の立候補断念を執拗に迫ったが,Aは独自に立候補して当選したので,Yらは1年間組合員の権利停止処分とした。Yらは公職選挙法225条3号(選挙の自由妨害罪)違反として起訴された。1審一部有罪,2審無罪。(破棄差戻し)

【争点】 ①労働組合はその構成員に対して統制権をもつか。②立候補の自由を憲法は保障しているか。③労働組合の統制権の限界はどのように判断すべきか。

【判旨】 〔**❶労働組合は合理的な範囲において労働者の行動につき規制を加えることができる**〕「労働基本権を保障する憲法28条も,さらに,これを具体化した労働組合法も,直接には,労働者対使用者の関係を規制することを目的としたものであり,労働者の使用者に対する労働基本権を保障するものにほかならない。ただ,労働者が憲法28条の保障する団結権に基づき労働組合を結成した場合において,その労働組合が正当な団体行動を行なうにあたり,労働組合の統一と一体化を図り,その団結力の強化を

期するためには，その組合員たる個々の労働者の行動についても，組合として，合理的な範囲において，これに規制を加えることが許されなければならない（以下，これを組合の統制権とよぶ。）」。「およそ，組織的団体においては，一般に，その構成員に対し，その目的に即して合理的な範囲内での統制権を有するのが通例であるが，憲法上，団結権を保障されている労働組合においては，その組合員に対する組合の統制権は，一般組織的団体のそれと異なり，労働組合の団結権を確保するために必要であり，かつ，合理的な範囲内においては，労働者の団結権保障の一環として，憲法 28 条の精神に由来する…。この意味において，憲法 28 条による労働者の団結権保障の効果として，労働組合は，その目的を達成するために必要であり，かつ，合理的な範囲内において，その組合員に対する統制権を有する」〔❷**立候補の自由は憲法 15 条 1 項が保障している**〕「立候補の自由は，選挙権の自由な行使と表裏の関係にあり，自由かつ公正な選挙を維持するうえで，きわめて重要である。このような見地からいえば，憲法 15 条 1 項には，被選挙権者，特にその立候補の自由について，直接には規定していないが，これもまた，同条同項の保障する重要な基本的人権の 1 つと解すべきである。」〔❸**統制権の行使はその必要性と立候補の自由の重要性を比較衡量して許否を決すべき**〕「しかし，労働組合が行使し得べき組合員に対する統制権には，当然，一定の限界が存する…。殊に，公職選挙における立候補の自由…に対する制約は，特に慎重でなければならず，組合の団結を維持するための統制権の行使に基づく制約であっても，その必要性と立候補の自由の重要性とを比較衡量して，その許否を決すべきで…ある。」「統一候補以外の組合員で立候補しようとする者に対し，組合が所期の目的を達成するために，立候補を思いとどまるよう，勧告または説得をすることは，組合としても，当然なし得る…。しかし，当該組合員に対し，勧告または，説得の域を超え，立候補を取りやめることを要求し，これに従わないことを理由に当該組合員を

115 公務員の労働基本権制限(1)《政令201号事件》
最大判　〔最大判昭和28年4月8日刑集7巻4号775頁〕

【事件】　国労組合員たる被告人らは，自分らの労働基本権を制限した政令201号の廃止を求めて無断欠勤という争議手段に出て，同政令2条等によって起訴された。1審・2審有罪。（上告棄却，有罪確定〔懲役6月〕）

【争点】　公務員の労働基本権を制限できるか。

【判旨】　〔労働基本権も公共の福祉のために制限を受ける〕「国民の権利はすべて公共の福祉に反しない限りにおいて立法その他の国政の上で最大の尊重をすることを必要とする…から，憲法28条が保障する勤労者の団結する権利及び団体交渉その他の団体行動をする権利も公共の福祉のために制限を受けるのは已を得ない…。殊に国家公務員は，国民全体の奉仕者として（憲法15条）公共の利益のために勤務し，且つ職務の遂行に当っては全力を挙げてこれに専念しなければならない（国家公務員法96条1項）性質のものであるから，団結権団体交渉権等についても，一般に勤労者とは違って特別の取扱を受けることがあるのは当然である。従来の労働組合法又は労働関係調整法において非現業官吏が争議行為を禁止され，又警察官等が労働組合結成権を認められなかったのはこの故である。同じ理由により，本件政令第201号が公務員の争議を禁止したからとて，これを以て憲法28条に違反するものということはできない。」「また憲法25条1項は，すべての国民が健康で文化的な最低限度の生活を営み得るよう国政を運営すべきことを国家の責務として宣言した…。公務員がその争議行為を禁止されたからとてその当然の結果として健康で文化的な最低限度の生活を営むことができなくなる…のではないから，本件政令が憲法25条に違反するという主張も採用し難い。」

【コメント】	本判決には，栗山裁判官の意見，真野裁判官の反対意見がある。

116 公務員の労働基本権制限(2)《全逓東京中郵事件》

最大判 〔最大判昭和41年10月26日刑集20巻8号901頁〕

【事件】	昭和33年の春闘に際して，被告人らは，東京中央郵便局の従業員らに対して，勤務時間内職場大会への参加を説得し，郵便法79条1項の郵便物不取扱いの罪で起訴された。1審無罪，2審破棄。(破棄差戻し)
【争点】	①現業の国家公務員の労働基本権は制限できるか。②郵政職員の権利は制限できるか。③違法な争議行為に刑事罰を科しうる限界はどこにあるか。
【判旨】	[❶現業公務員の労働基本権制限には限界がある]「労働基本権は，たんに私企業の労働者だけについて保障されるのではなく，公共企業体の職員はもとよりのこと，国家公務員や地方公務員も，憲法28条にいう勤労者にほかならない以上，原則的には，その保障を受ける」。「憲法15条〈2項〉を根拠として，公務員に対して右の労働基本権をすべて否定するようなことは許されない。ただ，公務員またはこれに準ずる者については，…その担当する職務の内容に応じて，私企業における労働者と異なる制約を内包しているにとどまる」。「(1)労働基本権の制限は，労働基本権を尊重確保する必要と国民生活全体の利益を維持増進する必要とを比較衡量して，両者が適正な均衡を保つことを途として決定すべきであるが，労働基本権が勤労者の生存権に直結し，それを保障するための重要な手段である点を考慮すれば，その制限は，合理性の認められる必要最小限度のものにとどめなければならない。(2)労働基本権の制限は，勤労者の提供する職務または業務の性質が公共性の強いものであり，したがってその職務または業務の停廃が国民生活全体の利益を害し，国民生活に重大な障害をもたらすおそれのあるものについて，これを避けるため

に必要やむを得ない場合について考慮されるべきである。(3)労働基本権の制限違反に伴う法律効果，すなわち，違反者に対して課せられる不利益については，必要な限度をこえないように，十分な配慮がなされなければならない。とくに，勤労者の争議行為等に対して刑事制裁を科することは，必要やむを得ない場合に限られるべきであり，同盟罷業，怠業のような単純な不作為を刑罰の対象とするについては，特別に慎重でなければならない。」「このことは，人権尊重の近代的思想からも，刑事制裁は反社会性の強いもののみを対象とすべきであるとの刑事政策の理想からも，当然のことにほかならない。それは債務が雇傭契約ないし労働契約上のものである場合でも異なるところがなく，労務者がたんに労務を供給せず（罷業）もしくは不完全にしか供給しない（怠業）ことがあっても，それだけでは，一般的にいって，刑事制裁をもってこれに臨むべき筋合ではない。(4)職務または業務の性質上からして，労働基本権を制限することがやむを得ない場合には，これに見合う代償措置が講ぜられなければならない。」〔❷郵政職員の権利制限は合憲〕「以上に述べたところは，労働基本権の制限を目的とする法律を制定する際に留意されなければならないばかりでなく，すでに制定されている法律を解釈適用するに際しても，十分に考慮されなければならない。」「本件の郵便業務についていえば，その業務が独占的なものであり，かつ，国民生活全体との関連性がきわめて強いから，業務の停廃は国民生活に重大な障害をもたらすおそれがあるなど，社会公共に及ぼす影響がきわめて大きいことは多言を要しない。それ故に，その業務に従事する郵政職員に対してその争議行為を禁止する規定を設け，その禁止に違反した者に対して不利益を課することにしても，その不利益が前に述べた基準に照らして必要な限度をこえない合理的なものであるかぎり，これを違憲無効ということはできない。」「公労法17条1項に違反した者に対して，右のような民事責任を伴う争議行為の禁止をすることは，憲法28条，18条に違反するもので

ない」。〔❸政治的目的のために行われる争議行為などに刑事制裁の対象は限定すべき〕「公労法17条1項に違反して争議行為をした者に対する刑事制裁について見るに、…争議行為禁止の違反に対する制裁はしだいに緩和される方向をとり、現行の公労法は特別の罰則を設けていない。このことは、公労法そのものとしては、争議行為禁止の違反について、刑事制裁はこれを科さない趣旨であると解するのが相当である。公労法3条で、刑事免責に関する労組法1条2項の適用を排除することなく、これを争議行為にも適用することとしているのは、この趣旨を裏づけるものということができる。そのことは、憲法28条の保障する労働基本権尊重の根本精神にのっとり、争議行為の禁止違反に対する効果または制裁は必要最小限度にとどめるべきであるとの見地から、違法な争議行為に関しては、民事責任を負わせるだけで足り、刑事制裁をもって臨むべきではないとの基本的態度を示したものと解することができる。」「公労法3条が労組法1条2項の適用があるものとしているのは、争議行為が労組法1条1項の目的を達成するためのものであり、かつ、たんなる罷業または怠業等の不作為が存在するにとどまり、暴力の行使その他の不当性を伴わない場合には、刑事制裁の対象とはならないと解するのが相当である。それと同時に、争議行為が刑事制裁の対象とならないのは、右の限度においてであって、もし争議行為が労組法1条1項の目的のためでなくして政治的目的のために行なわれたような場合であるとか、暴力を伴う場合であるとか、社会の通念に照らして不当に長期に及ぶときのように国民生活に重大な障害をもたらす場合には、憲法28条に保障された争議行為としての正当性の限界をこえるもので、刑事制裁を免れない」。

【コメント】　本判決には、奥野・草鹿・石田、五鬼上裁判官の各反対意見がある。その後、高裁差戻審で無罪確定。公労法（公共企業体労働関係法）は、その後幾多の改編を経て、「行政執行法人の労働関係に関する法律」となったが、労働基本

権の制限は変更されていない（同法4条・8条・17条参照）。なお郵政民営化後は、郵政職員は公務員ではなくなったので、労働基本権制限はなくなった。

117 公務員の労働基本権制限(3)《都教組事件》
最大判 〔最大判昭和44年4月2日刑集23巻5号305頁〕

【事件】　昭和33年の勤評反対闘争に際して東京都教組は、一斉有給休暇をとり集会に参加させる方法を用いた。これが同盟罷業に当たるとされ、指導した被告人らは、地公法61条4号（現62条の2に相当〔令3法75〕）の罪に問われた。1審無罪、2審有罪。（破棄自判、無罪）

【争点】　①地方公務員の労働基本権の制限はどうあるべきか。②争議行為のあおり行為はいかなる場合に処罰されるか。

【判旨】　〔❶刑事制裁には限界がある〕「地方公務員の具体的な行為が禁止の対象たる争議行為に該当するかどうかは、争議行為を禁止することによって保護しようとする法益と、労働基本権を尊重し保障することによって実現しようとする法益との比較較量により、両者の要請を適切に調整する見地から判断することが必要である。」「地方公務員の行為が地公法37条1項の禁止する争議行為に該当する違法な行為と解される場合であっても、それが直ちに刑事罰をもってのぞむ違法性につながるものでないことは、同法61条4号が地方公務員の争議行為そのものを処罰の対象とすることなく、もっぱら争議行為のあおり行為等、特定の行為のみを処罰の対象としていることからいって、きわめて明瞭である。」〔❷違法な争議行為の違法なあおり行為のみが処罰される〕「地公法61条4号は、争議行為をした地方公務員自体を処罰の対象とすることなく、違法な争議行為のあおり行為等をした者にかぎって、これを処罰することにしている」。「ただ、それは、争議行為自体が違法性の強いものであることを前提とし、そのような違法な争議行為等のあおり行為等であってはじめて、刑事罰

をもってのぞむ違法性を認めようとする趣旨と解すべきであって，前叙のように，あおり行為等の対象となるべき違法な争議行為が存しない以上，地公法61条4号が適用される余地はない」。

【コメント】　本判決には，松田裁判官の補足意見，入江，岩田裁判官の各意見，奥野・草鹿・石田・下村・松本裁判官の反対意見がある。

118 公務員の労働基本権制限(4)《全農林警職法事件判決》
最大判　〔最大判昭和48年4月25日刑集27巻4号547頁〕

【事件】　昭和33年秋の警職法改正案国会上程にともない，Yらは，全農林組合員に対して，勤務時間内の抗議行動をそそのかしたとして国公法110条1項17号（現111条の2第1号に相当〔令3法75〕）違反で起訴された。1審無罪，2審有罪（罰金5万円）。（上告棄却）

【争点】　①非現業公務員の労働基本権制限は合憲か。②国公法違反の争議行為のそそのかしを違法なものに限定せずに処罰するのは合憲か。

【判旨】　〔❶必要やむをえない限度の制限を加えることは合憲〕「公務員は，私企業の労働者と異なり，国民の信託に基づいて国政を担当する政府により任命されるものであるが，憲法15条の示すとおり，実質的には，その使用者は国民全体であり，公務員の労務提供義務は国民全体に対して負う」。「公務員の地位の特殊性と職務の公共性にかんがみるときは，これを根拠として公務員の労働基本権に対し必要やむをえない限度の制限を加えることは，十分合理的な理由がある」。「公務員の場合は，その給与の財源は国の財政とも関連して主として税収によって賄われ，私企業における労働者の利潤の分配要求のごときものとは全く異なり，その勤務条件はすべて政治的，財政的，社会的その他諸般の合理的な配慮により適当に決定されなければならず，しかもその決定は民主国家のルールに従い，立法府において論議のうえなされる

べきもので，同盟罷業等争議行為の圧力による強制を容認する余地は全く存しない」。「公務員の勤務条件の決定に関し，政府が国会から適法な委任を受けていない事項について，公務員が政府に対し争議行為を行なうことは，的はずれであって正常なものとはいいがたく，もしこのような制度上の制約にもかかわらず公務員による争議行為が行なわれるならば，使用者としての政府によっては解決できない立法問題に逢着せざるをえないこととなり，ひいては民主的に行なわれるべき公務員の勤務条件決定の手続過程を歪曲することともなって，憲法の基本原則である議会制民主主義（憲法41条，83条等参照）に背馳し，国会の議決権を侵す虞れすらなしとしない」。「私企業においては，…争議行為に対抗する手段があるばかりでなく，労働者の過大な要求を容れることは，企業の経営を悪化させ，企業そのものの存立を危殆ならしめ，ひいては労働者自身の失業を招くという重大な結果をもたらすこととなるのであるから，…争議行為に対しても，いわゆる市場の抑制力が働くことを必然とするのに反し，公務員の場合には，そのような市場の機能が作用する余地がないため，公務員の争議行為は場合によっては一方的に強力な圧力となり，この面からも公務員の勤務条件決定の手続をゆがめることとなる」。「その争議行為等が，勤労者をも含めた国民全体の共同利益の保障という見地から制約を受ける公務員に対しても，その生存権保障の趣旨から，法は，これらの制約に見合う代償措置として身分，任免，服務，給与その他に関する勤務条件についての周到詳密な規定を設け，さらに中央人事行政機関として準司法機関的性格をもつ人事院を設けている。」〔**❷不明確な限定解釈は憲法31条に違反する疑いがある**〕「公務員の争議行為の禁止は，憲法に違反することはないのであるから，何人であっても，この禁止を侵す違法な争議行為をあおる等の行為をする者は，違法な争議行為に対する原動力を与える者として，単なる争議参加者にくらべて社会的責任が重いのであり，また争議行為の開始ないしはその遂行の原因を作るもの

であるから、かかるあおり等の行為者の責任を問い、かつ、違法な争議行為の防遏を図るため、その者に対しとくに処罰の必要性を認めて罰則を設けることは、十分に合理性がある」。「禁止された公務員の違法な争議行為をあおる等の行為をあえてすることは、それ自体がたとえ思想の表現たるの一面をもつとしても、公共の利益のために勤務する公務員の重大な義務の懈怠を慫慂するにほかならないのであって、結局、国民全体の共同利益に重大な障害をもたらす虞れがあるものであり、憲法の保障する言論の自由の限界を逸脱する…。したがって、あおり等の行為を処罰すべきものとしている国公法110条1項17号は、憲法21条に違反するものということができない。」「公務員の行なう争議行為のうち、同法によって違法とされるものとそうでないものとの区別を認め、さらに違法とされる争議行為にも違法性の強いものと弱いものとの区別を立て、あおり行為等の罪として刑事制裁を科されるのはそのうち違法性の強い争議行為に対するものに限るとし、あるいはまた、あおり行為等につき、争議行為の企画、共謀、説得、慫慂、指令等を争議行為にいわゆる通常随伴するものとして、国公法上不処罰とされる争議行為自体と同一視し、かかるあおり等の行為自体の違法性の強弱または社会的許容性の有無を論ずることは、いずれも、とうてい是認することができない。」「不明確な限定解釈は、かえって犯罪構成要件の保障的機能を失わせることとなり、その明確性を要請する憲法31条に違反する疑いすら存する」。

【コメント】　本判決には、石田・村上・藤林・岡原・下田・岸・天野裁判官の補足意見、岸・天野裁判官の追加補足意見、岩田裁判官の意見、田中・大隅・関根・小川・坂本裁判官の意見、色川裁判官の反対意見がある。

119 公務員の労働基本権制限 (5) 《全逓名古屋中郵事件判決》
最大判
〔最大判昭和 52 年 5 月 4 日刑集 31 巻 3 号 182 頁〕

【事件】 Yらは、全逓信組合の重要な活動家であったが、昭和 33 年 3 月 20 日に行われた全逓信組合名古屋中央郵便局支部の勤務時間内くい込み職場大会の指導活動が、①郵便法 79 条の郵便物不取扱いの罪の教唆、②刑法 95 条の公務執行妨害罪、③刑法 130 条の建造物侵入罪に当たるとして起訴された。1 審①③につき有罪、2 審①②③いずれも無罪。(一部棄却〔②無罪〕、一部破棄自判〔①③有罪罰金 1 万円〕)

【争点】 ①現業の国家公務員の労働基本権は制限できるか。②非現業公務員,現業公務員・三公社職員,その他に区分して労働基本権の保障に差異を設けることは妥当か。③公労法(当時)違反の行為は刑事制裁の対象か。

【判旨】 〔❶国民全体の共同利益を擁護する見地から争議行為を全面的に禁止しても合憲〕「非現業の国家公務員の場合,その勤務条件は,憲法上,国民全体の意思を代表する国会において法律,予算の形で決定すべきものとされており,労使間の自由な団体交渉に基づく合意によって決定すべきものとはされていないので,私企業の労働者の場合のような労使による勤務条件の共同決定を内容とする団体交渉権の保障はなく,右の共同決定のための団体交渉過程の一環として予定されている争議権もまた,憲法上,当然に保障されているものとはいえない」。「右の理は,公労法の適用を受ける五現業及び三公社の職員についても,直ちに又は基本的に妥当する」。「もっとも,現行の法制度をみると,公労法〈は〉,…その 17 条 1 項において,同法が適用される職員と労働組合の争議行為及びそのあおり等の行為を禁止しながら,4 条において,職員に対し団権権を付与しているほか,8 条において,五現業及び三公社の管理運営に関する事項を除き当局側との団体交渉権,労働協約締結権を認めている。しかしながら,このような労働協約締結権を含む団体交渉権の付与は,憲法 28 条の当然

の要請によるものではなく，国会が，憲法28条の趣旨をできる限り尊重しようとする立法上の配慮から，財政民主主義の原則に基づき，その議決により，財政に関する一定事項の決定権を使用者としての政府又は三公社に委任したものにほかならない。」「国会が，国民全体の共同利益を擁護する見地から，勤務条件の決定過程が歪められたり，国民が重大な生活上の支障を受けることを防止するため，必要やむをえないものとして，これらの職員の争議行為を全面的に禁止したからといって，これを不当な措置であるということはできない。」〔❷**職員を区分して程度を異にして労働基本権を保障する現行制度は立法裁量の範囲内**〕「以上の理由により，公労法17条1項による争議行為の禁止は，憲法28条に違反するものではない。」「なお，上述したところは，…公労法17条1項その他公務員等の労働基本権にかかわる現行法規につきその立法政策的な当否を論ずるものではない。非現業の国家公務員に関して全農林事件判決が，また非現業の地方公務員に関して岩手県教組事件判決が，そうして五現業の国家公務員及び三公社の職員に関して本判決がそれぞれ判示するところは，(イ)公務員及び三公社その他の公共的職務に従事する職員は，財政民主主義に表れている議会制民主主義の原則により，その勤務条件の決定に関し国会又は地方議会の直接，間接の判断を待たざるをえない特殊な地位に置かれていること，(ロ)そのため，これらの者は，労使による勤務条件の共同決定を内容とするような団体交渉権ひいては争議権を憲法上当然には主張することのできない立場にあること，(ハ)さらに，公務員及び三公社の職員は，その争議行為により適正な勤務条件を決定しうるような勤務上の関係にはなく，かつ，その職務は公共性を有するので，全勤労者を含めた国民全体の共同利益の保障という見地からその争議行為を禁止しても，憲法28条に違反するものとはいえないこと，に帰する…。これを言い換えるならば，国会が，その立法，財政の権限に基づき，一定範囲の公務員その他の公共的職務に従事する職員の勤務条件に

関し，職員との交渉によりこれを決定する権限を使用者としての政府その他の当局に委任し，さらにはこれらの職員に対し争議権を付与することも，憲法上の権限行使の範囲内にとどまる限り，違憲とされるわけはないのである。現行法制が，非現業の公務員，現業公務員・三公社職員，それ以外の公共的職務に従事する職員の三様に区分し，それぞれ程度を異にして労働基本権を保障しているのも，まさに右の限度における国会の立法裁量に基づく」。

〔❸刑事制裁に限定して争議行為を正当と評価する特段の憲法上の根拠はない〕「刑事法上に限り公労法 17 条 1 項違反の争議行為を正当なものと評価して当然に労組法 1 条 2 項の適用を認めるべき特段の憲法上の根拠は，見出しがたい。かりに，争議行為が憲法 28 条によって保障される権利の行使又は正当な行為であることの故に…違法性阻却を認めるほかないものとすれば，これに対し民事責任を問うことも原則として許されないはずであって，そのような争議行為の理解は，公労法 17 条 1 項が憲法 28 条に違反しないとしたところにそぐわない」。「確かに，刑罰は国家が科する最も峻厳な制裁であるから，それにふさわしい違法性の存在が要求されることは当然であろう。しかし，その違法性の存否は，ここに繰り返すまでもなく，それぞれの罰則と行為に即して検討されるべきものであって，およそ争議行為として行われたときは公労法 17 条 1 項に違反する行為であっても刑事法上の違法性を帯びることがないと断定するのは，相当でない。特に，この条項は，前記のとおり，五現業及び三公社の職員に関する勤務条件の決定過程が歪められたり，国民が重大な生活上の支障を受けることを防止するために規定されたものであって，その禁止に違反する争議行為は，国民全体の共同利益を損なうおそれのあるものというほかないのであるから，これが罰則に触れる場合にその違法性の阻却を認めえないとすることは，決して不合理ではない」。「以上の理由により，公労法 17 条 1 項違反の争議行為についても労組法 1 条 2 項の適用があり，原則としてその刑事法上の違法性が阻

却されるとした点において，東京中郵事件判決は，変更を免れない」。

【コメント】 本判決には，高辻裁判官の補足意見，下田裁判官の意見，団藤，環裁判官の各反対意見がある。

第*11*章 参 政 権

120 衆議院議員選挙における投票価値の平等(1)
最大判 〔最大判昭和51年4月14日民集30巻3号223頁〕

【事件】　昭和47年12月施行の衆議院議員総選挙で千葉県第1区の選挙人Xが、公職選挙法別表1に基づく議員定数の配分に不均衡があり、投票価値の開きが最小区と最大区で1対4.99にも達しているのは憲法14条に違反するとして、公職選挙法204条所定の選挙無効訴訟を提起した。原審・請求棄却。(破棄自判、請求棄却、ただし当該選挙の違法を宣言)

【争点】　①選挙権の平等は投票価値の平等を含むか。②定数配分に当たって立法府の裁量が認められるか。③本件1対5程度の不均衡は立法裁量の限界を越えないか。④違憲状態をただちに違憲と断じてよいか。⑤定数配分規定は不可分一体か。⑥本件選挙を違憲を理由に無効となしうるか。⑦違法な選挙を無効としないためにどのような法理を用いるべきか。

【判旨】　〔❶選挙権の平等は投票価値の平等も含む〕「憲法14条1項に定める法の下の平等は、選挙権に関しては、国民はすべての政治的価値において平等であるべきであるとする徹底した平等化を志向するものであり、右15条1項等の各規定の文言上は単に選挙人資格における差別の禁止が定められていたにすぎないけれど、単にそれだけにとどまらず、選挙権の内容、すなわち各選挙人の投票の価値の平等もまた、憲法の要求するところである」。〔❷立法府の裁量は認められるが、それには限界がある〕「しかしながら、右の投票価値の平等は、各投票が選挙の結果に及ぼす影響力が数字的に完全に同一であることまでも要求するものと考えることはできない。」「衆議院議員の選挙における選挙区割と議員定数の配分の決定には、極めて多種多様で、複雑微妙な政策的及び技術的考慮要素が含まれており、それらの諸要素のそれぞ

れをどの程度考慮し，これを具体的決定にどこまで反映させることができるかについては，もとより厳密に一定された客観的基準が存在するわけのものではないから，結局は，国会の具体的に決定したところがその裁量権の合理的な行使として是認されるかどうかによって決するほかはなく，…しかしながら，このような見地に立って考えても，具体的に決定された選挙区割と議員定数の配分の下における選挙人の投票価値の不平等が，国会において通常考慮しうる諸般の要素をしんしゃくしてもなお，一般的に合理性を有するものとはとうてい考えられない程度に達しているときは，もはや国会の合理的裁量の限界を超えているものと推定されるべきものであり，このような不平等を正当化すべき特段の理由が示されない限り，憲法違反と判断するほかはない」。〔❸**本件1対5程度の不均衡は立法裁量の限界を越え，違憲状態**〕「当事者間に争いのない事実によれば，昭和47年12月10日の本件衆議院議員選挙当時においては，各選挙区の議員1人あたりの選挙人数と全国平均のそれとの偏差は，下限において47.30パーセント，上限において162.87パーセントとなり，その開きは，約5対1の割合に達していた，というのである。このような事態を生じたのは，専ら前記改正後〈昭39法132〉における人口の異動に基づくものと推定されるが，右の開きが示す選挙人の投票価値の不平等は，前述のような諸般の要素，特に右の急激な社会的変化に対応するについてのある程度の政策的裁量を考慮に入れてもなお，一般的に合理性を有するものとはとうてい考えられない程度に達しているばかりでなく，これを更に超えるに至っているものというほかはなく，これを正当化すべき特段の理由をどこにも見出すことができない以上，本件議員定数配分規定の下における各選挙区の議員定数と人口数との比率の偏差は，右選挙当時には，憲法の選挙権の平等の要求に反する程度になっていた」。〔❹**合理的期間を考慮すべきだが，本件ではすでに徒過し違憲である**〕「くしかし右の理由のほかに，本件のように合憲性の欠如が漸次的な事情の

変化によるものである場合には〉人口の変動の状態をも考慮して合理的期間内における是正が憲法上要求されていると考えられるのにそれが行われない場合に始めて憲法違反と断ぜられるべきものと解するのが，相当である。」「〈しかしこの見地からしても本件の場合〉憲法上要求される合理的期間内における是正がされなかったものと認めざるをえない。」「〈かくして〉本件議員定数配分規定は，本件選挙当時，憲法の選挙権の平等の要求に違反し，違憲と断ぜられるべきものであった」。〔❺**定数配分規定は不可分一体**〕「選挙区割及び議員定数の配分は，…相互に有機的に関連し，一の部分における変動は他の部分にも波動的に影響を及ぼすべき性質を有するものと認められ，その意味において不可分の一体をなすと考えられるから，右配分規定は，単に憲法に違反する不平等を招来している部分のみでなく，全体として違憲の瑕疵を帯びる」。〔❻**憲法の所期しない結果を避けるため，選挙は無効とすべきでない**〕「〈本件選挙を無効にして〉得られる結果は，当該選挙区の選出議員がいなくなるというだけであって，真に憲法に適合する選挙が実現するためには，公選法自体の改正にまたなければならないことに変わりはなく，更に，全国の選挙について同様の訴訟が提起され選挙無効の判決によって〈衆議院の活動が不可能となり，違憲規定の改正さえできないという〉不当な結果を生ずることもありうるのである。また，仮に一部の選挙区の選挙のみが無効とされるにとどまった場合でも，もともと同じ憲法違反の瑕疵を有する選挙について，そのあるものは無効とされ，他のものはそのまま有効として残り，しかも，右公選法の改正を含むその後の衆議院の活動が，選挙を無効とされた選挙区からの選出議員を得ることができないままの異常な状態の下で，行われざるをえないこととなるのであって，このような結果は，憲法上決して望ましい姿ではなく，また，その所期するところでもない」。〔❼**「事情判決」の法理を援用すべき**〕「〈行訴法31条の事情判決の規定は〉法政策的考慮に基づいて定められたものではあるが，し

かしそこには，行政処分の取消の場合に限られない一般的な法の基本原則に基づくものとして理解すべき要素も含まれていると考えられる」。「〈公選法219条は，選挙無効訴訟について右規定の準用を排除しているが，本件のような場合には特に，右〉規定に含まれる法の基本原則の適用により，選挙を無効とすることによる不当な結果を回避する裁判をする余地もありうるものと解するのが，相当である。もとより，明文の規定がないのに容易にこのような法理を適用することは許されず，殊に憲法違反という重大な瑕疵を有する行為については，…一般にその効力を維持すべきものではないが，しかし，このような行為についても，高次の法的見地から，右の法理を適用すべき場合がないとはいいきれない」。「そこで本件について考えてみるに，〈本件選挙が違憲の配分規定に基づいて行なわれたことを理由に無効判決を下しても，かえって憲法の所期しない結果が生ずることは〉，さきに述べたとおりである。これらの事情等を考慮するときは，本件においては，前記の法理にしたがい，本件選挙は憲法に違反する議員定数配分規定に基づいて行なわれた点において違法である旨を判示するにとどめ，選挙自体はこれを無効としないこととするのが，相当であり，そしてまた，このような場合においては，選挙を無効とする旨の判決を求める請求を棄却するとともに，当該選挙が違法である旨を主文で宣言するのが，相当である。」

【コメント】　岡原裁判官ほか4名の反対意見は定数配分規定は可分とし，千葉県第1区に関する限り違憲無効で，これに基づく選挙もまた無効とする。岸裁判官の反対意見は定数配分規定は可分とし，千葉県第1区の選挙は無効だが当選人の当選は有効とする。天野裁判官の反対意見は却下すべきものとする。

121 衆議院議員選挙における投票価値の平等(2)

最大判

〔最大判平成 11 年 11 月 10 日民集 53 巻 8 号 1441 頁〕

【事件】 平成 6 年の公職選挙法改正により衆議院小選挙区比例代表並立制が採用されたが，その小選挙区画定に当たり，一人別枠方式等が採られたため，選挙区間の投票価値は立法当初から最大較差 1 対 2 を上回っていた。平成 8 年施行の総選挙の後，選挙無効訴訟が提起された。原審・請求棄却。(上告棄却)

【争点】 ①区割り決定に際し，人口以外の要素を考慮してよいか。
②本件区割りによる不均衡は不合理とはいえないか。

【判旨】 〔❶人口以外の要素も考慮しうる〕「選挙区割りを決定するに当たっては，議員一人当たりの選挙人数又は人口ができる限り平等に保たれることが，最も重要かつ基本的な基準であるが，国会はそれ以外の諸般の要素をも考慮することができるのであって，都道府県は選挙区割りをするに際して無視することができない基礎的な要素の一つであり，人口密度や地理的状況等のほか，人口の都市集中化及びこれに伴う人口流失地域の過疎化の現象等にどのような配慮をし，選挙区割りや議員定数の配分にこれらをどのように反映させるかという点も，国会において考慮することができる要素というべきである。」「また憲法 43 条 1 項…は，全国を多数の小選挙区に分けて選挙を行う場合に，選挙区割りにつき厳格な人口比例主義を唯一絶対の基準とすべきことまでをも要求しているとは解されない。」〔❷本件区割りは不合理でなく，合憲〕「右区割りが直ちに〈法定の〉基準に違反するとはいえないし，…基準自体に憲法に違反するところがない…ことにかんがみれば，以上の較差が示す選挙区間における投票価値の不平等は，一般に合理性を有するとは考えられない程度に達しているとまではいうことができ〈ない〉。」

【コメント】 本判決には，河合・遠藤・元原・梶谷，福田裁判官の各反対意見がある。

122 衆議院議員選挙における投票価値の平等(3)

最大判〔最大判平成 23 年 3 月 23 日民集 65 巻 2 号 755 頁〕

【事件】 平成 21 年施行の衆議院議員選挙について，小選挙区選出議員の選挙区割等が違憲無効であるとして，選挙無効訴訟が提起された。原審は投票価値の較差は違憲であるが，合理的期間は経過していないとして請求棄却。（上告棄却）

【争点】 一人別枠方式（各都道府県にまず定数一人を配分して残りを人口比例とする方式）は依然として合憲か。

【判旨】〔違憲であるが改正のための合理的期間は経過していない〕

「一人別枠方式…については，…相対的に人口の少ない県に定数を多めに配分し，人口の少ない県に居住する国民の意思をも十分に国政に反映させる…旨の説明がされている。」「しかし，…議員は，いずれの地域の選挙区から選出されたかを問わず，全国民を代表して国政に関与することが要請されている」。「一人別枠方式の意義については，人口の少ない地方における定数の急激な減少への配慮という立法時の説明にも一部うかがわれるところであるが，…国政における安定性，連続性の確保を図る必要があると考えられたこと…にある」。「そうであるとすれば，…新しい選挙制度が定着し，安定した運用がされるようになった段階においては，その合理性は失われる」。「本件選挙区割りについては，…本件選挙時において，憲法の投票価値の平等の要求に反する状態に至っていた」。「しかしながら，〈最大判平成 19 年 6 月 13 日民集 61 巻 4 号 1617 頁〉において，平成 17 年の総選挙の時点における一人別枠方式を含む本件区割基準及び本件選挙区割りについて，…憲法の投票価値の平等の要求に反するに至っていない旨の判断が示されていたことなどを考慮すると，本件選挙までの間に本件区割基準中の一人別枠方式の廃止及びこれを前提とする本件区割規定の是正がされなかったことをもって，憲法上要求される合理的期間内に是正がされなかったものということはできない。」

218　第11章　参政権

【コメント】　本判決には，竹内，須藤裁判官の各補足意見，古田裁判官の意見，田原，宮川裁判官の各反対意見がある。

123 衆議院の重複立候補制・比例代表制・小選挙区制の合憲性

最大判〔最大判平成11年11月10日民集53巻8号1577頁（A事件），最大判平成11年11月10日民集53巻8号1704頁（B事件）〕

【事件】　平成8年施行の衆議院議員総選挙について，公職選挙法についてなされた各種の制度改革が違憲であるとする一連の選挙無効訴訟が提起された。（上告棄却）

【争点】　①重複立候補制は政党に所属しない候補者の立候補の自由を侵害するか。②比例代表制は直接選挙の原則に反するか。③小選挙区制は国民の総意を議席に反映しているか。

【判旨】　〔❶選挙制度を政党本位のものとするのは立法裁量の範囲内である〕「改正公選法の規定をみると，立候補の機会において，候補者届出政党に所属する候補者は重複立候補をすることが認められているのに対し，それ以外の候補者は重複立候補の機会がないものとされているほか，衆議院名簿届出政党等の行うことができる選挙運動の規模において，重複立候補者の数が名簿登載者の数の制限の計算上除外される結果，候補者届出政党の要件を備えたものは，これを備えないものより規模の大きな選挙運動を行うことができるものとされている」。「重複立候補制を採用し，小選挙区選挙において落選した者であっても比例代表選挙の名簿順位によっては同選挙において当選人となることができるものとしたことについては，小選挙区選挙において示された民意に照らせば，議論があり得る」。「しかしながら，…選挙制度の仕組みを具体的に決定することは国会の広い裁量にゆだねられているところ，同時に行われる2つの選挙に同一の候補者が重複して立候補することを認めるか否かは，右の仕組みの1つとして，国会が裁量により決定することができる事項である」。「もっとも，衆

議院議員選挙において重複立候補をすることができる者は，…所定の要件を充足する政党その他の政治団体に所属する者に限られており，これに所属しない者は重複立候補をすることができないものとされているところ，被選挙権又は立候補の自由が選挙権の自由な行使と表裏の関係にある重要な基本的人権であることにかんがみれば，合理的な理由なく立候補の自由を制限することは，憲法の要請に反する…。しかしながら，右のような候補者届出政党の要件は，国民の政治的意思を集約するための組織を有し，継続的に相当な活動を行い，国民の支持を受けていると認められる政党等が，小選挙区選挙において政策を掲げて争うにふさわしいものであるとの認識の下に，…選挙制度を政策本位，政党本位のものとするために設けられたものと解されるのであり，政党の果たしている国政上の重要な役割にかんがみれば，選挙制度を政策本位，政党本位のものとすることは，国会の裁量の範囲に属する」。「したがって，同じく政策本位，政党本位の選挙制度というべき比例代表選挙と小選挙区選挙とに重複して立候補することができる者が候補者届出政党の要件と衆議院名簿届出政党等の要件の両方を充足する政党等に所属する者に限定されていることには，相応の合理性が認められるのであって，不当に立候補の自由や選挙権の行使を制限するとはいえず，これが国会の裁量権の限界を超えるものとは解されない。」「そして，行うことができる選挙運動の規模が候補者の数に応じて拡大されるという制度は，衆議院名簿届出政党等の間に取扱い上の差異を設けるものではあるが，選挙運動をいかなる者にいかなる態様で認めるかは，選挙制度の仕組みの一部を成すものとして，国会がその裁量により決定することができる」。〔❷**比例代表選挙は直接選挙でないということはできない**〕「また，政党等にあらかじめ候補者の氏名及び当選人となるべき順位を定めた名簿を届け出させた上，選挙人が政党等を選択して投票し，各政党等の得票数の多寡に応じて当該名簿の順位に従って当選人を決定する方式は，投票の結果すなわち選挙人

の総意により当選人が決定される点において、選挙人が候補者個人を直接選択して投票する方式と異なるところはない。複数の重複立候補者の比例代表選挙における当選人となるべき順位が名簿において同一のものとされた場合には、その者の間では当選人となるべき順位が小選挙区選挙の結果を待たないと確定しないことになるが、結局のところ当選人となるべき順位は投票の結果によって決定されるのであるから、このことをもって比例代表選挙が直接選挙に当たらないということはできず、憲法43条1項、15条1項、3項に違反するとはいえない。」〈以上、A判決〉〔**❸小選挙区制は選挙を通じて国民の総意を議席に反映させる1つの合理的な方法である**〕「小選挙区制は、全国的にみて国民の高い支持を集めた政党等に所属する者が得票率以上の割合で議席を獲得する可能性があって、民意を集約し政権の安定につながる特質を有する反面、このような支持を集めることができれば、野党や少数派政党等であっても多数の議席を獲得することができる可能性があり、政権の交代を促す特質をも有するということができ、また、個々の選挙区においては、このような全国的な支持を得ていない政党等に所属する者でも、当該選挙区において高い支持を集めることができれば当選することができるという特質をも有するものであって、特定の政党等にとってのみ有利な制度とはいえない。小選挙区制の下においては死票を多く生む可能性があることは否定し難いが、死票はいかなる制度でも生ずるものであり、当選人は原則として相対多数を得ることをもって足りる点及び当選人の得票数の和よりその余の票（死票数）の方が多いことがあり得る点において中選挙区制と異なるところはなく、各選挙区における最高得票者をもって当選人とすることが選挙人の総意を示したものではないとはいえないから、この点をもって憲法の要請に反するということはできない。このように、小選挙区制は、選挙を通じて国民の総意を議席に反映させる1つの合理的方法ということができ、これによって選出された議員が全国民の代表であると

いう性格と矛盾抵触するものではないと考えられるから、小選挙区制を採用したことが国会の裁量の限界を超えるということはできず、所論の憲法の要請や各規定に違反するとは認められない。」

124 参議院議員選挙における投票価値の平等(1)
最大判〔最大判昭和39年2月5日民集18巻2号270頁〕

【事件】昭和37年7月施行の参議院東京地方区選出議員選挙の選挙人であるXらが、公職選挙法別表2に基づく議員定数の配分に不均衡があり、鳥取県選挙区と東京都選挙区では前者における一票の価値が後者の約4倍に達しているのは、憲法14条に違反するとして公職選挙法204条の選挙無効訴訟を提起した。原審・請求棄却。(原告側上告棄却、原告敗訴確定)

【争点】①定数配分は国会の裁量的権限に属するか。②本件不均衡も立法裁量内にとどまり、平等原則に反しないか。

【判旨】〔❶定数配分は国会の裁量事項である〕「憲法が両議院の議員の定数、選挙区その他選挙に関する事項については特に自ら何ら規定せず、法律で定める旨規定した所以のものは、選挙に関する事項の決定は原則として立法府である国会の裁量的権限に委せている」。〔❷本件不均衡は立法裁量内のもので、平等原則に反しない〕「もとより議員数を選挙人の人口数に比例して、各選挙区に配分することは、法の下に平等の憲法の原則からいって望ましいところであるが、…例えば、憲法46条の参議院議員の3年ごとの半数改選の制度からいっても、各選挙区の議員数を人口数に拘らず現行の最低2人を更に低減することは困難であるし、その他選挙区の大小、歴史的沿革、行政区画別議員数の振合等の諸要素も考慮に値することであって、これを考慮に入れて議員数の配分を決定することも不合理とはいえない。…選挙区の議員数について、選挙人の選挙権の享有に極端な不平等を生じさせるような場合は格別、各選挙区に如何なる割合で議員数を配分するかは、立法府である国会の権限に属する立法政策の問題であって、

議員数の配分が選挙人の人口に比例していないという一事だけで，憲法14条1項に反し無効であると断ずることはできない。」

【コメント】　本判決には斎藤裁判官の意見がある。

125 参議院議員選挙における投票価値の平等(2)
最大判〔最大判昭和58年4月27日民集37巻3号345頁〕

【事件】　昭和52年7月施行の参議院議員選挙における地方選挙区間における投票価値の不平等を理由に大阪府選挙区の選挙人が選挙無効訴訟を提起した。当該選挙における最大較差は1対5.26に達しており，またいくつかの選挙区間にいわゆる逆転現象がみられた。原審・請求棄却。（上告棄却，原告敗訴確定）

【争点】　①投票価値の平等は参議院議員選挙にも要求されるか。②本件における不均衡の放置は立法裁量の限界を超えるか。

【判旨】　〔❶要求されるが，一定の譲歩を免れない〕「〈参議院地方選出議員〉選挙制度の仕組みの下では，投票価値の平等の要求は，人口比例主義を基本とする選挙制度の場合と比較して一定の譲歩，後退を免れない」。〔❷立法裁量の範囲内〕「参議院地方選出議員については，選挙区割や議員定数の配分をより長期にわたって固定し，国民の利害や意見を安定的に国会に反映させる機能をそれに持たせることとすることも，立法政策として許容される…。これに加えて…選挙区間における議員1人当たりの選挙人数の較差の是正を図るにもおのずから〈技術的〉限度があることは明らかである。そして，他方，本件参議院議員定数配分規定の下においては…投票価値の平等の要求も，人口比例主義を基本として選挙区割及び議員定数の配分を定めた選挙制度の場合と同一に論じ難いことを考慮するときは…違憲の問題が生ずる程度の著しい不平等状態が生じていたとするには足らない。」

【コメント】　本判決には，伊藤・宮崎，大橋裁判官の各補足意見，横井，谷口裁判官の各意見，団藤，藤﨑裁判官の各

反対意見がある。その後，最大較差1対6.59の平成4年通常選挙につき最大判平成8年9月11日民集50巻8号2283頁，最大較差1対5.00の平成22年通常選挙につき最大判平成24年10月17日民集66巻10号3357頁は，違憲状態判決を出している。

126 参議院非拘束名簿式比例代表制の合憲性
最大判〔最大判平成16年1月14日民集58巻1号1頁〕

【事件】平成12年の公職選挙法改正により参議院比例代表選挙制度はそれまでの拘束名簿式比例代表制から非拘束名簿式比例代表制に改められ，平成13年7月29日施行の参議院通常選挙から適用された。この制度を違憲とする選挙無効訴訟が提起された。原審・請求棄却。（上告棄却）

【争点】①選挙制度の構築は国会の立法裁量か。②政党本位の選挙制度は国会の立法裁量の範囲内か。③直接選挙の要請に反しないか。

【判旨】〔❶**立法裁量である**〕「国会が新たな選挙制度の仕組みを採用した場合には，その具体的に定めたところが，…上記制約や法の下の平等などの憲法上の要請に反するためその限界を超えており，これを是認することができない場合に，初めてこれが憲法に違反することになる」。〔❷**立法裁量の範囲内である**〕「本件非拘束名簿式比例代表制も，…政党本位の名簿式比例代表制であることに変わりはない。」「国会が，…政党を媒体として国民の政治意思を国政に反映させる名簿式比例代表制を採用することは，その裁量の範囲に属する」。〔❸**直接選挙に当たらないとはいえない**〕「当選人の決定に選挙人以外の者の意思が介在するものではないから，…直接選挙に当たらないということはできず，憲法43条1項に違反するとはいえない。」

【コメント】本判決と同じ日に最大較差1対5に達している参議院議員定数配分規定について合憲判決が下された（民集58巻1号56頁）。従来の判例を踏襲しただけのものであるが，

224　第11章　参　政　権

6名の反対意見のほか，違憲警告とみられる補足意見も付されている。その後，最大判平成18年10月4日民集60巻8号2696頁も合憲の立場を崩していないが，5名の反対意見，5名の補足意見がある。

127 地方議会における投票価値の平等
最判　〔最1小判昭和59年5月17日民集38巻7号721頁〕

【事件】　昭和56年7月施行の東京都議会議員選挙における選挙区間の定数不均衡は憲法ならびに公職選挙法15条8項の投票価値の平等の要求に反するとして江戸川区の選挙人が選挙無効訴訟を提起した。原審・請求棄却（事情判決）。（上告棄却，原判決確定）

【争点】　地方議会選挙についても投票価値の平等は要求されるか。

【判旨】　〔地方議会選挙についても投票価値の平等が要求される〕
「地方公共団体の議会の議員の選挙に関し，当該地方公共団体の住民が選挙権行使の資格において平等に取り扱われるべきであるにとどまらず，その選挙権の内容，すなわち投票価値においても平等に取り扱われるべきであることは，憲法の要求するところであると解すべきであり，このことは当裁判所の判例（前掲昭和51年4月14日大法廷判決）の趣旨とするところである。そして，公選法15条7項は，憲法の右要請を受け，地方公共団体の議会の議員の定数配分につき，人口比例を最も重要かつ基本的な基準とし，各選挙人の投票価値が平等であるべきことを強く要求していることが明らかである。したがって，定数配分規定の制定又はその改正により具体的に決定された定数配分の下における選挙人の投票の有する価値に不平等が存し，あるいは，その後の人口の変動により右不平等が生じ，それが地方公共団体の議会において地域間の均衡を図るため通常考慮し得る諸般の要素をしんしゃくしてもなお一般的に合理性を有するものとは考えられない程度に達しているときは，右のような不平等は，もはや地方公共

団体の議会の合理的裁量の限界を超えているものと推定され，これを正当化すべき特別の理由が示されない限り，公選法15条7項〈現8項〉違反と判断されざるをえない」。

【コメント】　判旨は，さらに本件では不均衡は違憲状態であり，合理的期間もとに徒過していると判断している。

128 重度身障者の選挙権《在宅投票制廃止事件》
最判
〔最1小判昭和60年11月21日民集39巻7号1512頁〕

【事件】　身体障害者等に在宅のまま投票を認める在宅投票制度は昭和23年の衆議院議員選挙法改正により採用され，昭和25年に公職選挙法に受け継がれたが，昭和27年の公職選挙法改正により廃止された。いわゆる「寝たきり生活」のXが，在宅投票制度を廃止しその後復活の立法措置をとらないことはXの選挙権行使を事実上奪い違憲として，国を相手に損害賠償訴訟を提起した。1審・一部認容，2審・原判決取消し，請求棄却。（上告棄却）

【争点】　①立法行為はいかなる場合に国家賠償法上の「違法」と評価されるか。②在宅投票制度の廃止または復活しなかったことは国家賠償法上違法と評価されるか。

【判旨】　〔❶立法の内容が憲法の一義的な文言に反しているような例外的な場合に限定される〕「国会議員の立法行為（立法不作為を含む。以下同じ。）が同項の適用上違法となるかどうかは，国会議員の立法過程における行動が個別の国民に対して負う職務上の法的義務に違背したかどうかの問題であって，当該立法の内容の違憲性の問題とは区別されるべきであり，仮に当該立法の内容が憲法の規定に違反する廉があるとしても，その故に国会議員の立法行為が直ちに違法の評価を受けるものではない。」「憲法の採用する議会制民主主義の下においては，国会は，国民の間に存する多元的な意見及び諸々の利益を立法過程に公正に反映させ，議員の自由な討論を通してこれらを調整し，究極的には多数決原

理により統一的な国家意思を形成すべき役割を担うものである。そして，国会議員は，多様な国民の意向をくみつつ，国民全体の福祉の実現を目指して行動することが要請されているのであって，議会制民主主義が適正かつ効果的に機能することを期するためにも，国会議員の立法過程における行動で，立法行為の内容にわたる実体的側面に係るものは，これを議員各自の政治的判断に任せ，その当否は終局的に国民の自由な言論及び選挙による政治的評価にゆだねるのを相当とする。」「憲法51条が，…国会議員の発言・表決につきその法的責任を免除しているのも，国会議員の立法過程における行動は政治的責任の対象とするにとどめるのが国民の代表者による政治の実現を期するという目的にかなうものである，との考慮による」。「法律の効力についての違憲審査がなされるからといって，当該法律の立法過程における国会議員の行動，すなわち立法行為が当然に法的評価に親しむものとすることはできない」。「国会議員は，立法に関しては，原則として，国民全体に対する関係で政治的責任を負うにとどまり，個別の国民の権利に対応した関係での法的義務を負うものではないというべきであって，国会議員の立法行為は，立法の内容が憲法の一義的な文言に違反しているにもかかわらず国会があえて当該立法を行うというごとき，容易に想定し難いような例外的な場合でない限り，国家賠償法1条1項の規定の適用上，違法の評価を受けない」。〔**❷例外的な場合に当たらず違法ではない**〕「憲法には在宅投票制度の設置を積極的に命ずる明文の規定が存しないばかりでなく，かえって，その47条…が投票の方法その他選挙に関する事項の具体的決定を原則として立法府である国会の裁量的権限に任せる趣旨であることは，当裁判所の判例とするところである」。「そうすると，在宅投票制度を廃止しその後…8回の選挙までにこれを復活しなかった本件立法行為につき，これが前示の例外的場合に当たると解すべき余地はなく，結局，本件立法行為は国家賠償法1条1項の適用上違法の評価を受けるものではない」。

【コメント】　なお、1審判決前の昭和49年の公職選挙法改正で、在宅投票制の一部は復活している（同法49条2項）。

129 在外国民の選挙権《選挙権制限規定違憲判決》
最大判〔最大判平成17年9月14日民集59巻7号2087頁〕

【事件】　Xらは在外国民であったが、在外国民に投票を認めていなかった公職選挙法旧規定について、その違憲・違法の確認および国家賠償請求を求めて出訴した。1審係属中の平成10年に改正がなされ衆議院参議院の比例代表選挙には在外投票が認められるようなったが、衆議院小選挙区と参議院地方区については当分の間、適用見送りとされた（旧附則8項）ので訴訟は続行された。1審・2審、確認訴訟は不適法却下、国家賠償請求は請求棄却となったので、Xらは予備的確認請求を加えて上告に及んだ。（一部破棄自判、一部棄却）

【争点】　①選挙権を制限する法律はどのような立法目的が必要か。②平成10年法改正前の制度は合憲か。③平成10年法改正後の制度は合憲か。④選挙権を行使する権利の確認を求める訴えは適法か。⑤立法不作為に基づく国家賠償請求は認められるか。

【判旨】　〔❶選挙権を制限するためには「やむを得ない」と認められる事由がなければならない〕「憲法は、国民主権の原理に基づき、両議院の議員の選挙において投票をすることによって国の政治に参加することができる権利を国民に対して固有の権利として保障しており、その趣旨を確たるものとするため、国民に対して投票をする機会を平等に保障している」。「自ら選挙の公正を害する行為をした者等の選挙権について一定の制限をすることは別として、国民の選挙権又はその行使を制限することは原則として許されず、…制限するためには、そのような制限をすることがやむを得ないと認められる事由がなければならない」。「そのような制限をすることなしには選挙の公正を確保しつつ選挙権の行使を認めることが事実上不能ないし著しく困難であると認められる

場合でない限り，上記のやむを得ない事由があるとはいえず，このような事由なしに国民の選挙権の行使を制限することは，憲法15条1項及び3項，43条1項並びに44条ただし書に違反する」。「また，このことは，国が…所要の措置を執らないという不作為によって国民が選挙権を行使することができない場合についても，同様である。」「在外国民は，選挙人名簿の登録について国内に居住する国民と同様の被登録資格を有しないために，そのままでは選挙権を行使することができないが，憲法によって選挙権を保障されていることに変わりはなく，国には，選挙の公正の確保に留意しつつ，その行使を現実的に可能にするために所要の措置を執るべき責務がある」。〔❷**法改正前の制度は違憲**〕「既に昭和59年の時点で，選挙の執行について責任を負う内閣がその解決が可能であることを前提に…法律案を国会に提出していることを考慮すると，同法律案が廃案となった後，国会が，10年以上の長きにわたって在外選挙制度を何ら創設しないまま放置し，本件選挙において在外国民が投票をすることを認めなかったことについては，やむを得ない事由があったとは到底いうことができない。」〔❸**法改正以後の制度も違憲**〕「本件改正後に在外選挙が繰り返し実施されてきていること，通信手段が地球規模で目覚ましい発達を遂げていることなどによれば，在外国民に候補者個人に関する情報を適正に伝達することが著しく困難であるとはいえなくなった」。「公職選挙法の…平成12年11月…改正後は，参議院比例代表選出議員の選挙の投票については，…既に平成13年及び同16年に，在外国民についてもこの制度に基づく選挙権の行使がされていることなども併せて考えると，遅くとも，本判決言渡し後に初めて行われる…衆議院小選挙区選出議員の選挙及び参議院選挙区選出議員の選挙について在外国民に投票をすることを認めないことについて，やむを得ない事由があるということはでき…ない。」〔❹**選挙権を行使する権利を確認する訴えは，公法上の当事者訴訟として適法**〕「本件の予備的確認請求に係る訴えは，公法上の当事者

訴訟のうち公法上の法律関係に関する確認の訴えと解することができる」。「選挙権は，これを行使することができなければ意味がないものといわざるを得ず，侵害を受けた後に争うことによっては権利行使の実質を回復することができない性質のものであるから，その権利の重要性にかんがみると，具体的な選挙につき選挙権を行使する権利の有無につき争いがある場合にこれを有することの確認を求める訴えについては，それが有効適切な手段であると認められる限り，確認の利益を肯定すべきものである。…なお，この訴えが法律上の争訟に当たることは論をまたない。」「〈X〉らは…次回の…選挙において，在外選挙人名簿に登録されていることに基づいて投票をすることができる地位にあるというべきであるから，本件の予備的確認請求は理由があり，…これを認容すべきものである。」〔❺**本件立法不作為は国家賠償法上の違法に当たる**〕「立法の内容又は立法不作為が国民に憲法上保障されている権利を違法に侵害するものであることが明白な場合や，国民に憲法上保障されている権利行使の機会を確保するために所要の立法措置を執ることが必要不可欠であり，それが明白であるにもかかわらず，国会が正当な理由なく長期にわたってこれを怠る場合などには，例外的に，国会議員の立法行為又は立法不作為は，国家賠償法1条1項の規定の適用上，違法の評価を受ける」。「在外国民であった〈X〉らも国政選挙において投票をする機会を与えられることを憲法上保障されていたのであり，この権利行使の機会を確保するためには，在外選挙制度を設けるなどの立法措置を執ることが必要不可欠であったにもかかわらず，…10年以上の長きにわたって何らの立法措置も執られなかったのであるから，このような著しい不作為は上記の例外的な場合に当たり，このような場合においては，過失の存在を否定することはできない。このような立法不作為の結果，〈X〉らは本件選挙において投票をすることができず，これによる精神的苦痛を被ったものというべきである。したがって，本件においては，上記の違法な立法不作為

を理由とする国家賠償請求はこれを認容すべきである。」「損害賠償として各人に対し慰謝料5000円の支払を命ずるのが相当である。」

【コメント】 本判決には，福田裁判官の補足意見，横尾・上田裁判官の反対意見，泉裁判官の一部（上記⑤についての）反対意見がある。なお，平成18年の公職選挙法改正（法62）により，比例代表選挙だけでなく選挙区選挙でも投票できるようになった。

130 最判 政党からの除名と参議院比例代表繰上げ当選《日本新党事件》

〔最1小判平成7年5月25日民集49巻5号1279頁〕

【事件】 平成4年の参議院選挙において，日本新党の比例代表名簿の次点者であったXは，その後同党を除名され，繰上げ当選の際，当選人とされず，名簿の下位登載者が当選人とされたため，その当選無効を争った。原審・請求認容。（破棄自判）

【争点】 政党内の自律的運営に行政権・司法権はどう介入できるか。

【判旨】 〔政党の自律を尊重すべきであり原則として介入できない〕

「選挙会が当選人を定めるに当たって当該除名の存否ないし効力を審査することは予定されておらず，法は，たとい客観的には当該除名が不存在又は無効であったとしても，名簿届出政党等による除名届に従って当選人を定めるべきこととしている…。そして，法は，届出に係る除名が適正に行われることを担保するために，…宣誓書において代表者が虚偽の誓いをしたときはこれに刑罰を科し（法238条の2），これによって刑に処せられた代表者が当選人であるときはその当選を無効とすることとしている（法251条）。」「法が名簿提出政党等による名簿登載者の除名について選挙長ないし選挙会の審査の対象を形式的な事項にとどめているのは，政党等の政治結社の内部的自律権をできるだけ尊重す

べきものとしたことによる」。「政党等の結社としての自主性にかんがみると，政党等が，組織内の自律的運営として党員等に対してした除名その他の処分の当否については，原則として政党等による自律的な解決にゆだねられている」。「そうであるのに，政党等から名簿登載者の除名届が提出されているにもかかわらず，選挙長ないし選挙会が当該除名が有効に存在しているかどうかを審査すべきものとするならば，必然的に，政党等による組織内の自律的運営に属する事項について，その政党等の意思に反して行政権が介入することにならざるを得ないのであって…相当ではない」。

131 公職選挙法の連座制
最判 〔最1小判平成9年3月13日民集51巻3号1453頁〕

【事件】 Xは，平成7年4月施行の青森県議会議員選挙で当選したが，公選法251条の3第1項にいう「組織的選挙運動管理者等」に当たる選挙運動員が選挙犯罪事件で有罪判決を受け，確定した。仙台高検の検察官は，Xの当選無効及び5年間の立候補禁止を仙台高裁に請求し，仙台高裁は請求を認容した。これを不服とするXは検事総長を相手取り上告した。（上告棄却）

【争点】 拡大連座制は，憲法前文，1条，15条，21条，31条違反か。

【判旨】 〔拡大連座制の目的は合理的で，その規制は立法目的達成手段として必要かつ合理的〕「〈公選法251条の3第1項の〉規定は，…従来の連座制ではその効果が乏しく選挙犯罪を十分抑制することができなかったという我が国における選挙の実態にかんがみ，公明かつ適正な公職選挙を実現するため，公職の候補者等に組織的選挙運動管理者等が選挙犯罪を犯すことを防止するための選挙浄化の義務を課し，公職の候補者等がこれを防止するための注意を尽くさず選挙浄化の努力を怠ったときは，当該候補者

等個人を制裁し,選挙の公明,適正を回復するという趣旨で設けられた…。法251条の3の規定は,このように,民主主義の根幹をなす公職選挙の公明,適正を厳粛に保持するという極めて重要な法益を実現するために定められたものであって,その立法目的は合理的である。」「また,右規定は,組織的運動管理者等が買収等の悪質な選挙犯罪を犯し禁錮以上の刑に処せられたときに限って連座の効果を生じさせることとして,連座制の適用範囲に相応の限定を加え,立候補禁止の期間及びその対象となる選挙の範囲も…限定し,さらに…連座を免れることのできるみちも新たに設けている…。…このような規制は,これを全体としてみれば,前記立法目的を達成するための手段として必要かつ合理的〈である〉。」

第12章 国会・内閣

132 衆議院解散権行使の根拠と手続《苫米地事件高裁判決》
〔東京高判昭和29年9月22日行裁例集5巻9号2181頁〕

【事件】昭和27年8月27日，第3次吉田内閣によるいわゆる抜打ち解散が行われたが，同解散が憲法7条のみに拠ったことと，解散詔書の公布に至る過程において必要とされる全閣僚一致による助言と承認の2つの閣議がなかったことは違憲であるとして，当時の衆議院議員苫米地氏が，衆議院議員たる資格の確認と歳費支払を求めて出訴した。1審は，7条解散を合憲としたが，内閣の助言と承認がなかったと判断して原告の請求を認容した。（原判決取消，原告側上告）⇒**144**

【争点】①衆議院の解散は違憲審査の対象となるか。②憲法7条のみによる解散は合憲か。③本件解散について内閣の助言と承認があったといえるか。

【判旨】〔❶衆議院の解散は違憲審査の対象となる〕「政治色の濃厚な一連の行為が，統治行為の名称の下に，裁判所の判断から除外されるべきことを主張する学説の存在することは否み難いが，新憲法下の我国の裁判所の性格，権限は，…具体的事件についての法適用の法保障的機能を果すべきものであり，…本件衆議院解散の効力の如何は，被控訴人の権利に直接影響するものである以上，これが有効又は無効であるかについて，当然審判するの権限を有する」。〔❷憲法7条のみによる解散は合憲〕「解散権…についての当裁判所の法律上の見解は，原判決…と同様であるから，この部分を引用する。」〈原判決の要旨（東京地判昭和28年10月19日行裁例集4巻10号2540頁）〉「解散権の所在について…。国会が国権の最高機関であり，衆議院が国会の中においても参議院に優越する地位にあるものであることを思へば，純理論的にはかかる衆議院を解散し得るものは，主権を有する総体としての国民

の外にはあり得ない筈である。憲法第7条は天皇が内閣の助言と承認とによって『国民の為に』為す国事に関する行為の中に『衆議院を解散すること』を挙げて居るが、その趣旨は憲法第1条によって国民の総意に基き日本国の象徴であり、日本国民統合の象徴であるとされて居る天皇に右の如く純理論的には総体としての国民のみが有し得る筈の衆議院解散の権限を形式上帰属せしめ、天皇をして後述の如く政治上の責任を負う内閣の助言と承認の下にこれを行使せしめんとするにある」。「解散権行使の要件（如何なる場合に解散できるか）…について…」。「憲法第69条は、…同条所定の決議があった場合、10日以内に解散が行はれなければ内閣は総辞職をしなければならないことを定めて居るにすぎないものであり、解散権の所在とその行使の仕方を定めて居る…憲法第7条と対立する規定でもなければ、第69条所定の場合に限り解散ができるとする趣旨の規定でもない。…解散は変遷する事態を政治的に判断してなされるべきもので…その解散権の行使は法規により一義的に拘束するには不適当な事柄である…処からすれば現行憲法が如何なる場合に解散を為し得るかの要件について何等の規定も設けて居ないのは如何なる事態の下に解散を為すべきやの判断を全く政治的裁量に委ねたもので…その解散が妥当であったか否かの如きは固より裁判所の判断の対象となるものではない。従って衆議院で内閣の不信任決議案の可決も信任決議案の否決もないのに本件解散が行はれたからと言って本件解散が憲法に違反するものとは言へない。」〔❸助言と承認はあったと認められる〕「牽連する一連の事実から考えれば、本件解散については、天皇の解散の詔書発布前たる昭和28年8月22日内閣に於て、天皇に対し助言する旨の閣議決定が行われ…、天皇に対する吉田総理大臣の上奏並に…総務課長よりの書類の呈上となり、これによって、内閣より天皇に対する助言がなされ、天皇は右助言により解散の詔書を発布し、内閣はその後これを承認したものであると解するを相当とする」。

133 国会議員の免責特権《第1次国会乱闘事件》
地判
〔東京地判昭和37年1月22日判例時報297号7頁〕

【事件】　昭和30年7月30日，参議院議院運営委員会は重要法案の審理をめぐって紛糾し，乱闘の事態に至った。本件は当時の参議院議員Yらが，その乱闘事件に関し，公務執行妨害，傷害等で起訴された。（無罪，確定）

【争点】　①院の懲罰権と刑罰権とは両立しうるか。②不逮捕特権は不起訴特権を含むか。③国会議員の免責特権の範囲。④議員の犯罪行為の訴追には，議院の告訴または告発を要するか。

【判旨】　〔❶懲罰権と刑罰権は両立しうる〕「司法の存在理由は市民法的な権利，自由の保障にあるから，議員の行動が院内の秩序をみだす反面これによって私人の権利を侵し，これが刑法の保護利益の侵害となればその行動はもはや内部規律の範囲を超えており，司法権がこれに及ぶ」。「ただ当該行為が憲法第51条の免責特権によって無答責となる場合にのみ訴訟障害として刑罰を科することができないだけである。すなわち当該行為にして免責特権の範囲外に出るときは院の懲罰権と国家刑罰権とは競合するのであって，懲罰権あるの故をもって刑罰権が排斥されることはない」。〔❷不逮捕特権は不起訴特権を含まない〕「不逮捕特権中には不起訴特権を包含しない」。「わが憲法の規定は，起訴からの自由をも規定している多数の国の憲法と異なっているのであって，この点について明文を欠く以上，これを積極に解することはできない。」〔❸免責特権は正当な職務行為の付随行為に及ぶ〕「国会では行政，司法等に対する徹底的な批判が行なわれなければならず，そのため往々にして個人の名誉，社会の治安を害することがありうるのであり，通常の場合には尊重さるべき個人，社会等の反対利益も譲歩を余儀なくされざるを得ないのであって，もしこれにかかずらっているときは言論を萎縮させ，また場合によってはこれを抑圧することになりかねない…。本条〈憲法51条〉において議員の院内の言論について院外における責任免除の特権を

認めたのはこのような政策的考慮から処分を免除し,発言の自由を保障し,もって国会の機能を遺憾なく発揮せしめんことを企図したものである。」「〈憲法第 51 条〉にいう『議院で行った』とは議員の活動として議員が職務上行った,すなわち議院の職務執行において議員が議員としての職務を行なうに際し行なった(発言),という意味である。」「〈本条の免責特権〉の対象たる行為は同条に列挙された演説,討論または表決等の本来の行為そのものに限定せられるべきものではなく,議員の国会における意見の表明とみられる行為にまで拡大され,…議員の職務執行に附随した行為にもこれが及ぶという考えも一概にこれを排斥することはできない。」「〈各種の随伴行為が〉法定の適式な議事手続中の行為である場合は問題はない〈が〉,法律上認容されていない行為については種々の問題が存する。」「正当な職務行為に附随して行なわれた行為は…その多少の行き過ぎは咎められるべきものではない。」〔❹議院の告訴・告発を要しない〕「議員の院内活動について議院の告発を起訴条件とするときは職務行為に無関係な犯罪行為…についても検察庁はこれを起訴し得ないこととなり,場合によっては多数派の考え方次第で普通の犯罪が隠蔽されるおそれを生ずる。」「次に議員の議事活動に附随して発生した犯罪について職務行為の範囲内外を審理決定する権限は現行法上国会に与えられていない。刑事裁判における事実認定に相当するような審議権は成文法上国会に与えられていないことは極めて明瞭であるが,もし右の審議決定権が国会に在りとすると解するということになると,その与えられていない審議権を事実上国会に認めると同様の結果となるという矛盾を来たす。」

【コメント】 本判決ではこのほかに統治行為にも当たらないとの判断が示されている。なお東京高判昭和 44 年 12 月 17 日高刑集 22 巻 6 号 924 頁は,第 2 次国会乱闘事件について,③,④の点につき同旨の判断をしている。

134 国会議員の発言と国家賠償責任

最判〔最3小判平成9年9月9日民集51巻8号3850頁〕

【事件】 衆議院議員Yは，衆議院社会労働委員会において，医療法の一部を改正する法律案の審議に際し，某病院の問題を取り上げ，患者の人権擁護の観点から所管行政庁の十分な監督を求める趣旨の質疑を，かなり激しい言葉をまじえて行った。院長はその翌日自殺し，その妻XがYと国を相手に名誉毀損による損害賠償を求めた。1審・2審請求棄却。（上告棄却）

【争点】 ①国会議員の発言が損害賠償責任を問われるのはどのような場合か。②本件では損害賠償責任を問いうるか。

【判旨】 〔❶国会議員の発言は例外的な場合を除き，損害賠償責任を問われない〕「国会議員が国会で行った質疑等において，個別の国民の名誉や信用を低下させる発言があったとしても，これによって当然に国家賠償法1条1項の規定にいう違法な行為があったものとして国の損害賠償責任が生ずるものではなく，右責任が肯定されるためには，当該国会議員が，その職務とはかかわりなく違法又は不当な目的をもって事実を摘示し，あるいは，虚偽であることを知りながらあえてその事実を摘示するなど，国会議員がその付与された権限の趣旨に明らかに背いてこれを行使したものと認め得るような特別の事情があることを必要とすると解する」。〔❷本件の場合，「例外的な場合」には当たらない〕「前示の事実関係によれば，本件発言が法律案の審議という国会議員の職務に関係するものであったことは明らかであり，また，Yが本件発言をするについてYに違法又は不当な目的があったとは認められず，本件発言の内容が虚偽であるとも認められないとした原審の認定判断は，…首肯することができる。」

【コメント】 なお，この判断の前提として，公務員個人は賠償責任を負わないという国家賠償法1条の解釈が示されている。

135 国会議員の不逮捕特権
地決　〔東京地決昭和 29 年 3 月 6 日判例時報 22 号 3 頁〕

【事件】 昭和 29 年 2 月当時衆議院議員であった X は造船疑獄に関し収賄の被疑事実ありとして，国会法 33 条・34 条の手続により議院の許諾を経て，逮捕された。その許諾には同年 3 月 3 日までとの期限が付せられていたが，その後期限のない勾留状により勾留された X がその取消を求めて準抗告した。（棄却）

【争点】 議院は議員の逮捕許諾に当たって期限を付しうるか。

【決定要旨】〔逮捕許諾には期限を付しえない〕「憲法第 50 条…は，国の立法機関である国会の使命の重大である点を考慮して，現に国会の審議に当たっている議院(ママ)の職務を尊重し，議員に犯罪の嫌疑がある場合においても苟も犯罪捜査権或は司法権の行使を誤り又はこれを濫用して国会議員の職務の遂行を不当に阻止妨害することのないよう，院外における現行犯罪等逮捕の適法性及び必要性の明確な場合を除いて各議院自らに所属議員に対する逮捕の適法性及び必要性を判断する権能を与えたものと解しなければならない。」「かくの如く…議員に対しては一般の犯罪被疑者を逮捕する場合よりも特に国政審議の重要性の考慮からより高度の〈逮捕の〉必要性を要求することもあり得るから，このような場合には尚これを不必要な逮捕として許諾を拒否することも肯認し得るけれども，苟も右の観点において適法にして且必要な逮捕と認める限り無条件にこれを許諾しなければならない。随って議員の逮捕を許諾する限り右逮捕の正当性を承認するものであって逮捕を許諾しながらその期間を制限するが如きは逮捕許諾権の本質を無視した不法な措置と謂わなければならない。」「議院の逮捕許諾権は憲法及び法律に定める手続によって逮捕することを許諾するか否かを決定する権能であって憲法及び法律に定める逮捕以外の方法により逮捕を許諾し又はこれを要求する権能ではない。」

136 国政調査権の範囲《ロッキード・日商岩井事件》
地判
〔東京地判昭和 55 年 7 月 24 日判例時報 982 号 3 頁〕

【事件】 日商岩井社幹部の、ロッキード・グラマン航空機疑惑に関する国会での偽証が問題となった。(有罪確定〔懲役 2 年執行猶予 3 年など〕)

【争点】 ①委員会での国政調査はどこまで及ぶか。②国政調査の範囲は司法審査の対象か。

【判旨】〔**❶委員会の調査は本来の所管事項の審議のために限られる**〕「たしかに、国政調査権は議院等に与えられた補助的権能と解するのが一般であって、予算委における国政調査の範囲は、他に特別の議案の付託を受けない限り、本来の所管事項である予算審議に限定さるべきことは、所論指摘のとおりである。現に、予算委員長町村金五は、本件各証人尋問に先立ち、昭和 54 年度総予算 3 案を一括して議題とし、同総予算に関し、外国航空機購入予算問題につき証人海部八郎君の証言を求める旨発言しているのであって、所管外の議題につき証人を尋問しようとしたのではないのである。」「当然のことながら、昭和 54 年度総予算中の外国航空機購入予算問題の調査であるからと言って、調査権行使の対象が昭和 54 年度中の事項や購入予定の当該航空機に関する事項にのみ限定されるべきいわれはない。昭和 54 年度の外国航空機購入予算問題の審議に必要又は有益と認められる事項である限り、過年度に発生した事項であろうと、当該航空機以外の事物(たとえば、外国政府が建造中の潜水艦)に関する事項であろうと、調査権行使の範囲外であるとは、一概に言い得ない。」〔**❷調査範囲の認定は議会の自律的判断に従う**〕「如何なる事項が当該議案の審議上必要、有益であるかについては、議案の審議を付託されている議院等の自主的判断にまつのが相当であり、議案の審議に責を負わない司法機関としては、議院等の判断に重大かつ明白な過誤を発見しない限り、独自の価値判断に基づく異論をさしはさむことは慎しむのが相当である。」

137 国政調査権による調査方法の限界《ロッキード事件》
地判
〔東京地判昭和 57 年 1 月 26 日判例時報 1045 号 24 頁〕

【事件】　ロッキード・グラマン航空機疑惑に関連して、全日空社幹部の国会での偽証が問題となった。(有罪〔懲役 3 年執行猶予 5 年など〕、控訴)

【争点】　①国政調査が検察権発動に先行してなされてよいか。②議院証言法は証人の人権を守った適正な手続か。

【判旨】　〔❶検察権の行使に先行してもよい〕「国会は、内閣の行政権行使に対して責任を問い得る立場にある(憲法 66 条 3 項)から、行政権の行使全般にわたって調査権が及ぶところ、本件国政調査の目的は、いわゆるロッキード事件の全容を明らかにして、事件の政治的、社会的責任を明確にし、これによって過去の運輸行政が適正であったか否かを明らかにしようとすることにあ〈り〉、専ら検察権の行使を容易ならしめる目的であったとは認め難い。また、国政調査権の行使が検察権の行使に先立って行われ、その結果得られた資料を検察権行使のために利用することは何ら制限を受けるものではなく、本件において、結果として弁護人主張のように検察権の行使を容易ならしめたとしても違法ではな〈い〉。」〔❷議院証言法は適正な手続〕「憲法 31 条は、主として刑罰を科する場合の法定手続の保障を規定したものであるが、その他の場合においても国民の権利、自由の制限を行う場合には、その手続が適正でなければならないことは当然であり、その根拠を憲法 31 条に求めることは正当…であるが(その意味において国政調査権に基づく調査手続も憲法 31 条の適用がある)、…本件調査が、議院の国政に対する監視の権能を行使するうえに必要な調査をすることを目的とし、証人の権利、自由を制限することを直接の目的としていないこと等からみれば、…議院証言法 4 条がいわゆる証言拒絶を規定する民訴法 280 条及び 281 条の一部を準用していることをもって、右適正手続の要件を一応満たしている…。(証言拒否権の告知は準用されていないが、本件手続においては

現に告知されている。）」

【コメント】　議院証言法4条の民訴法280条・281条の一部準用規定は，昭和63年の同法改正（法律第89号）で削除されている。

138 内閣総理大臣の職務権限《ロッキード事件》
最大判
〔最大判平成7年2月22日刑集49巻2号1頁〕

【事件】　アメリカ合衆国の航空機製造会社ロッキード社（A社）の販売代理店・丸紅（B社）の社長Y_1らは1972年8月，当時の内閣総理大臣Y_2（田中角栄）邸を訪問しA社とB社の利益のために全日空（C社）がA社の航空機を選定購入するようC社に対して当時の運輸大臣（Y_3）らを介して間接的に，あるいは直接的に働きかける等の協力を依頼した。Y_2は，C社に対する同期の売り込みが成功した場合にその報酬の趣旨で現金5億円の供与を受けることをY_1との間で約束し，Y_2はこの約束に基づき1973年8月から翌年3月にかけてY_1との共謀者の一人Y_5から情を知らないY_4（Y_2の秘書官）を介し，4回にわたりA社の資金合計5億円を受領したとして，受託収賄罪等で起訴された。1審有罪（Y_2は受託収賄罪等で懲役4年・追徴金5億円，Y_1も贈賄罪等で懲役2年6月），2審も有罪判決維持。Y_1等上告。（上告係属中にY_2は死亡したのでY_2については公訴棄却となったが，その他のY_1等については上告棄却〔有罪確定〕。その判断に実質的にY_2の収賄罪等の判断が示されている）

【争点】　①総理大臣の行政各部に対する指揮監督権（憲法72条）の趣旨と範囲。②本件被告人の働きかけは収賄罪の前提となる職務権限の範囲内か。

【判旨】　〔❶内閣総理大臣の職務権限はある〕「内閣総理大臣は，憲法上，行政権を行使する内閣の首長として（66条），国務大臣の任免権（68条），内閣を代表して行政各部を指揮監督する職務権限（72条）を有するなど，内閣を統率し，行政各部を

統轄調整する地位にある…。…内閣総理大臣が行政各部に対し指揮監督権を行使するためには，閣議にかけて決定した方針が存在することを要するが，閣議にかけて決定した方針が存在しない場合においても，内閣総理大臣の右のような地位及び権限に照らすと，流動的で多様な行政需要に遅滞なく対応するため，内閣総理大臣は，少なくとも，内閣の明示の意思に反しない限り，行政各部に対し，随時，その所掌事務について一定の方向で処理するよう指揮，助言等の指示を与える権限を有する」。〔❷**運輸大臣への働きかけは職務権限に属する**〕「運輸大臣が全日空に対し L1011 型機の選定購入を勧奨する行為は，運輸大臣の職務権限に属する行為であり，内閣総理大臣が運輸大臣に対し右勧奨行為をするよう働き掛ける行為は，内閣総理大臣の運輸大臣に対する指示という職務権限に属する行為ということができる…。…田中が直接自ら全日空に L1011 型機の選定購入を働き掛ける行為が，田中の内閣総理大臣としての職務権限に属するかどうかの点についての判断は示さないこととする。」

【コメント】　本件での争点は，内閣総理大臣・主務大臣の職務権限のほかに，刑事免責制度と嘱託証人尋問調書の証拠能力であった。本判決には，大野裁判官，園部・大野・千種・河合裁判官，可部・大西・小野裁判官，尾崎裁判官の各補足意見，草場・中島・三好・高橋裁判官の意見がある。

第13章 裁判所

139 違憲審査権の性格《警察予備隊違憲訴訟》
最大判

〔最大判昭和27年10月8日民集6巻9号783頁〕

【事件】　昭和25年の警察予備隊令により自衛隊の前身たる警察予備隊が設置された。当時の日本社会党を代表して鈴木茂三郎氏が，昭和26年4月1日以降の警察予備隊の設置ならびに維持に関する一切の国の行為は憲法9条に反し違憲無効であることの確認を求めて，直接最高裁判所に出訴した。(訴え不適法却下)

【争点】　最高裁判所は具体的な事件を離れて抽象的に法令等の違憲審査をする権限を有するか。

【判旨】　〔抽象的違憲審査権を有しない〕「わが裁判所が現行の制度上与えられているのは司法権を行う権限であり，そして司法権が発動するためには具体的な争訟事件が提起されることを必要とする。我が裁判所は具体的な争訟事件が提起されないのに将来を予想して憲法及びその他の法律命令等の解釈に対し存する疑義論争に関し抽象的な判断を下すごとき権限を行い得るものではない。けだし最高裁判所は法律命令等に関し違憲審査権を有するが，この権限は司法権の範囲内において行使されるものであり，この点においては最高裁判所と下級裁判所との間に異るところはない。」「わが現行の制度の下においては，特定の者の具体的な法律関係につき紛争の存する場合においてのみ裁判所にその判断を求めることができるのであり，裁判所がかような具体的事件を離れて抽象的に法律命令等の合憲性を判断する権限を有するとの見解には，憲法上及び法令上何等の根拠も存しない。」

【コメント】　本判決の趣旨はその後のいくつかの判決が確認している。最2小判昭和27年10月31日民集6巻9号926頁，最2小判昭和31年2月17日民集10巻2号86頁など。

140 下級裁判所の違憲審査権
最大判　〔最大判昭和 25 年 2 月 1 日刑集 4 巻 2 号 73 頁〕

【事件】　食糧管理法違反で起訴された Y は、1 審（八王子区裁）・2 審（東京地裁）とも有罪判決をうけ、東京高裁に上告して同法の違憲を主張したが、東京高裁は最高裁に移送せず自ら審理して排斥した。そこで Y が、原上告審は最高裁に移送すべきであったとして最高裁に再上告した。（被告人側再上告棄却、有罪確定）

【争点】　下級裁判所にも違憲審査権はあるか。

【判旨】　〔下級裁判所にも違憲審査権はある〕「憲法は国の最高法規であってその条規に反する法律命令等はその効力を有せず、裁判官は憲法及び法律に拘束せられ、また憲法を尊重し擁護する義務を負うことは憲法の明定するところである。従って、裁判官が、具体的訴訟事件に法令を適用して裁判するに当り、その法令が憲法に適合するか否かを判断することは、憲法によって裁判官に課せられた職務と職権であって、このことは最高裁判所の裁判官であると下級裁判所の裁判官であるとを問わない。憲法 81 条は、最高裁判所が違憲審査権を有する終審裁判所であることを明らかにした規定であって、下級裁判所が違憲審査権を有することを否定する趣旨をもっているものではない。」

141 宗教上の教義に関する紛争と司法権《板まんだら事件》
最判　〔最 3 小判昭和 56 年 4 月 7 日民集 35 巻 3 号 443 頁〕

【事件】　もと創価学会の会員 X らが、御本尊「板まんだら」を安置する正本堂を建立するための募金に応じて金員を寄付したが、その後「板まんだら」が偽物であること等を知らずに行った寄付で要素に錯誤があったと主張して寄付金の返還を請求した。1 審・訴え却下、2 審・1 審判決取消して差戻し。（破棄自判）

【争点】 ①いかなる紛争が裁判の対象となるか。②宗教上の教義に関する紛争は裁判の対象となるか。

【判旨】 〔❶「法律上の争訟」に限られる〕「裁判所がその固有の権限に基づいて審判することのできる対象は，裁判所法3条にいう『法律上の争訟』，すなわち当事者間の具体的な権利義務ないし法律関係の存否に関する紛争であって，かつ，それが法令の適用により終局的に解決することができるものに限られる。…したがって，具体的な権利義務ないし法律関係に関する紛争であっても，法令の適用により解決するのに適しないものは裁判所の審判の対象となりえない」。〔❷法令の適用によって終局的解決が不可能な紛争であるから裁判の対象とならない〕「〈本件〉要素の錯誤があったか否かについての判断に際しては，…信仰の対象についての宗教上の価値に関する判断が，また…宗教上の教義に関する判断が，それぞれ必要であり，いずれもことがらの性質上，法令を適用することによっては解決することのできない問題である。本件訴訟は，具体的な権利義務ないし法律関係に関する紛争の形式をとっており，その結果信仰の対象の価値又は宗教上の教義に関する判断は請求の当否を決するについての前提問題であるにとどまるものとされてはいるが，本件訴訟の帰すうを左右する必要不可欠のものと認められ，…結局本件訴訟は，その実質において法令の適用による終局的な解決の不可能なものであって，裁判所法3条にいう法律上の争訟にあたらない」。

【コメント】 本判決には，寺田裁判官の意見がある。なお，本判決が判示する「法律上の争訟」の定義は，最3小判昭和28年11月17日行裁例集4巻11号2760頁（教育勅語合憲確認等請求事件）で初めて示された「法律上の争訟とは，当事者間の具体的権利義務ないし法律関係の存否に関する紛争であって，且つそれが法律の適用によって終局的に解決し得べきものであることを要する」を踏襲したものである。

142 大学の在学関係と司法審査《富山大学単位不認定事件》
最判

[最3小判昭和52年3月15日民集31巻2号234頁]

【事件】　国立大学の学生Xらは A 教授の授業を受講し同教授の実施した試験で合格の判定を得た。ところが大学側は不行跡の科で予め A 教授に対し授業担当停止措置をとっていたので，上記試験は正式のものでないとしてXらに単位を授与しなかった。その違法確認を求めてXらが出訴した。1審・訴え却下，2審・原判決破棄差戻し。（上告棄却）

【争点】　①大学の内部的問題は司法審査の対象となるか。②単位授与は内部的な問題か。

【判旨】　〔**❶内部的問題は司法審査の対象外**〕「大学は，国公立であると私立であるとを問わず，学生の教育と学術の研究とを目的とする教育研究施設であって，その設置目的を達成するために必要な諸事項については，法令に格別の規定がない場合でも，学則等によりこれを規定し，実施することのできる自律的，包括的な権能を有し，一般市民社会とは異なる特殊な部分社会を形成しているのであるから，このような特殊な部分社会である大学における法律上の係争のすべてが当然に裁判所の司法審査の対象になるものではなく，一般市民法秩序と直接の関係を有しない内部的な問題は右司法審査の対象から除かれるべきものである」。〔**❷単位授与は内部的問題**〕「単位の授与（認定）という行為は，学生が当該授業科目を履修し試験に合格したことを確認する教育上の措置であり，卒業の要件をなすものではあるが，当然に一般市民法秩序と直接の関係を有するものでないことは明らかである。それゆえ，単位授与（認定）行為は，他にそれが一般市民法秩序と直接の関係を有するものであることを肯認するに足りる特段の事情のない限り，純然たる大学内部の問題として大学の自主的，自律的な判断に委ねられるべきものであって，裁判所の司法審査の対象にはならない」。

【コメント】 本判決と同日に下された富山大学専攻科修了未修了決定等違法確認請求事件・最3小判昭和52年3月15日民集31巻2号280頁は、「国公立の大学は公の教育研究施設として一般市民の利用に供されたものであり、学生は一般市民としてかかる公の施設である国公立大学を利用する権利を有するから、学生に対して国公立大学の利用を拒否することは、学生が一般市民として有する右公の施設を利用する権利を侵害するものとして司法審査の対象になるものというべきである」とし、「国公立の大学において右のように大学が専攻科修了の認定をしないことは、実質的にみて、一般市民としての学生の国公立大学の利用を拒否することにほかならないものというべく、その意味において、学生が一般市民として有する公の施設を利用する権利を侵害するものであると解するのが、相当である」とした。

143 地方議会議員の懲罰と司法審査

最大判〔最大判令和2年11月25日民集74巻8号2229頁〕

【事件】 宮城県岩沼市議会の議員であったXが、市議会（Y）から科された23日間の出席停止の懲罰が違憲・違法であるとしてYを相手にその取消しを求めるとともに、議会議員の議員報酬、費用弁償および期末手当に関する条例に基づき、議員報酬のうち懲罰による減額分の支払を求めて出訴した。1審、X敗訴、2審、1審判決取消し・差戻し。（上告棄却、X勝訴）

【争点】 ①地方議会の議員に対する懲罰の取消しを求める訴えは「法律上の争訟」となるか。②地方議会の議員懲罰権は議会運営についての自律的権能の一内容を構成するか。③地方議会の議員の責務は何か。④出席停止の懲罰は議員の責務の遂行と両立するか。⑤出席停止の懲罰は司法審査の対象となるか。

【判旨】 〔**❶議員の懲罰取消しの訴えは法令の適用によって終局的に解決しうる**〕「普通地方公共団体の議会は、地方自治法並びに会議規則及び委員会に関する条例に違反した議員に対し、

議決により懲罰を科することができる（同法134条1項）ところ，懲罰の種類及び手続は法定されている（同法135条）。これらの規定等に照らすと，出席停止の懲罰を科された議員がその取消しを求める訴えは，法令の規定に基づく処分の取消しを求めるものであって，その性質上，法令の適用によって終局的に解決し得る」。〔**❷議員懲罰権は議会の自律的権能の一内容を構成する**〕「憲法は，地方公共団体の組織及び運営に関する基本原則として，その施策を住民の意思に基づいて行うべきものとするいわゆる住民自治の原則を採用しており，普通地方公共団体の議会は，憲法にその設置の根拠を有する議事機関として，住民の代表である議員により構成され，所定の重要事項について当該地方公共団体の意思を決定するなどの権能を有する。そして，議会の運営に関する事項については，議事機関としての自主的かつ円滑な運営を確保すべく，その性質上，議会の自律的な権能が尊重されるべきであるところ，議員に対する懲罰は，会議体としての議会内の秩序を保持し，もってその運営を円滑にすることを目的として科されるものであり，その権能は上記の自律的な権能の一内容を構成する。」〔**❸議員は住民の代表としてその意思を地方公共団体の意思決定に反映されるべく行動する責務を負う**〕「他方，普通地方公共団体の議会の議員は，当該普通地方公共団体の区域内に住所を有する者の投票により選挙され（憲法93条2項，地方自治法11条，17条，18条），議会に議案を提出することができ（同法112条），議会の議事については，特別の定めがある場合を除き，出席議員の過半数でこれを決することができる（同法116条）。そして，議会は，条例を設け又は改廃すること，予算を定めること，所定の契約を締結すること等の事件を議決しなければならない（同法96条）ほか，当該普通地方公共団体の事務の管理，議決の執行及び出納を検査することができ，同事務に関する調査を行うことができる（同法98条，100条）。議員は，憲法上の住民自治の原則を具現化するため，議会が行う上記の各事項等について，議事に参

与し，議決に加わるなどして，住民の代表としてその意思を当該普通地方公共団体の意思決定に反映させるべく活動する責務を負うものである。」〔**❹出席停止の懲罰は議員としての中核的活動を不可能とし，議員としての責務の十分な履行を不可能とする**〕「出席停止の懲罰は，上記の責務を負う公選の議員に対し，議会がその権能において科する処分であり，これが科されると，当該議員はその期間，会議及び委員会への出席が停止され，議事に参与して議決に加わるなどの議員としての中核的な活動をすることができず，住民の負託を受けた議員としての責務を十分に果たすことができなくなる。このような出席停止の懲罰の性質や議員活動に対する制約の程度に照らすと，これが議員の権利行使の一時的制限にすぎないものとして，その適否が専ら議会の自主的，自律的な解決に委ねられるべきであるということはできない。」〔**❺出席停止の懲罰につき議会に一定の裁量は認められるが，裁判所は常にその適否の判断ができる**〕「そうすると，出席停止の懲罰は，議会の自律的な権能に基づいてされたものとして，議会に一定の裁量が認められるべきであるものの，裁判所は，常にその適否を判断することができる」。「したがって，普通地方公共団体の議会の議員に対する出席停止の懲罰の適否は，司法審査の対象となる」。「以上によれば，市議会の議員である〈X〉に対する出席停止の懲罰である本件処分の適否は司法審査の対象となるから，本件訴えのうち，本件処分の取消しを求める部分は適法であり，議員報酬の支払を求める部分も当然に適法である。」

【コメント】　本判決には，地方議会議員の出席停止は住民自治を阻害し，その適否を司法審査の対象外とすることを根拠付けることはできないとする宇賀裁判官の補足意見がある。なお，本判決は，地方議会の議員懲罰について，「自律的な法規範をもつ社会ないしは団体に在っては，当該規範の実現を内部規律の問題として自治的措置に任せ，必ずしも，裁判にまつを適当としない」として，除名処分のような議員の身分の喪失に関する

重大事項は単なる内部規律の問題に止まらないが、出席停止は司法審査の対象外とした最大判昭和35年10月19日民集14巻12号2633頁を変更したものである。

144 統治行為《苫米地事件最高裁判決》
最大判 〔最大判昭和35年6月8日民集14巻7号1206頁〕

【事件】 **132**の上告審。(原告側上告棄却、原告敗訴確定)

【争点】 衆議院の解散は違憲審査の対象となるか。

【判旨】 〔衆議院の解散は違憲審査の対象とならない〕「現実に行われた衆議院の解散が、その依拠する憲法の条章について適用を誤ったが故に、法律上無効であるかどうか、これを行うにつき憲法上必要とせられる内閣の助言と承認に瑕疵があったが故に無効であるかどうかのごときことは裁判所の審査権に服しない。」「わが憲法の三権分立の制度の下においても、司法権の行使についておのずからある限度の制約は免れないのであって、あらゆる国家行為が無制限に司法審査の対象となるものと即断すべきでない。直接国家統治の基本に関する高度に政治性のある国家行為のごときはたとえそれが法律上の争訟となり、これに対する有効無効の判断が法律上可能である場合であっても、かかる国家行為は裁判所の審査権の外にあり、その判断は主権者たる国民に対して政治的責任を負うところの政府、国会等の政治部門の判断に委され、最終的には国民の政治判断に委ねられているものと解すべきである。この司法権に対する制約は、結局、三権分立の原理に由来し、当該国家行為の高度の政治性、裁判所の司法機関としての性格、裁判に必然的に随伴する手続上の制約等にかんがみ、特定の明文による規定はないけれども、司法権の憲法上の本質に内在する制約と理解すべき」。「衆議院の解散は、…その国法上の意義は重大であるのみならず、…その政治上の意義もまた極めて重大である。すなわち衆議院の解散は、極めて政治性の高い国家統治の基本に関する行為であって、かくのごとき行為について、

その法律上の有効無効を審査することは司法裁判所の権限の外にありと解すべき…である。」

【コメント】　本判決には、小谷・奥野、河村、石坂裁判官の各意見がある。

145 司法権と議院の自律権《警察法改正無効事件》
最大判〔最大判昭和37年3月7日民集16巻3号445頁〕

【事件】　大阪府議会が昭和29年6月30日に可決した予算中に計上された警察費は違法な支出であるとして、府の住民Xらが監査請求を経て地方自治法243条の2第4項（昭38法99改正前のもの）により大阪府知事に対する警察費の支出禁止を求めて出訴した。Xらは警察費の根拠たる新警察法（昭29法162）はその成立手続および内容に違憲の疑いがあると主張したが、1・2審では違憲問題に触れずにXらの請求を棄却した。（原告側上告棄却、原告敗訴確定）

【争点】　①国会の両院における法律制定の議事手続の適否に違憲審査権は及ぶか。②新警察法の内容は憲法92条違反か。

【判旨】　〔❶違憲審査権は議事手続には及ばない〕「昭和29年法律162号警察法…は両院において議決を経たものとされ適法な手続によって公布されている以上、裁判所は両院の自主性を尊重すべく同法制定の議事手続に関する所論のような事実を審理してその有効無効を判断すべきでない。」〔❷新警察法は憲法92条に違反しない〕「同法が市町村警察を廃し、その事務を都道府県警察に移したからといって、そのことが地方自治の本旨に反するものと解されないから、同法はその内容が憲法92条に反するものとして無効な法律といえない。」

【コメント】　上記の判断に先立ち、判決は、地方公共団体の議会の議決があった公金の支出にも、地方自治法243条の2第4項の訴訟（いわゆる納税者訴訟。現住民訴訟）によりその禁止、制限を求めることができる旨判示している。本判決には、

奥野裁判官の補足意見，斎藤，藤田（横田同調），垂水，下飯坂，山田裁判官の各反対意見がある。

146 行政処分の執行停止と司法権《国会周辺デモ事件》
地決
〔東京地決昭和42年6月9日行裁例集18巻5＝6号737頁〕

【事件】　東京護憲連合のデモ行進申請に対して東京都公安委員会が進路変更を条件に許可したので，デモの代表者が処分の取消を求めて出訴し，あわせてその執行停止を求めた。（認容）

【争点】　①本件進路変更は正当か。②進路変更処分の執行を停止した場合に原許可処分の効力はどうなるか。

【決定要旨】　〔❶進路変更に理由なし〕「被申立人は…申立人の本件許可申請を許可するにあたり，進路変更等の条件を付したが，右進路変更の条件を付するについて前記『公共の安寧を保持する上に直接危険を及ぼすと明らかに認められる場合』〈都条例3条1項〉または『公共の秩序又は公衆の衛生を保持するためやむを得ない場合』〈同上〉であったことを認めるべき資料はみあたらない。それゆえ，本件許可につき，進路変更に関し申立人主張のような条件を付したことは被申立人において前記規定の運用を誤ったもので違法といわざるをえない。」「本件集団示威行進が被申立人主張のように国政審議権の公正な行使を阻害する等のものとは断ずることができない。」〔❷原許可処分は有効〕「申立人の本件申立ては理由があるから，これを正当として認容し（したがって，行進の進路は本件許可申請書記載のとおりとなるものと解すべきである。），…決定する。」

【コメント】　本決定に対して内閣総理大臣は，同日付けで行政事件訴訟法27条の規定により，異議を申し立てた。裁判所は，翌6月10日に執行停止決定を取り消す決定を行った。なお内閣総理大臣の異議につき，東京地判昭和44年9月26日行裁例集20巻8＝9号1141頁は，つぎのように判示した。「行政処分の効力または執行を停止する権限は，本来固有の意味における

司法権の範囲には属せず，いわば行政的作用であるが，国会は，立法政策上…これを裁判所の権限とするに至った」。

147 最高裁判所裁判官の国民審査

最大判〔最大判昭和 27 年 2 月 20 日民集 6 巻 2 号 122 頁〕

【事件】有権者たる X が，昭和 24 年 1 月 23 日施行の最高裁判所裁判官の国民審査の無効を求めて出訴した。1 審の東京高裁で原告敗訴。（上告棄却，原告敗訴確定）

【争点】①国民審査は，任命の可否を問う制度か，解職制度か。
②態度保留の投票を認めていないこと，投票用紙が連記であること，無記入の投票に罷免を可としない法律上の効果を付していること等は憲法 19 条・21 条 1 項に違反しないか。

【判旨】〔❶国民審査は解職制度〕「最高裁判所裁判官任命に関する国民審査の制度はその実質において所謂解職の制度と見ることが出来る。…このことは憲法第 79 条 3 項の規定にあらわれている。同条第 2 項の字句だけを見ると一見そうでない様にも見えるけれども，これを第 3 項の字句と照し合わせて見ると，国民が罷免すべきか否かを決定する趣旨であって，所論の様に任命そのものを完成させるか否かを審査するものでないこと明瞭である。この趣旨は 1 回審査投票をした後更に 10 年を経て再び審査することに見ても明らかであろう。1 回の投票によって完成された任命を再び完成させるなどということは考えられない。論旨では期限満了の後の再任であるというけれども，期限がきれた後の再任ならば再び天皇又は内閣の任命行為がなければならない。国民の投票だけで任命することは出来ない。」〔❷国民審査を解職の制度と解する以上，いずれも憲法違反の問題は生じない〕「かくの如く解職の制度であるから，積極的に罷免を可とするものと，そうでないものとの二つに分かれるのであって，前者が後者より多数であるか否かを知らんとするものである。論旨にいう様な罷免する方がいいか悪いかわからない者は，積極的に『罷免を可とす

るもの』に属しないこと勿論だから,そういう者の投票は前記後者の方に入るのが当然である。それ故法が連記投票にして,特に罷免すべきものと思う裁判官にだけ×印をつけ,それ以外の裁判官については何も記さずに投票させ,×印のないものを『罷免を可としない投票』(この用語は正確でない,前記の様に『積極的に罷免する意思を有する者でない』という消極的のものであって,『罷免しないことを可とする』という積極的意味を持つものではない,——以下仮りに白票と名づける)の数に算えたのは前記の趣旨に従ったものであり,憲法の規定する国民審査制度の趣旨に合するものである。罷免する方がいいか悪いかわからない者は,積極的に『罷免を可とする』という意思を持たないこと勿論だから,かかる者の投票に対し『罷免を可とするものではない』との効果を発生せしめることは,何等意思に反する効果を発生せしめるものではない。…それ故論旨のいう様に思想の自由や良心の自由を制限するものでない」。「裁判官は内閣が全責任を以て適当の人物を選任して,指名又は任命すべきものであるが,若し内閣が不適当な人物を選任した場合には,国民がその審査権によって罷免をするのである。この場合においても,飽く迄罷免であって選任行為自体に関係するものではない。…それ故何等かの理由で罷免をしようと思う者が罷免の投票をするので,特に右のような理由を持たない者は総て(罷免した方がいいか悪いかわからない者でも)内閣が全責任を以てする選定に信頼して前記白票を投ずればいいのであり,又そうすべきものなのである。(若しそうでなく,わからない者が総て棄権する様なことになると,極く少数の者の偏見或は個人的憎悪等による罷免投票によって適当な裁判官が罷免されるに至る虞があり,国家最高機関の一である最高裁判所が極めて少数者の意思によって容易に破壊される危険が多分に存するのである),これが国民審査制度の本質である。それ故所論の様に法が連記の制度を採ったため,2,3名の裁判官だけに×印の投票をしようと思う者が,他の裁判官については当然白票

148 裁判官の政治的表現と分限裁判《寺西判事補懲戒事件》
最大決 〔最大決平成 10 年 12 月 1 日民集 52 巻 9 号 1761 頁〕

【事件】　仙台地裁判事補 Y は、組織的犯罪対策法案に反対する大会に出席し、「地裁所長の警告があるので、パネリストとしての発言はしない」旨の発言をしたこと等政治運動を事由として、仙台高裁において分限裁判の手続により戒告の決定を受けた。これに対して Y が最高裁に即時抗告を行った。(抗告棄却)

【争点】　①裁判所法 52 条 1 号はどのような活動を禁止し、またその禁止は合憲か。②本件戒告は適切な処分か。③分限裁判に憲法 82 条 1 項の「裁判の公開」の要請は及ぶか。

【決定要旨】　〔❶禁止される活動は総合的に決められ禁止は合憲〕
「組織的・計画的又は継続的な政治上の活動を能動的に行う行為であって、裁判官の独立及び中立・公正を害するおそれがあるものが、これに該当すると解され、具体的行為の該当性を判断するに当たっては、その行為の内容、その行為の行われるに至った経緯、行われた場所等の客観的な事情のほか、その行為をした裁判官の意図等の主観的な事情をも総合的に考慮して決する」。「立法目的は、もとより正当…、合理的な関連性がある…、禁止は利益の均衡を失するものではない、…文言が文面上不明確であるともいえない。」〔❷戒告処分は相当〕「〈裁判所法 49 条〉所定の懲戒事由である職務上の義務違反があった」。「一切の事情にかんがみれば、抗告人を戒告することが相当である。」〔❸実質は行政処分であり要請は及ばない〕「裁判官に対する懲戒は、…一般の公務員に対する懲戒と同様、その実質においては裁判官に対する行政処分の性質を有する…。したがって、裁判官に懲戒を課する作用は、固有の意味における司法権の作用ではなく、懲戒の裁

判は，純然たる訴訟事件についての裁判には当たらない。」

【コメント】　本判決には，園部，尾崎，河合，遠藤，元原裁判官の各反対意見がある。X判事補のツイッターへの投稿が，裁判所法49条の「品位を辱める行状」として東京高裁が最高裁に懲戒申立てを行った件について，最大決平成30年10月17日民集72巻5号890頁は，同条の「行状」とは，「職務上の行為であると，純然たる私的行為であるとを問わず，およそ裁判官に対する国民の信頼を損ね，又は裁判の公正を疑わせるような言動」として，戒告とした。なおこの判決については，山本・林・宮崎裁判官の補足意見がある。

149 裁判員制度の合憲性
最大判　〔最大判平成23年11月16日刑集65巻8号1285頁〕

【事件】　覚せい剤取締法違反等で起訴されたYが，1審の裁判員裁判で有罪（懲役6年罰金400万円）となった。Yは，裁判員裁判が違憲であるとして控訴し，棄却されたので上告した。（上告棄却）

【争点】　①憲法に明文がないのに国民の司法参加を認める裁判員法を制定し実施するのは合憲か。②裁判官と裁判員によって構成される裁判所は「公平な裁判所」か。③裁判員裁判は，裁判官の職権行使の独立を侵しているか。④裁判員制度による裁判体はその設置が禁止される特別裁判所か。⑤裁判員の職務の義務付けは「意に反する苦役」か。

【判旨】　〔❶憲法は，一般的には国民の司法参加を許容しており，その内容を立法政策に委ねている〕「憲法に国民の司法参加を認める旨の…明文の規定が置かれていないことが，直ちに国民の司法参加の禁止を意味するものではない。憲法上，刑事裁判に国民の司法参加が許容されているか否かという刑事司法の基本に関わる問題は，憲法が採用する統治の基本原理や刑事裁判の諸原則，憲法制定当時の歴史的状況を含めた憲法制定の経緯及び憲法

の関連規定の文理を総合的に検討して判断されるべき事柄である。」「刑事裁判は、人の生命すら奪うことのある強大な国権の行使である。そのため、多くの近代民主主義国家において、それぞれの歴史を通じて、刑事裁判権の行使が適切に行われるよう種々の原則が確立されてきた。」「刑事裁判を行うに当たっては、…高度の法的専門性が要求される。」「憲法は、刑事裁判の基本的な担い手として裁判官を想定していると考えられる。」「他方、歴史的、国際的な視点から見ると、欧米諸国においては、…民主主義の発展に伴い、国民が直接司法に参加することにより裁判の国民的基盤を強化し、その正統性を確保しようとする流れが広がり、憲法制定当時の20世紀半ばには、欧米の民主主義国家の多くにおいて陪審制か参審制が採用されていた。」「旧憲法〈の〉『裁判官による裁判』から『裁判所における裁判』へと表現が改められ…最高裁判所と異なり、下級裁判所については、裁判官のみで構成される旨を明示した規定を置いていない。」「国民の司法参加と適正な刑事裁判を実現するための諸原則とは、十分調和させることが可能であり、憲法上国民の司法参加がおよそ禁じられていると解すべき理由はなく、国民の司法参加に係る制度の合憲性は、具体的に設けられた制度が、適正な刑事裁判を実現するための諸原則に抵触するか否かによって決せられるべきものである。」「換言すれば、憲法は、一般的には国民の司法参加を許容しており、これを採用する場合には、…その内容を立法政策に委ねていると解される」。〔❷**裁判官と裁判員から構成される裁判所は「公平な裁判所」**〕「裁判員裁判対象事件を取り扱う裁判体は、身分保障の下、独立して職権を行使することが保障された裁判官と、公平性、中立性を確保できるよう配慮された手続の下に選任された裁判員とによって構成される」。「裁判員の関与する判断は、いずれも司法作用の内容をなすものであるが、必ずしもあらかじめ法律的な知識、経験を有することが不可欠な事項であるとはいえない。さらに、裁判長は、裁判員がその職責を十分に果たすことができるよ

うに配慮しなければならないとされていることも考慮すると，…裁判員が，様々な視点や感覚を反映させつつ，裁判官との協議を通じて良識ある結論に達することは，十分期待することができる。他方，憲法が定める刑事裁判の諸原則の保障は，裁判官の判断に委ねられている。」「このような裁判員制度の仕組みを考慮すれば，公平な『裁判所』における法と証拠に基づく適正な裁判が行われること…は制度的に十分保障されている上，裁判官は刑事裁判の基本的な担い手とされているものと認められ，憲法が定める刑事裁判の諸原則を確保する上での支障はない」。〔**❸裁判員裁判は，裁判官の職権行使の独立を侵さない**〕「憲法が一般的に国民の司法参加を許容しており，裁判員法が憲法に適合するようにこれを法制化したものである以上，裁判員法が規定する評決制度の下で，裁判官が時に自らの意見と異なる結論に従わざるを得ない場合があるとしても，それは憲法に適合する法律に拘束される結果であるから，同項違反との評価を受ける余地はない。」「法令の解釈に係る判断や訴訟手続に関する判断を裁判官の権限にするなど，裁判官を裁判の基本的な担い手として，法に基づく公正中立な裁判の実現が図られており，こうした点からも，裁判員制度は，同項の趣旨に反するものではない。」〔**❹裁判員制度による裁判体は特別裁判所ではない**〕「裁判員制度による裁判体は，地方裁判所に属するものであり，その第1審判決に対しては，高等裁判所への控訴及び最高裁判所への上告が認められており，裁判官と裁判員によって構成された裁判体が特別裁判所に当たらない」。〔**❺裁判員の職務は「苦役」ではない**〕「裁判員としての職務に従事し，又は裁判員候補者として裁判所に出頭すること（以下，併せて『裁判員の職務等』という。）により，国民に一定の負担が生ずることは否定できない。しかし，…裁判員の職務等は，司法権の行使に対する国民の参加という点で参政権と同様の権限を国民に付与するものであり，これを『苦役』ということは必ずしも適切ではない。また，裁判員法16条は，国民の負担を過重にしないという

観点から,裁判員となることを辞退できる者を類型的に規定し,さらに同条8号及び同号に基づく政令においては,個々人の事情を踏まえて,裁判員の職務等を行うことにより自己又は第三者に身体上,精神上又は経済上の重大な不利益が生ずると認めるに足りる相当な理由がある場合には辞退を認めるなど,辞退に関し柔軟な制度を設けている。加えて,出頭した裁判員又は裁判員候補者に対する旅費,日当等の支給により負担を軽減するための経済的措置が講じられている(11条,29条2項)。」「これらの事情を考慮すれば,裁判員の職務等は,憲法18条後段が禁ずる『苦役』に当たらないことは明らかであり,また,裁判員又は裁判員候補者のその他の基本的人権を侵害するところも見当たらない」。

第14章 財　政

150 給与所得者と課税制度《総評サラリーマン税金訴訟》
最判
〔最3小判平成元年2月7日判例時報1312号69頁〕

【事件】　$X_1 \cdot X_2$ の夫婦が、昭和46年分の所得税としてそれぞれ源泉徴収手続により国に収納された8万円強、7万円強につき、給与所得者への所得税課税制度は違憲という理由で、国を相手に不当利得返還を請求した。1審・2審請求棄却。（上告棄却、原告敗訴確定）

【争点】　①所得税法の定める給与所得控除額が低額にすぎることは憲法14条に反しないか。②給与所得の課税制度は憲法25条に反しないか。③源泉徴収制度は憲法14条に反しないか。

【判旨】　〔❶憲法14条に反しない〕「必要経費の控除について事業所得者等と給与所得者との間に設けた区別は、合理的なものであり、憲法14条1項の規定に違反するものではない〈判例①引用〉」〔❷憲法25条に反しない〕「〈判例②を引用〉上告人らは、もっぱら、そのいうところの昭和46年の課税最低限がいわゆる総評理論生計費を下まわることを主張するにすぎないが、…これをもって『健康で文化的な最低限度の生活』を維持するための生計費の基準とすることができないことは原判決の判示するところであり、他に…諸規定が立法府の裁量の逸脱・濫用と見ざるをえないゆえんを何ら具体的に主張していないから、上告人らの憲法25条、81条違反の主張は失当。」〔❸憲法14条に反しない〕「〈判例③を引用〉」

【コメント】　判例① = 最大判昭和60年3月27日民集39巻2号247頁）。判例② = 最大判昭和57年7月7日民集36巻7号1235頁）（堀木訴訟最高裁判決）。判例③ = 最大判昭和37年2月28日刑集16巻2号212頁。

151 通達課税と租税法律主義《パチンコ球遊器課税事件》
最判
〔最2小判昭和33年3月28日民集12巻4号624頁〕

【事件】 「遊戯具」は旧物品税法の課税物件であったが、当初パチンコ球遊器は課税対象とされていなかった。ところが、昭和26年3月の東京国税局長、同年9月の国税庁長官の通達によって一転課税対象とされ、物品税が賦課された。Xらはいったん物品税を納付した後、課税処分の無効確認と納付税額の還付を求めて出訴した。1審・2審、請求棄却。(上告棄却)

【争点】 ①パチンコ球遊器は「遊戯具」に該当するか。②法律を改正せずに通達で課税対象外から課税対象に変更するのは合憲か。

【判旨】 〔❶パチンコ球遊器は「遊戯具」〕「社会観念上普通に遊戯具とされているパチンコ球遊器が物品税法上の『遊戯具』のうちに含まれないと解することは困難であり、原判決も、もとより、所論のように、単に立法論としてパチンコ球遊器を課税品目に加えることの妥当性を論じたものではなく、現行法の解釈として『遊戯具』中にパチンコ球遊器が含まれるとしたものであって、右判断は、正当である。」〔❷通達の内容が法の正しい解釈に合致していれば問題ない〕「論旨は、通達課税による憲法違反を云為しているが、本件の課税がたまたま所論通達を機縁として行われたものであっても、通達の内容が法の正しい解釈に合致するものである以上、本件課税処分は法の根拠に基く処分と解するに妨げがなく、所論違憲の主張は、通達の内容が法の定めに合致しないことを前提とするものであって、採用し得ない。」

152 国民健康保険と租税法律主義《旭川市国民健康保険条例事件》
最大判
〔最大判平成18年3月1日民集60巻2号587頁〕

【事件】 国民健康保険の経費の徴収方法には、保険税方式と保険料方式があるが、旭川市は後者を採用して旭川市国民健

康保険条例を制定した。この方式では，一定の算出方法で市長が保険料を決定した上で告示することになるが，それでは保険料が予め明確に定められていないという問題がある。Xは，3年間分の賦課処分を受けたので，賦課処分の取消し等を求めて出訴した。1審・請求一部認容，2審・請求認容部分取消し。（上告棄却）

【争点】①憲法84条にいう「租税」とは何か。②租税以外の公課にも憲法84条の趣旨が及ぶか。③本件条例は憲法84条の趣旨に反しないか。

【判旨】〔❶一定の要件に該当するすべての者に課する金銭給付と「税」という形式をとるものが「租税」に当たる〕「国又は地方公共団体が，課税権に基づき，その経費に充てるための資金を調達する目的をもって，特別の給付に対する反対給付としてでなく，一定の要件に該当するすべての者に対して課する金銭給付は，その形式のいかんにかかわらず，憲法84条に規定する租税に当たる」。「市町村が行う国民健康保険の保険料は，これと異なり，被保険者において保険給付を受け得ることに対する反対給付として徴収される」。「被上告人市における国民健康保険事業に要する経費の約3分の2は公的資金によって賄われているが，これによって，保険料と保険給付を受け得る地位とのけん連性が断ち切られるものではない。また，国民健康保険が強制加入とされ，保険料が強制徴収されるのは，保険給付を受ける被保険者をなるべく保険事故を生ずべき者の全部とし，保険事故により生ずる個人の経済的損害を加入者相互において分担すべきであるとする社会保険としての国民健康保険の目的及び性質に由来する」。「したがって，上記保険料に憲法84条の規定が直接に適用されることはない…（国民健康保険税は，前記のとおり目的税であって，上記の反対給付として徴収されるものであるが，形式が税である以上は，憲法84条の規定が適用される…)。」〔❷租税以外の公課にもその性質に応じて条例によることが必要である〕「憲法84条は，課税要件及び租税の賦課徴収の手続が法律で明確に定められるべ

きことを規定するものであり，直接的には，租税について法律による規律の在り方を定めるものであるが，同条は，国民に対して義務を課し又は権利を制限するには法律の根拠を要するという法原則を租税について厳格化した形で明文化したもの…である。したがって，国，地方公共団体等が賦課徴収する租税以外の公課であっても，その性質に応じて，法律又は法律の範囲内で制定された条例によって適正な規律がされるべきもの…であり，憲法84条に規定する租税ではないという理由だけから，そのすべてが当然に同条に現れた上記のような法原則のらち外にあると判断することは相当ではない。」「租税以外の公課は，租税とその性質が共通する点や異なる点があり，また，賦課徴収の目的に応じて多種多様であるから，賦課要件が法律又は条例にどの程度明確に定められるべきかなどその規律の在り方については，当該公課の性質，賦課徴収の目的，その強制の度合い等を総合考慮して判断すべき」。〔❸本件条例は憲法84条の趣旨に反しない〕「本件条例は，保険料率算定の基礎となる賦課総額の算定基準を明確に規定した上で，その算定に必要な上記の費用及び収入の各見込額並びに予定収納率の推計に関する専門的及び技術的な細目にかかわる事項を，被上告人市長の合理的な選択にゆだねたものであり，また，上記見込額等の推計については，国民健康保険事業特別会計の予算及び決算の審議を通じて議会による民主的統制が及ぶ」。「そうすると，本件条例が，8条において保険料率算定の基礎となる賦課総額の算定基準を定めた上で，12条3項において，被上告人市長に対し，同基準に基づいて保険料率を決定し，決定した保険料率を告示の方式により公示することを委任したことをもって，法81条に違反するということはできず，また，これが憲法84条の趣旨に反するということもできない。」

【コメント】　本判決には，滝井裁判官の補足意見がある。本判決は，生活困窮者を保険料減免の対象としていない点には憲法25条，14条違反とはいえないという判断も示した。

153 幼児教室への補助金交付と「公の支配」

高判 〔東京高判平成 2 年 1 月 29 日判例時報 1351 号 47 頁〕

【事件】埼玉県吉川町が、いわゆる「無認可保育園」に町有地の無償使用を認め、補助金を交付したので、住民 X らが使用差止めと補助金相当額の損害賠償を求める住民訴訟を提起した。1 審・請求棄却。（控訴棄却）

【争点】①教育事業が憲法 89 条後段の「公の支配」に服するといえる基準。②本件施設は「公の支配」に服するか。

【判旨】〔❶支配の具体的な方法は諸般の事情によって異なる〕「教育の事業に対する支出、利用の規制の趣旨は、…教育の名の下に、公教育の趣旨、目的に合致しない教育活動に公の財産が支出されたり、利用されたりする虞があり、ひいては公の財産が濫費される可能性があることに基づく」。「法の趣旨を考慮すると、教育の事業に対して公の財産を支出し、又は利用させるためには、その教育事業が公の支配に服することを要するが、その程度は、国又は地方公共団体等の公の権力が当該教育事業の運営、存立に影響を及ぼすことにより、右事業が公の利益に沿わない場合にはこれを是正しうる途が確保され、公の財産が濫費されることを防止しうることをもって足りる…右の支配の具体的な方法は、当該事業の目的、事業内容、運営形態等諸般の事情によって異なり、必ずしも、当該事業の人事、予算等に公権力が直接的に関与することを要するものではない。」〔❷「公の支配」に服している〕「本件教室の運営が町の助成の趣旨に沿って行われるべきことは、町の本件教室との個別的な協議、指導によって確保され…本件教室についての町の関与が、予算、人事等に直接及ばないものの、本件教室は、町の公立施設に準じた施設として、町の関与を受け…憲法 89 条にいう『公の支配』に服する」。

【コメント】最 1 小判平成 5 年 5 月 27 日保育情報 206 号 25 頁は上告棄却。

第15章 地方自治

154 憲法上の「地方公共団体」と東京都の特別区
最大判 〔最大判昭和38年3月27日刑集17巻2号121頁〕

【事件】 Y等が,昭和32年8月に東京都渋谷区議会で行われた区長選任に関し,贈収賄罪で起訴された。1審では区長選任についての地方自治法旧281条の2第1項の違憲を理由に無罪が言い渡され,検察側が跳躍上告をした。(破棄差戻し)

【争点】 ①憲法上の地方公共団体たるに必要な要件はなにか。②特別区は憲法上の地方公共団体といえるか。

【判旨】 〔❶**法律上の取扱い,共同体意識,地方自治の基本的権能の賦与が要件**〕「〈憲法上の〉地方公共団体といい得るためには,単に法律で地方公共団体として取り扱われているということだけでは足らず,事実上住民が経済的文化的に密接な共同生活を営み,共同体意識をもっているという社会的基盤が存在し,沿革的にみても,また現実の行政の上においても,相当程度の自主立法権,自主行政権,自主財政権等地方自治の基本的機能を附与された地域団体であることを必要とする」。〔❷**特別区は憲法上の地方公共団体とはいえない**〕「東京都の特別…区は,明治11年郡区町村編制法施行以来地方団体としての長い歴史と伝統を有するものではあるが,未だ市町村のごとき完全な自治体としての地位を有していたことはなく,そうした機能を果たしたこともなかった。かつて地方自治制度確立に伴ない,区の法人格も認められたのであるが,依然として,区長は市長の任命にかかる市の有給吏員とされ,区は課税権,起債権,自治立法権を認められず,単にその財産および営造物に関する事務その他法令により区に属する事務を処理し得るにとどまり,殊に,日華事変以後区の自治権は次第に圧縮され,昭和18年7月施行の東京都制の下においては,全く都の下部機構たるに過ぎなかった」。「昭和21年9月東京都

制の一部改正により区は、従前の事務のほか法令の定めるところに従い区に属する事務を処理し（140条）、区条例、区規則の制定権、区税および分担金の賦課徴収権が認められ（143条、157条ノ3ないし5)、『区ニ区長ヲ置』き『区長ハ其ノ被選挙権アル者ニ就キ選挙人ヲシテ選挙セシメ其ノ者ニ就キ之ヲ任ズ』（151条ノ2）とのいわゆる区長公選制を採用することとなり、翌22年4月制定された地方自治法においても、特別区は『特別地方公共団体』とし、原則として市に関する規定が適用されることとなった（283条、附則17条）。しかし、これら法律の建前が特別区の事務、事業の上にそのまま実現されたわけでなく、政治の実際面においては、区長の公選が実施された程度で、その他は都制下におけるとさしたる変化はなく、特別区は区域内の住民に対して直接行政を執行するとはいえ、その範囲および権限において、市の場合とは著しく趣きを異にするところが少なくなかった。このことは次に掲げる諸法律〈地方自治法その他特別区に適用される法律〉の規定に照らして、これを推認し得るに十分である。」「かように、特別区は、昭和21年9月都制の一部改正によってその自治権の拡充強化が図られたが、翌22年4月制定の地方自治法をはじめその他の法律によってその自治権に重大な制約が加えられているのは、東京都の戦後における急速な経済の発展、文化の興隆と、住民の日常生活が、特別区の範囲を超えて他の地域に及ぶもの多く、都心と郊外の昼夜の人口差は次第に甚だしく、区の財源の偏在化も益々著しくなり、23区の存する地域全体にわたり統一と均衡と計画性のある大都市行政を実現せんとする要請に基づくものであって、所詮、特別区が、東京都という市の性格をも併有した独立地方公共団体の一部を形成していることに基因する」。「特別区の実体が右のごときものである以上、特別区は、その長の公選制が法律によって認められていたとはいえ、憲法制定当時においてもまた昭和27年8月地方自治法改正当時においても、憲法93条2項の地方公共団体と認めることはできない。」

【コメント】　本判決には垂水裁判官の補足意見がある。差戻審は，被告人全員を有罪（被告人7名のうち2名は懲役1年と1年2月の実刑判決，5名は執行猶予付きの懲役，5名から追徴）とした（東京地判昭和39年5月2日判例タイムズ162号149頁）。なお，その後，区長公選制を復活する地方自治法改正がなされた（昭49法71）。

155 条例によって生じる他の地域との不平等《東京都売春等取締条例事件》
最大判

〔最大判昭和33年10月15日刑集12巻14号3305頁〕

【事件】　料亭の経営者Yが，東京都「売春等取締条例」（売春防止法制定前のもの）の禁止する管理売春を行った科で起訴された。1審・2審有罪（罰金2万円）。（上告棄却）

【争点】　同種の行為につき，条例の禁止・処罰規定が地域ごとにまちまちなため，取扱いに差が生じることは，法の下の平等に反しないか。

【判旨】　〔条例による地域的取扱いの差は法の下の平等に反しない〕

「憲法が各地方公共団体の条例制定権を認める以上，地域によって差別を生ずることは当然に予期されることであるから，かかる差別は憲法みずから容認するところであると解すべきである。それ故，地方公共団体が売春の取締について各別に条例を制定する結果，その取扱に差別を生ずることがあっても，所論のように地域差の故をもって違憲ということはできない。」

【コメント】　本判決には，下飯坂・奥野裁判官の補足意見がある。
　　条例相互の内容の差違が，憲法14条の原則を破るような結果を生じたときは，やはり違憲問題を生じ，たとえば，同種の行為について一地域では外国人のみを処罰したり，他の地域では外国人のみにつき処罰を免除するがごとき各条例は，特段の合理的根拠のない限り，憲法14条に反する，というのである。

156 条例における罰則《大阪市売春取締条例事件》
最大判 〔最大判昭和 37 年 5 月 30 日刑集 16 巻 5 号 577 頁〕

【事件】　通行中の男を誘ったＹ女が、大阪市「売春勧誘行為等の取締条例」（売春防止法制定前のもの）2 条 1 項違反として起訴された。1 審・2 審有罪（罰金 5000 円）。（上告棄却）

【争点】　地方自治法 14 条の条例に対する罰則の委任は、憲法 31 条に違反しないか。

【判旨】　〔憲法 31 条に違反しない〕「憲法 31 条はかならずしも刑罰がすべて法律そのもので定められなければならないとするものでなく、法律の授権によってそれ以下の法令によって定めることもできると解すべきで、このことは憲法 73 条 6 号但書によっても明らかである。ただ、法律の授権が不特定な一般的な白紙委任的なものであってはならないことは、いうまでもない。ところで、地方自治法 2 条に規定された事項のうちで、本件に関係のあるのは 3 項 7 号及び 1 号に挙げられた事項であるが、これらの事項は相当に具体的な内容のものであるし、同法 14 条 5 項による罰則の範囲も限定されている。しかも、条例は、法律以下の法令といっても、…公選の議員をもって組織する地方公共団体の議会の議決を経て制定される自治立法であって、行政府の制定する命令等とは性質を異にし、むしろ国民の公選した議員をもって組織する国会の議決を経て制定される法律に類するものであるから、条例によって刑罰を定める場合には、法律の授権が相当程度に具体的であり、限定されておればたりると解するのが正当である。そうしてみれば、地方自治法 2 条 3 項 7 号及び 1 号のように相当に具体的な内容の事項につき、同法 14 条 5 項のように限定された刑罰の範囲内において、条例をもって罰則を定めることができるとしたのは、憲法 31 条の意味において法律の定める手続によって刑罰を科するもの〈で、同条違反とはいえない〉。」

【コメント】　本判決には、入江、垂水（藤田同調）、奥野裁判官の各補足意見がある。地方自治法 2 条 3 項は 22 の

| **157** | 条例制定権の範囲《徳島市公安条例事件》
|最大判| 〔最大判昭和50年9月10日刑集29巻8号489頁〕

【事件】　Yは徳島市内でジグザグデモを指揮・実行して、①道路交法77条3項および②徳島市公安条例3条3号に違反するとして起訴された。1審は①につき有罪、②につき無罪、2審は控訴棄却。(破棄自判、有罪〔①②を一罪として刑法54条1項前段によって重罪を定める②で処罰して罰金1万円〕)⇒**85**

【争点】　①立法目的に重複がある場合、条例の国の法令違反を、どう判定すべきか。②本件条例は法令に違反するか。

【判旨】　〔**❶それぞれの趣旨・目的・内容・効果を比較して両者の間に矛盾抵触があるか否かによって判定する**〕「道路交通法は道路交通秩序の維持を目的とするのに対し、本条例は道路交通秩序の維持にとどまらず、地方公共の安寧と秩序の維持という、より広はん、かつ、総合的な目的を有するのであるから、両者はその規制の目的を全く同じくするものとはいえない」。「地方自治法14条1項は、普通地方公共団体は法令に違反しない限りにおいて同法2条2項の事務に関し条例を制定することができる、と規定しているから、普通地方公共団体の制定する条例が国の法令に違反する場合には効力を有しないことは明らかであるが、条例が国の法令に違反するかどうかは、両者の対象事項と規定文言を対比するのみでなく、それぞれの趣旨、目的、内容及び効果を比較し、両者の間に矛盾抵触があるかどうかによってこれを決しなければならない。例えば、ある事項について国の法令中にこれを規律する明文の規定がない場合でも、当該法令全体からみて、右規定の欠如が特に当該事項についていかなる規制をも施すことなく放置すべきものとする趣旨であると解されるときは、これについて規律を設ける条例の規定は国の法令に違反することとなりう

るし，逆に，特定事項についてこれを規律する国の法令と条例とが併存する場合でも，後者が前者とは別の目的に基づく規律を意図するものであり，その適用によって前者の規定の意図する目的と効果をなんら阻害することがないときや，両者が同一の目的に出たものであっても，国の法令が必ずしもその規定によって全国的に一律に同一内容の規制を施す趣旨ではなく，それぞれの普通地方公共団体において，その地方の実情に応じて，別段の規制を施すことを容認する趣旨であると解されるときは，国の法令と条例との間にはなんらの矛盾牴触はなく，条例が国の法令に違反する問題は生じえない」。〔❷**本件条例は道路交通法と矛盾抵触しない**〕「これを道路交通法77条及びこれに基づく徳島県道路交通施行細則と本条例についてみると，徳島市内の道路における集団行進等について，道路交通秩序維持のための行為規制を施している部分に関する限りは，両者の規律が併存競合していることは，これを否定することができない。」「しかしながら，道路交通法77条1項4号は，…その対象となる道路の特別使用行為等につき，各普通地方公共団体が，条例により地方公共の安寧と秩序の維持のための規制を施すにあたり，その一環として，これらの行為に対し，道路交通法による規制とは別個に，交通秩序の維持の見地から一定の規制を施すこと自体を排斥する趣旨まで含むものとは考えられず，各公安委員会は，このような規制を施した条例が存在する場合には，これを勘案して，右の行為に対し道路交通法の前記規定に基づく規制を施すかどうか，また，いかなる内容の規制を施すかを決定することができるものと解する…。そうすると，道路における集団行進等に対する道路交通秩序維持のための具体的規制が，道路交通法77条及びこれに基づく公安委員会規則と条例の双方において重複して施されている場合においても，両者の内容に矛盾牴触するところがなく，条例における重複規制がそれ自体としての特別の意義と効果を有し，かつ，その合理性が肯定される場合には，道路交通法による規制は，このような条例に

よる規制を否定，排除する趣旨ではなく，条例の規制の及ばない範囲においてのみ適用される趣旨のものと解するのが相当であり，したがって，右条例をもって道路交通法に違反するものとすることはできない。」

【コメント】　この論点に関する補足意見・意見・反対意見はない。

158 地方公共団体の自主課税権《神奈川県臨時特例企業税事件》
最判　〔最1小判平成25年3月21日民集67巻3号438頁〕

【事件】　神奈川県は法人事業税の欠損金の繰越控除制度の適用を遮断するため，平成13年，神奈川県臨時特例企業税条例を制定して，法定外普通税として神奈川県臨時特例企業税を創設した。Xは，2年度分の企業税を申告・納付した上で，本件条例が地方税法に違反して無効であるなどと主張し，更正の請求，審査請求を経て課税処分の取消し還付請求等を求める訴訟を提起した。1審・請求認容，2審・1審判決取消請求棄却。（原判決破棄，控訴棄却）

【争点】　①憲法は地方公共団体に自主課税権を保障しているか。
②本件条例は違法か。

【判旨】　〔❶憲法は地方公共団体に自主課税権を保障しているが，法令の強行規定に違反してはならない〕「普通地方公共団体は，地方自治の本旨に従い，その財産を管理し，事務を処理し，及び行政を執行する権能を有するものであり（憲法92条，94条），その本旨に従ってこれらを行うためにはその財源を自ら調達する権能を有することが必要であることからすると，普通地方公共団体は，地方自治の不可欠の要素として，その区域内における当該普通地方公共団体の役務の提供等を受ける個人又は法人に対して国とは別途に課税権の主体となることが憲法上予定されている…。しかるところ，憲法は，普通地方公共団体の課税権の具体的内容について規定しておらず，普通地方公共団体の組織及び運営に関する事項は法律でこれを定めるものとし（92条），普通

地方公共団体は法律の範囲内で条例を制定することができるものとしていること（94条），さらに，租税の賦課については国民の税負担全体の程度や国と地方の間ないし普通地方公共団体相互間の財源の配分等の観点からの調整が必要であることに照らせば，普通地方公共団体が課することができる租税の税目，課税客体，課税標準，税率その他の事項については，憲法上，租税法律主義（84条）の原則の下で，法律において地方自治の本旨を踏まえてその準則を定めることが予定されており，これらの事項について法律において準則が定められた場合には，普通地方公共団体の課税権は，これに従ってその範囲内で行使されなければならない。」「地方税法が，法人事業税を始めとする法定普通税につき，…特別の事情があるとき以外は，普通地方公共団体が必ず課税しなければならない租税としてこれを定めており（4条2項，5条2項），税目，課税客体，課税標準及びその算定方法，標準税率と制限税率，非課税物件，更にはこれらの特例についてまで詳細かつ具体的な規定を設けていることからすると，同法の定める法定普通税についての規定は，標準税率に関する規定のようにこれと異なる条例の定めを許容するものと解される別段の定めのあるものを除き，任意規定ではなく強行規定であると解されるから，普通地方公共団体は，地方税に関する条例の制定や改正に当たっては，同法の定める準則に拘束され，これに従わなければならない…。したがって，法定普通税に関する条例において，地方税法の定める法定普通税についての強行規定の内容を変更することが同法に違反して許されないことはもとより，法定外普通税に関する条例において，同法の定める法定普通税についての強行規定に反する内容の定めを設けることによって当該規定の内容を実質的に変更することも，これと同様に，同法の規定の趣旨，目的に反し，その効果を阻害する内容のものとして許されない」。〔❷**本件条例は，地方税法の趣旨・目的に反し，その効果を阻害する**〕「法人税法の規定する欠損金の繰越控除は，…各事業年度間の所得の金額と欠損

金額を平準化することによってその緩和を図り，事業年度ごとの所得の金額の変動の大小にかかわらず法人の税負担をできるだけ均等化して公平な課税を行うという趣旨，目的から設けられた制度である」。「法人税法の規定する欠損金の繰越控除は，…いずれも必要的に適用すべきものとされていると解され，法人税法の規定の例により欠損金の繰越控除を定める地方税法の規定は，法人事業税に関する同法の強行規定である」。「法人事業税の所得割の課税標準…である各事業年度の所得の金額の計算においても，…各事業年度間の所得の金額と欠損金額の平準化を図り，事業年度ごとの所得の金額の変動の大小にかかわらず法人の税負担をできるだけ均等化して公平な課税を行うという趣旨，目的から，地方税法の規定によって欠損金の繰越控除の必要的な適用が定められているものといえるのであり，このことからすれば，たとえ欠損金額の一部についてであるとしても，条例において同法の定める欠損金の繰越控除を排除することは許されず，仮に条例にこれを排除する内容の規定が設けられたとすれば，当該条例の規定は，同法の強行規定と矛盾抵触するものとしてこれに違反し，違法，無効である」。「以上のことを踏まえ，本件条例の規定の趣旨，目的，内容及び効果について検討すると，本件条例は，…その実質は，繰越控除欠損金額それ自体を課税標準とするものにほかならず，法人事業税の所得割の課税標準である各事業年度の所得の金額の計算につき欠損金の繰越控除を一部排除する効果を有する」。「特例企業税を定める本件条例の規定は，地方税法の定める欠損金の繰越控除の適用を一部遮断することをその趣旨，目的とするもので，特例企業税の課税によって各事業年度の所得の金額の計算につき欠損金の繰越控除を実質的に一部排除する効果を生ずる内容のものであり，各事業年度間の所得の金額と欠損金額の平準化を図り法人の税負担をできるだけ均等化して公平な課税を行うという趣旨，目的から欠損金の繰越控除の必要的な適用を定める同法の規定との関係において，その趣旨，目的に反し，その効果

を阻害する内容のものであって，法人事業税に関する同法の強行規定と矛盾抵触するものとしてこれに違反し，違法，無効である」。

【コメント】　本判決には，金築裁判官の補足意見がある。

判 例 索 引 (年月日順)

《最高裁判所》

昭 23・3・12 ……………162
昭 25・2・1 ………………244
昭 25・11・22 ……………45
昭 27・2・20 ……………253
昭 27・8・6 ………………98
昭 27・10・8 ……………243
昭 28・4・8 ………………200
昭 28・12・23(皇居前広場)…113
昭 28・12・23(農地改革)……136
昭 29・11・24 ……………116
昭 30・1・26 ……………123
昭 31・7・4 ………………61
昭 32・3・13 ………………81
昭 33・3・28 ……………261
昭 33・9・10 ……………151
昭 33・10・15 ……………267
昭 34・12・16 ………………6
昭 35・6・8 ………………250
昭 35・7・6 ………………164
昭 35・7・20 ……………117
昭 37・3・7 ………………251
昭 37・5・2 ………………159
昭 37・5・30 ……………268
昭 37・11・28 ……………142
昭 38・3・27 ……………265
昭 38・5・22 ……………121
昭 38・6・26 ……………134
昭 39・2・5 ………………221
昭 41・10・26 ……………201
昭 42・5・24 ……………172

昭 43・11・27 ……………140
昭 43・12・4 ……………198
昭 43・12・18 ……………102
昭 44・4・2 ………………204
昭 44・6・25 ………………85
昭 44・11・26 ……………100
昭 44・12・24 ………………91
昭 45・6・24 ………………19
昭 45・9・16 ………………35
昭 45・11・25 ……………160
昭 47・11・22(小売市場)……124
昭 47・11・22(川崎民商)……147
昭 47・12・20 ……………156
昭 48・4・4 ………………46
昭 48・4・25 ……………205
昭 48・12・12 ………………22
昭 49・11・6 ………………29
昭 50・4・30 ……………126
昭 50・9・10 ……………144,269
昭 51・4・14 ……………212
昭 51・5・21 ……………186
昭 52・3・15 ……………246
昭 52・5・4 ………………208
昭 52・7・13 ………………66
昭 52・8・9 ………………155
昭 53・5・31 ……………108
昭 53・7・12 ……………138
昭 53・9・7 ………………161
昭 53・10・4 ………………38
昭 55・11・28 ………………83
昭 56・4・7 ………………244
昭 56・4・14 ………………93

昭56・4・16 …………………86	平8・8・28 …………………9
昭56・6・15 …………………103	平9・3・13 …………………231
昭56・12・16 ………………184	平9・4・2 …………………69
昭57・7・7 …………………176	平9・9・9 …………………237
昭57・9・9 …………………16	平10・12・1 ………………255
昭58・4・27 ………………222	平11・11・10(投票価値) …216
昭58・6・22 …………………36	平11・11・10(選挙制度) …218
昭59・5・17 ………………224	平12・2・29 ………………64
昭59・12・12 ………………111	平14・2・13 ………………133
昭60・10・23 ………………145	平14・4・25 ………………26
昭60・11・21 ………………225	平14・9・11 ………………165
昭61・6・11 …………………87	平15・9・12 ………………94
昭62・4・22 ………………130	平16・1・14 ………………223
昭62・4・24 ………………110	平17・1・26 ………………42
昭62・6・26 ………………139	平17・4・14 ………………158
昭63・6・1 …………………77	平17・9・14 ………………227
昭63・7・15 ………………197	平18・3・1 …………………261
平元・2・7 …………………260	平19・2・27 ………………62
平元・3・8 …………………99	平19・9・28 ………………178
平元・6・20 …………………17	平20・3・6 …………………95
平元・9・19 …………………84	平20・6・4 …………………52
平元・11・20 …………………3	平22・1・20 …………………71
平2・1・18 …………………195	平23・3・23 ………………217
平2・4・17 …………………104	平23・11・16 ………………256
平2・9・28 …………………79	平24・2・28 ………………180
平4・7・1 …………………149	平24・12・7 …………………33
平4・12・15 …………………129	平25・3・21 ………………271
平5・3・16 …………………194	平25・9・4 …………………49
平7・2・22 …………………241	平27・12・16(再婚禁止) …54
平7・2・28 …………………40	平27・12・16(夫婦同氏) …57
平7・3・7 …………………115	平29・1・31 …………………96
平7・5・25 …………………230	平29・3・15 ………………152
平7・12・15 …………………39	平29・12・6 ………………105
平8・3・8 …………………63	令2・11・25 ………………247
平8・3・19 …………………25	令3・2・24 …………………74

《下級裁判所》

昭 22・6・28(東京高) ……………1
昭 27・1・18(東京地)……………80
昭 29・3・6(東京地)……………238
昭 29・5・11(東京地) ……………120
昭 29・9・22(東京高) ………233
昭 34・3・30(東京地) ……………4
昭 35・10・19(東京地)………169
昭 37・1・22(東京地) ………235
昭 39・9・28(東京地)……………89
昭 42・3・29(札幌地)……………10
昭 42・6・9(東京地)……………252
昭 43・3・25(旭川地)……………27
昭 43・6・12(東京高) …………21
昭 45・7・17(東京地) ………190
昭 46・5・14(名古屋高)………65
昭 48・9・7(札幌地) ……………11
昭 50・11・10(大阪高) ………175
昭 54・3・22(山口地)……………76
昭 55・7・24(東京地) ………239
昭 57・1・26(東京地) ………240
昭 63・6・6(高知地)……………196
平 2・1・29(東京高)……………264
平 9・11・26(東京高) …………41
平 13・5・11(熊本地) ………167
平 14・11・11(札幌地) ………43

● 編著者紹介

渋谷秀樹
1955 年 兵庫県加古川市生まれ
1978 年 東京大学法学部卒業
1984 年 東京大学大学院法学政治学研究科博士課程満期退学
2013 年 博士（法学）（大阪大学論文博士）
現　在 立教大学名誉教授　弁護士

 有斐閣新書　　　　　憲法判例集〔第12版〕

1978 年	8 月 15 日	初　版第 1 刷発行
1980 年	3 月 15 日	第 2 版第 1 刷発行
1983 年	2 月 25 日	第 3 版第 1 刷発行
1985 年	4 月 15 日	第 4 版第 1 刷発行
1990 年	4 月 10 日	第 5 版第 1 刷発行
1993 年	4 月 25 日	第 6 版第 1 刷発行
1997 年	4 月 10 日	第 7 版第 1 刷発行
2001 年	3 月 30 日	第 8 版第 1 刷発行
2004 年	12 月 10 日	第 9 版第 1 刷発行
2008 年	12 月 5 日	第10版第 1 刷発行
2016 年	11 月 25 日	第11版第 1 刷発行
2022 年	2 月 25 日	第12版第 1 刷発行©
2025 年	5 月 15 日	第12版第 3 刷発行

編著者　渋　谷　秀　樹

発行者　江　草　貞　治

発行所　株式会社　有　斐　閣
郵便番号 101-0051
東京都千代田区神田神保町 2-17
https://www.yuhikaku.co.jp/

印刷／株式会社理想社・製本／牧製本印刷株式会社
落丁・乱丁本はお取替えいたします

★定価はカバーに表示してあります。

ISBN 978-4-641-09161-0

JCOPY　本書の無断複写（コピー）は，著作権法上での例外を除き，禁じられています。複写される場合は，そのつど事前に(一社)出版者著作権管理機構（電話03-5244-5088, FAX03-5244-5089, e-mail:info@jcopy.or.jp)の許諾を得てください。